BIBLIOTECA DI CULTURA MODERNA
N. 372-I

LA CRITICA LETTERARIA CONTEMPORANEA
I

SCRITTI DI LUIGI RUSSO

Metastasio, 1915; 3ª ediz., Bari, Laterza, 1945.

Vita e disciplina militare, 1917; 5ª ediz., Bari, Laterza, 1946.

Giovanni Verga, 1919; 3ª edizione, Bari, Laterza, 1941.

Scrittori-poeti e Scrittori-letterati *(Salvatore Di Giacomo, Giuseppe Cesare Abba)*, 1921-1925; Bari, Laterza, 1945.

I narratori, Roma, « Fondazione Leonardo », 1923 (esaurito). **Italienische Erzähler** (1860-1926), Heidelberg, Julius Groos, 1927.

Francesco de Sanctis e la cultura napoletana, 1928; 2ª ed., Laterza, 1943.

Problemi di metodo critico (esaurito), Bari, Laterza, 1929.

Elogio della polemica. Testimonianze di vita e di cultura (1918-1932), Bari, Laterza, 1933.

La critica letteraria contemporanea, voll. 3. Bari, Laterza, 1942-43; 2ª ediz., 1946.

Machiavelli, Roma, Tumminelli, 1945.

Ritratti e disegni storici, 1ª serie, *Dall'Alfieri al Leopardi*, Laterza, 1946. 2ª serie, *Dal Manzoni al De Sanctis*, Laterza, 1946.

Studi sul Due e Trecento, Edizioni italiane, Roma, 1946.

Ritratti critici di contemporanei, L'Universale, Genova, 1946.

COMMENTI E INTRODUZIONI CRITICHE AI CLASSICI.

N. Machiavelli, *Il Principe*, 1931; ed. di lusso, Firenze, Sansoni, 1944.

A. Manzoni, *Liriche e tragedie*, 1932; ed. di lusso, Firenze, Sansoni, 1945.

I. Nievo, *Le confessioni di un italiano*, testo ridotto; Firenze, Le Monnier, 1934; 2ª ediz. 1940.

G. Verga, *Mastro-don Gesualdo*, testo ridotto, Milano, Mondadori, 1934.

A. Manzoni, *I promessi sposi*, 1935; 5ª ediz., Firenze, « La nuova Italia », 1942.

V. Alfieri, *La vita*, Milano, Principato, 1935.

G. Boccaccio, *Il Decameron*, venticinque novelle scelte e ventisette postille critiche, ediz. di lusso, Firenze, Sansoni, 1939.

I classici italiani, la più grande raccolta commentata dei testi della nostra letteratura da Francesco d'Assisi al D'Annunzio. Firenze, Sansoni, 1939 45. *Collaboratori:* F. FIGURELLI, R. RAMAT, E. BONORA, C. MUSCETTA, N. ORSINI, G. MARZOT, M. FUBINI, F. BETTALLI, P. VILLA, R. RUGANI. *Collaboratore e direttore:* L. RUSSO. L'opera è completa.

EDIZIONI DI TESTI.

C. Benso di Cavour, *Discorsi parlamentari*, Firenze, « La nuova Italia ». [Sono usciti i primi tre volumi, a cura di ADOLFO OMODEO; il IV, il V e il VI a cura del RUSSO; il VII, l'VIII e il IX a cura dell'OMODEO. La serie continua.]

Sonetti burleschi e realistici dei primi due secoli, a cura di A. F. MASSERA; nuova edizione riveduta e aggiornata da L. RUSSO, Bari, Laterza, 1940.

Gli scrittori d'Italia da Jacopo da Lentini a Pirandello. Storia letteraria desunta dalle opere del De Sanctis e di critici contemporanei, 1924, nuova edizione in due volumi, Firenze, Sansoni, 1940.

LUIGI RUSSO

LA CRITICA LETTERARIA CONTEMPORANEA

VOLUME PRIMO

DAL CARDUCCI AL CROCE

BARI
GIUS. LATERZA & FIGLI
TIPOGRAFI-EDITORI-LIBRAI
1946

GIUGNO MCMXLVI - 805

Dedico questa raccolta di saggi a mia moglie Teresa Saracinelli, vocata Sara, nel compiersi dei nostri venticinque anni di matrimonio, laboriosi assai, forse troppo, di figli, di polemiche e di libri; a te, Puccio, mio primogenito tra i maschi, che mi hai fatto nonno precoce di un Luigi Russo milanese, augurio di più sereni dì; ai figli miei tutti, che con le loro cure addolciscono e compatiscono le mie assidue giornate di lavoro; e a voi pure, amici e nemici, scolari e non scolari, che avete sofferto delle mie irruenze e dei miei maltrattamenti critici, dei quali, a dire il vero, il primo a crucciarsi e qualche volta a mortificarsi è stato il vostro, a suo modo affezionato, sempre irato, ma maligno mai, Luigi Russo.

Cinquale di Montignoso, settembre 1941.

PROLOGO

Questi tre volumi si compongono di saggi vecchi e nuovi: i vecchi sono stati tratti da altri miei libri, per trovare qui il loro posto definitivo, e i nuovi sono stati scritti di proposito per completare il quadro dei miei interessi mentali. Il saggio più lungo della raccolta è quello dedicato alla *Critica letteraria del Croce*, diviso in due puntate: per la prima volta la vasta operosità del Croce, come critico letterario, prodottasi in più di mezzo secolo di indefesso lavoro, viene qui ordinata storicamente, accompagnata e commentata nei suoi vari motivi. Segue un altro capitolo sullo *Svolgimento dell'estetica crociana*, in cui riprendo un mio vecchio scritto del 1920, ora rifatto e completato per l'occasione: il saggio originario riguardava i *Nuovi saggi di estetica*, questo abbraccia anche la prima *Estetica* e l'ultimo termine (per ora) della speculazione del Croce sull'arte, *La Poesia*. Come corollario ovvio ho voluto scrivere di seguito un saggio sull'estetica gentiliana, della quale, qualunque cosa si pensi, non si può disconoscere la storica presenza per l'azione e reazione che essa ha provocato nella mente del Croce, nella sua prima fase di speculazione collaboratrice e poi di speculazione programmaticamente avversa.

Questi tre saggi costituiscono dunque il nodo centrale, filosofico per dir così, dell'opera.

Un' introduzione alla critica crociana sono le pagine che riguardano la scuola storica, capeggiata dal Carducci e dal D'Ancona, e le pagine relative al movimento della critica postcrociana, che nel primo e più nei due successivi volumi occupano una parte cospicua. Nel saggio particolarmente dedicato al Croce critico, io ho voluto aggiungere, per una forma di lealtà, il sottotitolo « e il nostro storicismo », e a dire il vero tale sottotitolo andrebbe congiunto idealmente a tutti i singoli scritti di questi due volumi, poichè non ho saputo e non ho voluto frenare un mio gusto prammatistico di storico, se ogni forma di storia è azione, e però quasi di proposito ho mescolato me stesso alla critica dei critici e ho lasciato intravedere quello che pure è il mio ideale personale di essa. Cotesto ideale, pure obbiettivato e teorizzato anni addietro in un saggio a parte (qui riappare sotto il titolo mutato di *Tendenze metodologiche della critica contemporanea*), non poteva non venir fuori, nell'assidua tenzone o amicizia con i critici criticati. Questo dunque il difetto della raccolta, ma anche la sua ragione di vita; ché l'opera per l'appunto non ha una genesi accademica, ma vuole essere, *si licet*, il breviario di un critico militante, che ha ancora, si spera, lunga tratta di lavoro innanzi a sé.

Ma ho voluto forse per questo offrire un panorama di tutta la critica contemporanea? No, sebbene essa vi sia tutta presente, come schermo, se non altro, della fantasia polemica dello scrivente. Del resto, sono troppo poco amico della critica panoramica, fastidio mercantile dei nostri tempi, la quale presuppone un interesse di storia sociologica e informativa, a uso dei laici, che io non ho e non voglio avere. Ho voluto dunque soltanto proporre un panorama dei miei interessi mentali, quelli che più mi urgevano alla mente e che mi accompagnano nel mio lavoro letterario da venticinque anni a questa parte. Debbo dire che mancano due capitoli, che pure a lungo ho accarezzato nella mente, e vi mancano, perché ancora il materiale di studi è troppo frammentario o perché io ancora non mi sentivo sufficientemente preparato: un capitolo sulle *Storie letterarie*, e l'altro sulla *Critica della terza pagina*. Quest'ultima è stata trattata pur nei suoi rappresentanti più eminenti e più discussi, Borgese, Cecchi, Serra, Tilgher, Gargiulo, Momigliano, Flora, Pancrazi, Prezzolini, De Robertis, gli ermetici; ma io penso sempre di aggiungere nei prossimi anni tutto un capitolo su altri scrittori di critica, per comprendervi l'opera di Thovez, Ambrosini, Boine, Bellonci, e di critici-artisti come Slataper, Cecchi ancora una volta, Baldini, Bacchelli, Bontempelli, Montale, Sergio Solmi, e di altri che sono soltanto giornalisti. Ma un saggio di tal genere, confesso, per ora mi intimidiva, non tanto per conflitti di gusto e di tendenze, quanto per la difficoltà di tener sott'occhio tutto il materiale di studio. Così egoisticamente mi sono augurato che alcuni di questi letterati da me ricordati vengano raccogliendo le loro pagine in volume, ché le ricerche in un'emeroteca non sempre sono agevoli (e sia pure in una biblioteca come quella di Firenze) e non sempre tali per tutti i soggetti da compensare la fatica del ricercatore.

Per l'altro capitolo, quello delle *Storie letterarie*, la mia ambizione sarebbe stata non solo di parlare della *Storia della letteratura italiana* del Momigliano (la sola che oggi sia compiuta), e della *Storia* del Flora, a cui pur manca ancora il secondo volume, ma anche di quelle dei classicisti e dei critici di letterature straniere. Per una maggiore maturazione e allargamento dei miei studi in tal campo, e per la frammentarietà delle opere di tal genere oggi in via di completamento (il decennio in corso sarà il decennio delle storie letterarie), ho però creduto opportuno di rimandare tale trattazione a tempi più compiuti. Così mi è parso prematuro fermarmi sugli accenni di una critica linguistica, che si vien facendo strada nei nostri tempi sul ceppo della tradizionale concezione storicistica; a meno che io avessi avuto la bassa voglia di indugiarmi sui troppo noti e già ben deflati vaniloqui di *Lingua e poesia*, di cui gonfiava fino a qualche anno fa il cappuccio di Giulio Bertoni. I tentativi di critica linguistica da parte di un giovane di molto ingegno e di preziosa dottrina, Gianfranco Contini, sono ancora il crepuscolo di una nuova esperienza; e crepuscolo sono i saggi pubblicati da Giacomo Devoto, e il mio studio sulla *Lingua di Verga*, che vuole essere soltanto il primo di una assai varia serie. Gli studi poi dello Schiaffini e del Migliorini si volgono più verso la storia della tradizione linguistica, intesa nel suo valore sociologico, che verso la critica letteraria in senso individualizzante.

L'autore dunque desidera che questa raccolta sia considerata come un'opera non finita: l'ho incominciata a scrivere intorno al 1920 nel fuoco degli anni del noviziato, e la vorrò continuare ancora per alcuni degli anni prossimi, forse con lo stesso ardore, pur sopraggiungendo il gelo del decimo lustro. Salvo che, la parte fondamentale, quella che mi sta più in mente, come una specie di chiodo fisso e che forse è anche la parte che interessa la maggioranza dei lettori, è consegnata già nelle pagine qui accolte. In cui, è superfluo che io lo noti, campeggia il Croce non per particolare affezione che io abbia a lui, come mio maestro e autore, ma perché egli è il solo critico-maestro di questi ultimi quarant'anni che meriti un tal nome senza riserve, e l'opera sua è l'unico monumento dell'età nostra in questo campo, e tutti gli altri critici o teorici sono riflesso o corollario di cotesta sua prodigiosa attività. Se c'è qualche lettore impaziente del titolo che appare sul frontespizio, esso lo modifichi pure in quest'altro: *Il Croce e la critica letteraria contemporanea.* L'autore ha voluto proprio fare un libro di tal genere, dove fosse esplicito o sottinteso il nome del Croce: non per parzialità di discepolo ripeto, ma per impellente giustizia storica. Così un libro di storia della critica svoltasi tra il 1850 e il 1870 andrebbe intitolato a Francesco de Sanctis, e quello della critica fino alla fine del secolo al Carducci, e un libro di storia della critica dei primi decenni dell'Ottocento a quell'altro grande maestro di critica letteraria che fu il poeta Ugo Foscolo.

Dunque siamo intesi: la critica letteraria contemporanea sotto specie crociana, ma anche, per quello che si è detto di sopra, sotto specie russiana, perché l'autore ha, come tutti i mortali, una sua soggettività, anzi un suo soggettivismo, e, dicono i maligni, anche piuttosto prepotente. E se qualcuno ci domandasse: ma quale il vostro punto di vista nuovo? quale la vostra nuova critica? noi risponderemmo che il nuovo per il nuovo non è stata mai una ricerca scientifica o artistica valida e fruttuosa, e che, nel campo della critica, il nuovo è nel continuo porre nuovi problemi su nuove esperienze, e concretamente risolverli. È questa la buona legge dello storicismo che, nell'avanzare di ogni problema, si diversifica dallo storicismo di ieri, riconoscendosi che tutte le altre ambizioni si svelano per una fantasticheria di decadenti o di ignoranti puri (ciò che qualche volta è lo stesso), i quali rimangono appesi a questi loro fatui desideri del nuovo per il nuovo, del trovar terre strane o morire, senza speranza, senza termine e senza concludenza alcuna, come «fiocchi di latte che restan nelle reti» direbbe un poeta dei loro! Lo storicismo è un metodo, un' intuizione di vita, e come tale esso non è un uomo, un' idea, un sistema, ma è tutta un'età e una civiltà mentale *in fieri*. La filosofia dello Spirito, come sistema chiuso, si è venuta tramutando in questi ultimi quarant'anni in filosofia della Storia, e non nel senso hegeliano del termine; e a cotesta filosofia collaborano tutti gli storici di buona volontà e di buona lena. Quale era il motivo nuovo dei singoli spiriti e delle singole menti che parteciparono alla civiltà dell' Umanesimo? La ricerca allora del nuovo era in questo esser partecipi del generale mondanismo, inauguratosi nel tempo non più teocratico, e in cotesta collaborazione si sviluppava il tributo particolare delle singole personalità, con il loro afflato e con il loro accento; e gli spiriti operosi non si preoccupavano di collocarsi da sé nella storia, di costruirsi troppo in anticipo, nella vanità di narcisie parole, il loro loculo di incliti impiegati del Destino. Lasciavano che la loro opera si accumulasse e facesse da sé masserizia. Il gusto insomma del far la roba, alla mastro-don Gesualdo, e nient'altro! Precisamente così: e ci pare che provvedessero in tal modo, intanto, alla loro pace, e anche un poco al nostro avvenire. C'erano i decadenti anche allora, i decadenti in senso psicologico, ed erano gli oziosi che conoscevano tutte le ciarle letterarie dei passeggiati marmi del Duomo, ma di essi nemmeno gli eruditi serbano memoria, e soltanto ce ne resta l' immagine in qualche tratto satirico di questo o quello spirito attivo, come in una battuta di Machiavelli che se la prendeva con i suoi letteratucci, non buoni ad altro che «andare a' mortori o alle ragunate d'un mogliazzo», o «a starsene tutto dì in su la panca del Proconsolo a donzellarsi». Ma io da vari anni faccio ascetica vita e claustrale, e però qui si fa il nome, se non per strazio, soltanto di qualcuno di quei trovatori di favole.

Cinquale di Montignoso, settembre 1941.

LUIGI RUSSO

AVVERTENZA ALLA 2ª EDIZIONE

A distanza di pochi mesi, ricevo l' invito dall'editore di preparare la ristampa dei tre volumi sulla *Critica letteraria contemporanea.* Il rapido successo dell'opera mi conforta, non per me stesso, ma perché segno dell' interessamento oggi assai diffuso per questi problemi sempre vivi, nonostante certi sviamenti e dissipazioni. In questa 2ª ediz. mi son limitato a fare degli spostamenti di capitoli: lo scritto su *Michele Barbi e la nuova filologia* trova posto nel 1° volume, subito dopo quello dei *Maestri della vecchia scuola storica*; il capitolo sullo *Svolgimento dell'estetica crociana* passa dal 2° volume in questo 1°, il quale è pienamente giustificato dal sottotitolo: *dal Carducci al Croce.* Nel 2° il capitolo *Umori della critica letteraria nel dopoguerra 1919-1922* viene spostato in appendice, perché si tratta di articoli di venti anni fa, troppo diversi nello stile, e perciò tali che fanno brusco distacco dal resto. Il 3° volume rimane immutato nella sua fisonomia, salvo, come si è detto, il capitolo su Barbi. La materia così mi sembra più equamente distribuita. Ho riveduto tutta l'opera liberandola dalle sviste tipografiche e ho tagliato varie note di polemica contingente. L'opera fu mandata a stampare che era ancora troppo calda degli umori della sua fattura.

Vittoria Apuana (Lucca), giugno 1943.

P.S. Questa ristampa era preparata per andare in macchina nell'estate del '43. Essa esce con tre anni di ritardo, per gli avvenimenti che tutti conoscono. Piccolo spazio di tempo, ma per tutti un così lungo e grave evo. L'autore, rivedendo le bozze, ha fatto uno sforzo per rimettersi nello stato d'animo un po' febbrile in cui l'opera fu da lui scritta, tra il '41 e il '42. Però ne ha colto l'occasione per accentuare le correzioni di tutto quello che era troppo legato al tempo e agli umori polemici del momento. Ma l'opera nel suo complesso è rimasta molto fedele alla sua fisonomia originale.

Solo al lettore già lontano l'autore vorrebbe richiamare quello stato d'animo di una situazione, oggi completamente diroccata e travolta: l'opera è scritta sotto la pressione di un'atmosfera politica, quando essa si era fatta più irrespirabile. Però è dato avvertire in ogni pagina la presenza di un nemico, seppure con la vaga e fremente fiducia che quel nemico sta per essere sbastigliato. Ciò spiega quell'agitazione polemica, contro tutti e contro nessuno, che l'autore, rivedendo le bozze, ha avvertito in ogni rigo della sua esposizione. Quei critici che in essa sono avvezzati, nominatamente o reticentemente, non si lusinghino dunque della parte storica che erano chiamati a recitare: essi erano soltanto dei «pretesti», dei «simboli», di tutto un mondo, in cui la loro menzogna e vanità letteraria aveva trovato pascolo, sostegno e riconoscimenti.

Pisa, febbraio 1946.

LUIGI RUSSO

I

CARDUCCI CRITICO

1. Revisione del giudizio crociano sulla critica del Carducci.

È noto il giudizio del Croce sul valore della prosa critica carducciana; i pregi grandi, la ricca apparenza, la vigoria rappresentativa delle immagini, l'esatta informazione e la solida erudizione, il buon gusto e l'intelligenza dei particolari della forma, che si ammirano nei vari saggi e bozzetti e appunti del Carducci, non valgono a dissimulare la mancanza in lui « di una salda dottrina estetica, di una coerente filosofia dell'arte ». E i suoi giudizi storici di alto stile non sono originali, ma riecheggiano motivi della letteratura critica europea e motivi della critica del suo aborrito De Sanctis; nella sua parte più positiva e più suggestiva, cotesta critica è un' integrazione e un arricchimento dell'opera del poeta, alcuni passi suonano come effusioni fantastiche, brani di eloquenza poetica, che andrebbero mescolate come commento ad alcune poesie, o addirittura trapiantate, come pezzi lirici, in un'antologia ideale delle *Rime nuove* (quelle di argomento medievale) e delle *Odi barbare*.

Questo giudizio del Croce fu pronunziato e scritto nel 1909, ed ebbe subito larga eco di consensi; si era nel periodo più ebbro del nostro rinnovamento filosofico della critica letteraria, e ci si addestrava, fanatici, ad una specie di ascesi mentale, rigore schematico di concetti, essenzialità scientifica, aborrimento da ogni forma di oratoria letteraria, sistematica metodologia storica, tutto quello che doveva essere la forza travolgente della critica e dell' insegnamento crociano. Rimasero alcuni estimatori, nostalgici solitari: tutti gli antichi seguaci della scuola storica, che avevano riverito nel Carducci un maestro incomparabile. Nel giudizio del Croce si vedeva ribadita la polemica contro il cosiddetto metodo storico, e la limitazione del Carducci critico parve una condanna, la condanna non di uno scrittore, di uno studioso singolo, dell'opera personale del maremmano, ma una nuova ingiusta giustizia di quell'ostracismo generale dato alla vecchia scuola e al vecchio indirizzo dello storicismo erudito. E tale fu l' interpretazione dei neofiti stessi del crocianesimo, i quali lasciarono sommergere la critica del Carducci, insieme con quella del D'Ancona, del Rajna, del Comparetti, e di altri illustri maestri; e del Carducci, se mai, si continuò ad accarezzare quella che è forse l'opera sua più di dubbio gusto: la prosa del polemista e dello « stroncatore », così frondosa e barocca, con quell'abuso, arguto e sazievole, di metafore secentesche che vanno (care e orripilanti nella memoria!) dai « campanili dell'enfasi » alla « cerbottana dell'eloquenza ». E ci fu chi trascorse ad annotare euforicamente che ormai alla veneranda triade Carducci-D'Ancona-Rajna, poteva bene opporsi la giovanile trinità di Borgese-Cecchi-Serra.

Il giudizio del Croce veniva così oltrepassato nelle sue intenzioni, e deformato nella sua genuina ispirazione: dettato da una sincera ammirazione per tutta l'opera del maremmano, era anche guidato dall' interna logica del novatore. Cercando di instaurare nella critica letteraria tutta una nuova disciplina di concetti e di metodo, egli chiudeva, per un momento, gli occhi sui pregi, versatili, della critica carducciana, per cogliere quella che poteva essere la sua deficienza fondamentale. E voleva intanto il Croce operare un mutamento di prospettiva storica; le menti, incerte tra la critica di un De Sanctis e la critica di un Carducci, anzi più inclini a questa che a quella per una certa passività di entusiasmi generici e tradizionali, erano portate vivacemente e non sempre giustamente a distinguere tra la disadorna ricchezza profusa a piene mani nelle pagine della *Storia* e dei *Saggi critici* dell' irpino, e la lussureggiante povertà delle pagine del maremmano.

Ma, al di là di una semplice contrapposizione psicologico-teoretica De Sanctis-Carducci, oppure, peggiore e più fallace ancora, di un'antitesi generica tra scuola estetica e scuola storica, si tenne fede da un piccolo gruppo di studiosi all' importanza funzionale della critica carducciana nei rispetti della critica desanctisiana, di cui pur si riconosceva la singolare complessità e originalità. Non si trattava di contrapporre il Carducci storico-erudito al De Sanctis storico-estetico, ma a un De Sanctis storico-filosofo un Carducci critico-tecnico della poesia. Il lettore ricorderà alcune pagine significative del Serra, un articolo del De Robertis sulla *Voce* del 1914, con una ancora più puntuale distinzione dei termini e della diversità metodica dei due campioni; e infine, alcune osservazioni di Domenico Petrini, un giovane uscito direttamente dalla scuola crociana, ma sensibile e aperto ad altri influssi, anche eterodossi (almeno nell'apparenza). Recentemente Manara Valgimigli riassumeva e rinfrescava la tesi-limite del Serra-De Robertis-Petrini e, a proposito del De Sanctis, così scriveva nel fascicolo d'aprile del '35 nella rivista *Pan*:

Quell'occhio acutissimo che tutto guardò, come soleva dire, da entro, la cosa più intima e più singolare dell'espressione poetica, che è la parola, non la guardò; gli rimase esterna; non fece esperienza del lavoro proprio dell'arte; e insomma il senso storico della lingua e della tecnica poetica non l'occupò mai troppo, né lo preoccupò. Il quale fu conquista del Carducci. Le pagine del Carducci, per esempio, sulla lingua e sulla tecnica del *Giorno*, il De Sanctis né le scrisse, né avrebbe potuto scriverle.

Ma di cotesta esigenza tecnico-umanistica, idealmente integratrice e fiancheggiatrice della critica di tipo desanctisiano, fu assertore, non semplicemente teorico e platonico, un maestro che, per nessun verso, forse, può dirsi un carducciano: Cesare de Lollis. I suoi *Saggi sulla forma poetica italiana*, scritti, in gran parte, tra il 1904 e il 1920, sono un'esemplificazione in atto di quel che possa essere una critica della lingua e della tecnica poetica, scevra dai pregiudizi della vecchia retorica, e con l'arte di ricondurre e dedurre i particolari della forma dall' intimo spirito del poeta. Si possono discutere i singoli giudizi e le singole chiose del De Lollis, ma bisogna riconoscere che quello suo è stato lo sforzo più sistematico per dar corpo a quella critica tecnico-umanistica, che nel Carducci era retaggio tradizionale dei vecchi grammatici e insieme spontanea e prorompente affezione e ricchezza della sua immediata esperienza di letterato e di artista. Nell'esempio del De Lollis, si realizzava, più consapevolmente, questa assunzione della critica umanistica sotto i termini della moderna metodologia desanctisiana-crociana. E nessuno gridava all'arbitrio.

Così stando le cose, noi non sappiamo vedere una contrapposizione d'ordine veramente scientifico tra la critica filosofica di tipo desanctisiano e la critica « tecnica » di tipo carducciano. Quest'ultima verrebbe a essere implicita e assorbita nella prima, se il De Sanctis, per esempio, non fu alieno dall' indugiarsi a descrivere il periodo del Boccaccio, e a disseminare, dove fosse opportuno, osservazioni attente su particolarità tecniche di versi danteschi, petrarcheschi, ariosteschi e leopardiani. Il De Sanctis fu anche un lettore attento dei testi leopardiani, canti e prose. Il Valgimigli stesso ricorda le felici osservazioni desanctisiane sull'« impeto veloce degli sdruccioli nel *Cinque maggio* e la morbidezza lenta di quelli del coro di Ermengarda, che è pur sempre il medesimo settenario ». Sicché, se il De Sanctis non fece più di quel che fece, ciò avvenne, non perché lui non volesse, e disconoscesse l' importanza di certe ricerche ed analisi, ma perché, assalito e premuto da maggior cura, si volse al nuovo delle sue scoperte e dei suoi interessi complessi di storico. Tanto è fatale che un pensatore, un artista, un critico, nel dare sviluppo a un' idea, a un motivo, a un metodo, sia tratto a lasciare ai margini ciò che nel suo nuovo pensiero o nella sua fantasia è episodico, incidentale, ereditario, e che può essere, per dir così, sottinteso. Quello che è avvenuto al De Sanctis, è capitato ad altri pensatori, come Machiavelli che lasciava in seconda linea i rapporti tra il problema morale e la politica, non perché egli facesse astrazione del problema morale, e volesse andare al di là della morale, ma perché in quel momento gli animi e le menti troppo erano saturi di un diffuso moralismo confessionale, e urgeva quindi il dire altro e non insistere sulle note tradizionali.

Ma il ricordo assiduo che alcuni nostri studiosi, quelli più su menzionati, hanno fatto del Carducci, come di un maestro esemplare per una critica tecnica della poesia, è stato in ogni tempo opportuno e pedagogicamente utile, a combattere certa infatuazione giovanile corrente per il genericismo filosofico, le ricostruzioni contenutistiche di personalità poetiche, la secchezza di certe formule definitorie, la schematicità di certe condanne o riconoscimenti sommarii della «poesia e non poesia»; è valso come un indiretto invito ad allargare ed affinare quell'esperienza letteraria, che è l'*humus* su cui può sorgere il problema critico in concreto. Un appello alla letteratura, all'esperienza filologica dei testi, al gusto dei particolari di lingua e di stile, contro la troppo sbrigativa ed orgogliosa barbarie delle formule pure. Oggi, senza paura di essere fraintesi, si può anche giungere a rovesciare paradossalmente il giudizio crociano, e affermare che la critica del Carducci, pur nella sua modestia e nel suo limite, vive di una salda dottrina estetica e di una coerente filosofia dell'arte: che non è quella, s'intende, di cui ci siamo nutriti e dissetati noi scolari del Novecento, e non è nemmeno quella contenuta in alcuni estemporanei aforismi e in alcune proposizioni, che si incontrano nelle prose del nostro poeta: riecheggiamento scolastico della ideologia o umanistica o romantica o naturalistica in voga nell'età umbertina.

La filosofia dell'arte del Carducci è in quella esperienza viva, sciolta, irregolare, asistematica che egli ebbe del lavoro letterario in concreto; la sua filosofia dell'arte è nel suo riconosciuto buon gusto, il quale non gli venne come privilegio dalla sua apollinea natura, ma fu conquista di un assiduo tirocinio umanistico, sintesi di particolari e diverse esperienze letterarie; quel buon gusto, che, se è veramente tale, è implicitamente discrezione filosofica e storica: codesta filosofia dell'arte è nella intelligenza dei segreti della forma, in una parola, nella stessa poetica dell'artista. Giacchè, se può sonare un po' strano questo nostro elogio della asistematicità e dell'irregolarità dell'esperienza carducciana, noi acquetiamo il nostro e l'altrui eretico disagio, ricordando che tale asistematicità è soltanto apparente: il termine primo e ultimo di cotesta irregolare filosofia, è, come già lasciavamo intendere, la poetica stessa dell'artista, cioè, tutta la sua esperienza tecnica di poeta poetante, la sua *ars dictandi*, la sua *eloquentia* di polemista, tutta quella mitologia sentimentale e ideale, che nel Carducci, come in ogni altro poeta, è sempre la leva di forza, che o illude, o aiuta, o spinge alla creazione. Sicché anche per noi l'opera del prosatore critico integra l'opera dello scrittore poeta, ma in un senso non soltanto antologico e addizionale, ma intimo e unitario: l'opera del critico è la rifrazione stessa degli interessi, degli ideali del poeta, e vuole esserne o l'indiretta trasfigurazione obbiettiva nella storia, o la propaggine polemica nei giudizi favorevoli o sfavorevoli sulla letteratura contemporanea. Incentrata nella poetica stessa dell'artista, la critica letteraria del Carducci si giustifica anche in quelli che possono apparire trascorsi o contraddizioni o ingenuità teoriche al lume di un'estetica più scaltra, ed essa si rivela una specie di commento indiretto all'opera del poeta, di questa condividendo gli splendori e anche certe retoriche angustie.

2. Carducci, critico del linguaggio poetico.

Due motivi a me paiono fondamentali nella poetica del Carducci: il senso della forma, il gusto del *rhétoricien*, la ricerca amorosa del *linguaggio poetico*, e l'esigenza dell'umanità, della sincerità, della fede nell'esercizio dell'arte. Una poesia non sollevata e sostenuta nel suo tono e un'arte atea sono, per il Carducci, la negazione della buona letteratura. Tutti i giudizi sui classici e sui contemporanei sono costantemente ispirati a questi principî, dei quali l'uno è pretta eredità umanistica, risentito con polemica vigoria dopo la linguistica e stilistica rilassatezza del Settecento e ancor più del romanticismo; e l'altro procede da motivi cari all'Alfieri, al Foscolo e ai pensatori romantici. Dove manca l'uomo, manca anche la coscienza, manca quindi anche una coscienza artistica: orecchio ama educato la musa, mente ingegnosa e sensi virili. Per cotesto criterio di vita morale, riflessa nella letteratura, il Carducci si apparenta spontaneamente al De Sanctis: è tutta la critica romantica che sbocca fatalmente in questo mito rinnovatore dell'uomo. Ma la moralità del De Sanctis ha più un'inclinazione etico-politica, e il rigorismo dello storico poco perdona alla virtù dell'ingegno e alla buona tecnica del «dittatore»; mentre la moralità del Carducci è più placabile, una moralità di tipo ancora umanisteggiante: un buon *rhétoricien*, un buon letterato, molti peccati si lascia perdonare da questo pur severo giudice. Da Petrarca, artefice espertissimo e però grande poeta anche nelle liriche civili e religiose, a Boccaccio, presentato tutto perduto nel suo ideale d'artista, sovrano ed estraneo ad ogni altro richiamo; a Vincenzo Monti, «il maggior poeta ecletticamente artistico che l'Italia da gran tempo avesse avuto», erede di tutta «l'abitudine poetica dell'Italia d'allora», a Giacomo Leopardi autore delle canzoni patriottiche, difese, sì, per il loro contenuto, ma anche perché rivelano il precoce scudiero dei classici, in ogni momento il Carducci è fedele a questo principio della moralità risoluta e conchiusa nella retorica artistica. I due motivi, che avevamo per un momento distinti, così confluiscono spesso e si risolvono in uno solo. «Il Sainte-Beuve, che era il Sainte-Beuve, soleva dire che molto in letteratura dipende dall'aver fatto un buon corso di retorica», scriveva il Carducci nel suo famoso saggio di *Critica e arte* del 1874. Ed egli ricordava ai romantici italiani che il romanticismo francese era tutto impregnato e intramato di classica disciplina; si studino i poeti del romanticismo francese per vedere «quanto dedussero e imitarono dalla versificazione e dallo stile classico, troppo classico, della vera Pleiade, dalla lingua del Ronsard e da quella del Marot, del D'Aubigné e di Régnier». Perché non bisogna dimenticare che in Francia «il manifesto critico della nuova scuola fu il libro del Sainte-Beuve su *Ronsard e i poeti del secolo decimosesto*».

Cotesto atteggiamento spiega certi aforismi, che possono scandalizzare i bigotti dell'estetica, ma che sono aforismi pregnanti di verità e serbano un loro particolare significato, storico-polemico. «Se la poesia ha da essere arte, ciò che dicesi forma è e ha da essere della poesia almeno *tre quarti*» (III, p. 420). E, in forza di cotesto principio, il Carducci supera ancora la bassa concezione romantica dell'arte-genio, dell'arte ispirazione estemporanea, dell'arte dono liberale di Apollo. «L'ispirazione è una delle tante ciarlatanerie che siamo costretti ad ammettere e subire per abitudine.» E altrove ancora ribadisce: «Quella che i più credono o chiamano troppo facilmente ispirazione, bisogna farla passare per il travaglio delle fredde ricerche e tra il lavoro degli istrumenti critici, a provar s'ella dura. Quella che gli accademici chiamano eleganza e i pseudoestetici dicono forma, non è male vedere se resiste alla polvere e al grave aere degli archivi» (XII, 516). E aborriva dalla gloriosa pretesa che l'arte fosse autoctona, indigena e nativa, per dir così, nella mente dell'artista; l'arte è tradizione, scambio universale di esperienze, trasfigurazione di classiche bellezze. Non si ricercano le fonti di una poesia per deprimere l'originalità di un artista, ma, se mai, per esaltarne la sua capacità rinnovatrice e trasfigurativa. Nella poesia di Angelo Poliziano «Omero prendea la sembianza di Dante, Virgilio quella del Petrarca; e nel tutto era Angelo, *l'omerico giovinetto*, che rinnovava il linguaggio poetico d'Italia» (XX, 341). E ironizzava cotesto mito dell'arte-antistoria, parto estemporaneo, nata o nascitura come una driade dalla scorza della quercia, battendolo in breccia in altri esempi tipici della nostra storia civile e politica.

È il vecchio autoctonismo degli aborigeni, per cui i nostri padri volevano esser sbucati fuori dai lecci e dai sugheri anziché provenuti da altra terra e da altra gente: è il mistico e metafisico primato di Vincenzo Gioberti; è il monarchico «l'Italia fa da sé» di Carlo Alberto. Coteste borie di povera gente, cacciate oramai dal regno dei fatti e della critica superiore, vorrebbero mantenere la loro ragione di essere almeno in letteratura (III, 208).

Ciò che conferisce un significato, non soltanto polemico, ma di valutazione critica e d'interpretazione storica, a quello che il Carducci scrisse a proposito del suo noviziato d'artista. «Mossi, e me ne onoro, dall'Alfieri, dal Parini, dal Monti, dal Foscolo, dal Leopardi; con essi e per essi risalii agli antichi, m'intrattenni con Dante e col Petrarca; e a questi e a quelli, pur nelle scorse per le letterature straniere, ebbi l'occhio sempre.» Il richiamarsi a una tradizione era per il Carducci riconoscimento di poesia, era un blasone di nobiltà; non si nasce da genitori ignoti; la poesia vera è sempre tramite storico, e bisogna saper risalire ai principî, come voleva Machiavelli, quando l'anima di una nazione si sfibra in letterarie flaccidezze. Questo il significato della rivoluzione poetica da lui operata, definita con concetti e termini suggeriti dall'autore stesso: rivoluzione apparentemente antiromantica, che voleva essere invece un irrobustimento storico dell'esperienza romantica, giacchè, senza il linguaggio storico della poesia, non può nascere mai, vera, nuova poesia.

3. Giudizi del Carducci sui classici e sulla storia d'Italia.

Accanto a queste proposizioni sulla disciplina retorica e il gusto dello stile e del linguaggio poetico e il senso della poesia dalla bella voce (dove *Calliopè alquanto surga* su quello che è il ritmo quotidiano della prosa o del comune favellare), abbiamo le altre proposizioni compagne sulla sincerità e virilità degli affetti dell'uomo-poeta. « Dante anzi tutto è un grandissimo poeta; e grandissimo poeta è, perché è grand'uomo; è grand'uomo, perché ebbe una grande coscienza » (I, 225). Ma la grande coscienza in Dante non è soltanto coscienza eroica dell'esule e del pellegrino, che « mendico superbo va pensoso e sdegnoso per le terre d'Italia, cercando non pane o riposo, ma il bene di tutti », ma è anche la grande coscienza dell'artista. Primo il Carducci, nell'imperversare della facile interpretazione romantico-borghese dei famosi versi del XXIV del Purgatorio « Io mi son un », come fossero una dichiarazione della necessaria sincerità del sentimento e dell'ispirazione *(quando amore spira!)*, primo il Carducci intravvide quella che è l'interpretazione prevalsa in quest'ultimo decennio o dodicennio, dopo assidue discussioni: non nel sentimento amoroso Dante poneva la differenza tra il vecchio e il nuovo stile (amarono o poterono amare sinceramente anche i vari rimatori della corte sveva! e Guittone e Buonagiunta!), ma nell'aristocrazia del « dittare », nella maggiore aderenza formale dei nuovi poeti al loro contenuto *(noto, e a quel modo che e' ditta dentro vo significando)*. E il Carducci, infatti, scriveva fin dal 1874, che il lavoro giovanile di Dante « fu tutto di reazione contro i rimatori *plebei* di Toscana e di Puglia »; Dante parlò « così rispettosamente di *colori rettorici* », e chiamò padre suo il Guinicelli, « e seguitò e compié la scuola bolognese, la quale prima applicò alle nuove rime *la dottrina e la tradizione dello stile latino* »; Dante prese a maestro e duce Virgilio, « da cui credé aver tolto *lo bello stile* »; Dante, l'autore del *De Vulgari Eloquentia*, fu « il campione... del volgare *illustre, aulico, cardinale, curiale*, il trattatista dell'*ornata eloquenza*, il precettore della *poesia regolata*, il definitore dello stile *tragico* e del *comico* e dell'*elegiaco*, il teorico dell'*abitudine delle stanze* » (IV, p. 250).

Quello che osservava per un poeta alle origini della nostra storia, il Carducci lo ribadiva per la poesia del rinnovamento sul finire del Settecento e ai primordi dell'Ottocento. Anche lì è questione sempre della *pianta uomo*: Parini ed Alfieri sono dei rinnovatori perché sono degli uomini. Par di sentire il De Sanctis (e il Carducci infatti scriveva nel 1874, dopo la pubblicazione della *Storia della letteratura italiana*, di cui fu scontroso e reticente assimilatore); ma, invero, l'umanità di cui parla il Carducci, è un'umanità vista sempre sotto la specie della buona letteratura, l'umanità del « dittatore » egregio, dell'artiere, che al mestiere fece i muscoli di acciaio. Con Metastasio « il ciclo dell' idealismo arcadico è pieno: la plastica della parola si è lisa, in modo che non regge più e cede il luogo alla plastica dei suoni, e l'antica arte italiana muore cantando come gli eroi del suo poeta ». Dopo Metastasio e Goldoni sorgono Parini ed Alfieri.

Il Parini ritrasse anch'egli come il Goldoni la vita reale, ma con dolore e sdegno, co 'l pungolo della censura; l'Alfieri oppose a un beato realismo un realismo negativo, ambedue la reazione improntarono sin nelle forme, contrastando al *lassismo gesuitico di lingua e stile* de' due antecessori e contemporanei e alle ariette e ai recitativi, con la *purità del cinquecento, con la rigidità del trecento, con l'asprezza eccitante e la varietà faticosa del verso sciolto e dell'ode classica* (I, 297).

Giudizi che illuminano e sono illuminati da quelle numerose proposizioni, che, in ogni tempo, il Carducci effuse sul mito del poeta: non vanti, non prosopopee estetiche, non programmi verbali, ma disciplina sofferta e impetrata austerità. « Affacciarsi alla finestra a ogni variare di temperatura, per vedere quali fogge vesta il gusto della maggioranza legale, distrae, raffredda, incivettisce l'anima. Il poeta esprima se stesso e i suoi convincimenti morali ed artistici, più sincero, più schietto, più risoluto, che può; il resto non è affar suo » (IV, 59). Tale inclinazione al fideismo, alla virilità austera, fu certamente la parte più oratoria del pensiero carducciano, quando le sue affermazioni di fede non caddero e si appoggiarono su quistioni di lingua e di stile: il moralista De Sanctis, nel suo equo e pacato pessimismo, fu assai più profondo e imparziale interprete di tutta la storia d'Italia, mentre il Carducci trascorse da giudizi interiettivi sulla viltà dell'Italia *(la nostra patria è vile!)* ad altri giudizi egualmente interiettivi, ma anche molto generici e grossi, sulla natura idealistica e intimamente religosa del popolo italiano e di tutta la sua storia. « Credo ed affermo che il popolo ialiano non è di sua natura scettico e ateo, senza virtù e senza fede. Per noi la fede della religione si chiama Dante Alighieri; la fede dell'avventura si chiama Cristoforo Colombo; la fede dell'arte si chiama Michelangelo Buonarroti; la fede della scienza si chiama Galileo Galilei; la fede della politica si chiama Giuseppe Mazzini ». E, poiché non poteva negare e dissipare altre ombre della storia d'Italia, se la prendeva con chi dava importanza ai preti, e con i pessimistici hegeliani di Napoli. « Chi dice che questo è un popolo di scettici, che questa è una nazione che non crede in sé, che non crede nell'avvenire? Soltanto quelli che giudicano l'Italia dalla menzogna cattolica di Roma papale. E lo ripetono, mi dispiace, i filosofici copiatori del protestantesimo tedesco » (XII, 345).

Ma l'accento più genuino del Carducci storico e poeta non era certamente in coteste effusioni oratorie, che potevano poi mutare di contenuto e addirittura ripresentarsi rovesciate nei termini: la fede più concreta di Carducci fu sempre la sua fede di artista nell'arte, e più propriamente nella storica lingua d'Italia. Egli fu il poeta di quella lingua in tutta la sua araldica nobiltà, e, come critico, se il De Sanctis è passato nelle storie letterarie per il critico della Forma con la effe maiuscola, il Carducci vi dovrebbe passare come il critico del linguaggio poetico:

> Odio la lingua accademica che prevalse in molte opere poetiche degli ultimi secoli: adoro la lingua di Dante e del Petrarca, la lingua dei poeti popolari del Quattrocento, la lingua degli elegantissimi poeti del Cinquecento, la lingua dei poeti classici dell'ultima età: amo e studio e uso a tempo la lingua del popolo... e con tutto questo non mi perito né vergogno di dedurre anche quello che mi par bene dal greco e dal latino (IV, 257).

Si sono messe in evidenza nel pensiero critico carducciano alcune formule di pretto stampo desanctisiano:

> La sostanza, la materia, cioè, l'argomento... in arte non ha valore per sé, ma l'acquista tutto dal lavoro dell'artista. Mettete in versi e in prosa quante volete novità storiche, filosofiche, estetiche, politiche; se non sapete disegnarle, rilevarle, atteggiarle in quel punto e in quella mossa che è quella e non altra; se non sapete poi foggiarle, ripulirle, finirle; se delle sentenze e dei teoremi non create fantasmi; se dalla creta non cavate figure; pigliate pure le vostre novità, i vostri teoremi e la vostra critica, e restituitela alla lavorazione dell'insegnamento, della polemica, dell'aratro; ché la sostanza non è né arte né poesia (III, 192).

Il Carducci così scriveva nel 1873, e nessuno può mettere in dubbio la derivazione di tali concetti dal De Sanctis. Altri oggi si potrebbe industriare a cercare barlumi di quelle idee ancora nel pensiero più giovanile del Carducci, quando egli non aveva letto De Sanctis; ma sarebbe fatica sciupata, quasi che poi i libri del De Sanctis siano il Corano, e tutto ciò che coincide con essi va bene, e quello che non vi coincide va male. Questa filosofia desanctisiana della «Forma», in fondo, rimase estranea al Carducci, anche se qualche volta gli venne a taglio di riecheggiarne il formulario; molti anni più tardi, nella lettera-prefazione alle *Liriche* della Vivanti, egli doveva parlare con impazienza «di ciò che nel mestiere del verseggiare italiano dicesi, con neologismo pedantesco, la *forma*», e doveva definire la *forma* «un che di postumo al concetto, per lo più, un che di appiccato tra la posa e la smorfia»: ciò che era un inaspettato svuotamento e travisamento, tra allegro e bonario, della forma-sintesi a priori e di tante altre belle cabale e diavolerie! Il critico del «linguaggio poetico» si avvicinava, per cerimonia e per curiosità all'estetica della Forma, ma poi tornava volentieri a trincerarsi dietro a quegli spalti, sui quali per lui sventolava la gloria secolare della «lingua illustre» d' Italia. Lingua illustre che non era quella delle eleganze accademiche, ma la lingua, assimilata, trasfigurata in un trentennio o quarantennio di tirocinio umanistico, rivissuta nell' interno pathos di tutta la sua storia. Col Carducci, riconosciamolo, la critica romantica, in gran parte tutta presa dalla rappresentazione drammatica dei sentimenti e dei concetti nelle opere poetiche, si arricchiva del giudizio sul valore della parola; le forme sensibili dell'arte, lascivia solitaria dei vecchi grammatici, erano, così, con lui, riportate alla comunione sana e feconda della vita e della storia.

4. Carducci critico antiprosastico e antidecadente.

S' intende, con tale criterio direttivo, tutto fondato sul gusto storico del linguaggio poetico, il Carducci godé tutti i vantaggi di una sicura discrezione anche nel giudicare poeti minori, e gli stessi verseggiatori contemporanei; ma pur soffrì di qualche limitazione ed angustia. Il linguaggio poetico è come un genere letterario chiuso; c' è divario tra la poesia e la prosa, e ciò che non si può cantare a melica voce non può essere mai poesia. Però sfuggì al Carducci il tono lirico della prosa d'arte; osteggiò egli in maniera impressionante i tentativi di romanzo, dei quali alcuni felicemente riusciti, che si fecero ai suoi tempi in Italia, e che si erano fatti per l'addietro in Europa. « La impossibilità che uscisse in Italia un romanzo italiano leggibile era per me una prova e un conforto che a questo popolo rimanesse ancora una fibra delle reni antiche, era una speranza per l'avvenire. Ora sento che quella cara impossibilità va tutti i giorni diminuendo. Me ne dispiace » (XII, 146). È nota la sua insofferenza per la prosa dello Stendhal, che, a suo parere, scriveva « falso e affettato », ed era giudicato « impotente alla creazione d'arte », « e i suoi romanzi lo mostrano, nominatamente *Le rouge et le noir* » (IV, 281); ciò che non era un giudizio estroso, ma aveva la sua giustificazione in quel sistema d' idee che siamo andati esponendo. Contro le seduzioni e la corruzione del verso, lo Stendhal si vantava di esemplare il suo stile sulla prosa del codice civile; responsabili molti scrittori di Francia, a cominciare dal Malherbe, educati al razionalismo geometrico cartesiano; nei tempi vicini, la Staël e lo Chateaubriand, nonostante certo loro vago poeticismo, anzi in forza di quella loro troppo diffusa poesia, avevano dato il cattivo esempio.

Prima la Staël e lo Chateaubriand, senza né il dono né l'amore del verso, ammaliarono la generazione del Consolato e dell' Impero co 'l romanzo lirico-epico. Poi il celebre recitatore tragico, il Talma, andava raccomandando ai poeti: — Non più versi belli. — Nella ristaurazione contro il rinascente fervore della poesia metrica, il Bayle conchiudeva: — Non versi del tutto.

Vorremo questa chiamarla, ingenerosamente, aberrazione o invidia mentale, o non si tratterà piuttosto di quella divina angustia, propria di tutti gli scopritori di una verità, perduti dietro al loro mito e alla loro meta, e che non hanno occhi per altri orizzonti? Probabilmente gli intelligenti di tutto sono gli indifferenti a tutto, sono i consumatori, i parassiti, i dilettanti, e non i creatori di storia. Lo stile del codice civile, proposto ad esempio, non poteva essere per il Carducci che una forma di empietà, un avvilimento, una rovina mesta della sua delfica deità. Ed egli tornava a ribattere sempre contro il genere *romanzo*, che favoriva questo traviamento e miseria dello stile, e, a proposito di romanzi celebri di Rousseau, di Balzac, di Goethe e dello stesso Manzoni, osservava: « La media della vitalità di un romanzo, a dargliela lunga, è di venticinque anni »; il romanzo è un genere plebeo, che ha soppiantato o si è impiantato sull'epopea « come un mercante che segga fumando la pipa su le ruine di Palmira o di Eliopoli »; il romanzo è una specie di nuovo ricco, che ha soppiantato la tragedia e la commedia, « come i fattori arricchitisi alle spalle de' patrizi veneti li cacciavano man a mano dai palazzi del Canal grande ». Ma venga la vendetta degli dei, o delle cose o, se vi piace meglio, la nemesi storica, che per Giosuè si ficca e si mischia un po' dappertutto: « I romanzi appena stagionati, ahimè un po' troppo presto e ahimè un po' troppo tutti, assomigliano ai mazzi dopo finiti i pranzi, alle camelie dopo finiti i balli, ad armadii di abiti passati di moda » (*ivi*, 247).

E non si dice nulla del romanzo sperimentale, l'ultima letteratura da spazzaturai: il Carducci democratico in politica, non ama i mal pingui ventri (i *panciuti zoliani*, come egli li chiama) dei suoi nuovi colleghi in arte. Egli non vuol riconoscere il significato spirituale, anche se non artistico, che ha il romanzo sperimentale, come un tentativo di uscire dalla vecchia letteratura pelasgica, generica, nebulosa dei vari paesi d' Europa, e che, particolarmente per l' Italia, può essere un'evasione definitiva dagli ammuffiti serbatoi d'Arcadia: dedurre nuovi rivi dalle varie regioni, rivi pieni di fango e di loto, ma, a loro modo, fecondatori di una più unitaria civiltà. Riconoscerà, invece, più volentieri i benefici della poesia dialettale, sempre per quel gusto del suo genere chiuso che è la « poesia metrica ».

È venuto su, con di strane pretensioni, il romanzo sperimentale che andrà a finire né favola né scienza, a quella stessa guisa che il romanzo storico non era né epopea, né storia. *Alla prima acqua d'agosto, pover'uomo, ti conosco*, dice il proverbio toscano. O panciuti zoliani, che ora vi credete demolire Victor Hugo, come volete allora esser buffi! Mandate attorno gli spazzaturai a raccogliere su 'l lastrico le vostre descrizioni, che non ne vorranno più nemmen le femmine dei porci (IV, 398-399).

In cotesta avversione, e appassionata avversione, c'era, oltre che apollineo disdegno (l' Italia letterata era tutta dalla parte del Carducci, per tradizionale gusto retorico), anche un tantino di nazionalismo letterario e di eugenetica moralistica; per il romanzo, l' Italia diventava un dipartimento della Francia, e la paesana sanità si corrompeva e si contaminava dei nuovi sublimi vizi europei. La malattia era la penitenza obbligata, la crisi di sviluppo dell' Italia che voleva farsi europea. « La Pleiade nuova, inquartata di russo, impronta gli intelletti, gli spiriti, i sensi. Nostra critica è la nobile nomenclatura di quel nuovo paese di effimeri [la Francia]; parnassiani, realisti, veristi, decadenti, raffinati, simbolici, mistici. Un giovane fiorentino mi domandò se non mi pareva che Dante fosse un decadente. A me voi parete tutti degenerati » (XII, 448).

Era una scomunica in piena regola di quell'avviamento nuovo della letteratura europea, che si disse *decadentismo*. Si deve correre anche qui a gridare che il Carducci non capì nulla di questa nuova vicenda letteraria, che per l'Italia poteva essere la via per sprovincializzarsi? L'Italia europea attraverso la malattia? Ma il temperamento sano e popolano del Carducci si ribellava a tali forme di ambigua fornicazione e di sofisticazione letteraria. Sennonché, più che queste ragioni naturalistiche di temperamento, valeva la ragione più vera e più ideale: il Carducci, storicamente, rappresentava la reazione al vago poeticismo romantico, egli voleva essere l'archiatra, curatore impietoso della « scrofola romantica »; e proprio lui, mentre agonisteggiava con le malattie dei padri, non poteva accarezzare i nuovi squisiti mali dei figli e dei nipoti. Chi sentiva aleggiare sull'accesa fronte gli itali iddii e celebrava la serena e intera e dritta anima umana, sarebbe stato un compagno strano e non desiderato in mezzo alle pallide torme dei nuovi martiri del sensualismo europeo. Anche qui, l'apertezza proclive verso gli indirizzi più discordi, può essere segno d'intelligenza e di sensibilità, ma anche segno di dilettantismo e di fiacchezza creativa, o, ancora peggio, di indifferenza estetizzante da scettici e da delusi. Chi crea, ama, sceglie, ed esclude. E il Carducci non avversò la nuova letteratura per frigida alterigia accademica; giacché anche in coteste puntate polemiche, portò ardore di passione, e si irritava perché non capiva, e la stessa ira era riconoscimento della altrui nobiltà e al tempo stesso riaffermazione della sua storica fede di artista.

Ad un europeismo di tono eguale e diffuso, egli preferiva un europeismo più aristocratico, singolare conquista, sul fondo della tradizione nazionale, dei grandi creatori. « Nel concilio olimpico dove seggono Dante e Shakespeare, anche la Spagna, che non ebbe egemonia di pensiero, ha il suo Cervantes; l' Italia seguitò a mandarvi più d'uno e pare, si crede da più d'uno, che di recente vi siano stati accolti il Manzoni e il Leopardi » (XII, 462). E ammoniva i suoi scolari, nel giubileo accademico del '96:

L'umanità è grande cosa, e certamente è bello che vi sia un consesso sorellevole delle letterature europee; ma per arrivare a quell'alto consesso, per esser degni di quell'abbraccio, non bisogna deporre il sentimento nazionale, non bisogna portare livree di servi né maschera di cortigiani. Noi dobbiamo riprendere la tradizione dei nostri maestri: Virgilio, Dante, Petrarca, i quali trovarono l'arte moderna e il mondo nuovo: noi dobbiamo, continuando, ampliare questa tradizione, senza farci schiavi e scimmie di nessuno (*ivi*, 511).

5. Carducci e la sua avversione a Manzoni.

Si può pensare quel che si vuole di questa intransigenza nazionale del Carducci e di questo gusto esclusivo della tradizione classica, ma bisogna pur fargli credito che questi suoi odi ed amori non avevano nulla di capriccioso e di pedantescamente accademico; sono le passioni di un poeta che ha il suo credo, e le vedute di un critico che ha tutto un suo sistema coerente di idee, con le quali veniva sostenendo ed eccitando la sua stessa produzione di artista. Anche l'avversione al Manzoni (del resto, assai corretta negli ultimi due decenni della vita), non era soltanto avversione di giacobino e di anticattolico, ma procedeva da ragioni più strettamente letterarie: l'avversione dell'artefice del verso contro il disertore dell'aringo poetico, contro il narratore sliricizzato, che aveva risolto o dissipato la poesia e l'arte nella prosa di un romanzo: «Mi dolsi e mi dolgo con rammarico, io che amo sopratutto la gran poesia in versi, che il Manzoni, giunto alla maggior potenza della sua facoltà poetica con l'*Adelchi* e con la *Pentecoste*, quando mostrava più simpatica caldezza di rappresentazione che non il Goethe, mi dolsi e mi dolgo che ristesse». E vada pure la prosa dei *Promessi Sposi*, se quella è stata una buona occasione per combattere una battaglia politico-religiosa; si senta «meno acerbo il rammarico delle grandi opere di poesia» che il Manzoni «poteva ancor fare», se almeno col romanzo il grande lombardo fece «la gran vendetta sul dispotismo straniero, e su 'l sacerdozio servile ed ateo» (XII, 269). Curiosa concessione (il giudizio è del 1891), che correggeva radicalmente la tesi affermata ancora nel 1885, che nei *Promessi Sposi* spirasse una «certa aria di ascetismo deprimente» (*ivi*, 238). Curiosa concessione, ma anche più singolare difesa del romanzo manzoniano: la poesia veniva lodata per se stessa, per la sua araldica nobiltà di espressione, e capacità rappresentativa, e la prosa veniva o combattuta o giustificata per la sua nascosta oratoria politico-religiosa. L'arte più disinteressata sarebbe dunque sempre quella del poeta, del povero manovale che lancia il suo strale d'oro contro il sole, guarda e gode, e più non vuole; mentre l'altra del narratore o del prosatore può facilmente convertirsi (e godere un lasciapassare per questo) nell'oratoria dell' insegnamento e della polemica.

E il Carducci, difatti, come studioso e critico, analizzò diligentemente i versi di molti rimatori e poeti, antichi e moderni (la lirica la primogenita di Dio!), ma s' indugiò poco nello studio dei grandi o medi prosatori; imbattendosi nello stesso Boccaccio, sentì il bisogno di osservare che «basterebbe il *Ninfale*, perché non fosse negato al Boccaccio l'onore di poeta anche in versi, se a ciò non avesse, oltre alcune rime graziose e native, un titolo forse maggiore, quello di padre naturale e adottatore dell'ottava» (I, 275). E sull'ottava boccaccesca scrisse le osservazioni più interessanti ed originali di quel suo discorso del '75 *Ai parentali di Giovanni Boccacci* (parecchie note boccaccesche dei *Discorsi sullo svolgimento della letteratura nazionale* sono invece un riecheggiamento e sviluppo immaginoso di pagine desanctisiane), e, sempre sull'ottava del trecentista, prodigava le sue immagini più felici e, fra l'altro, questa sua ipotiposi:

> Come bella ed agevole, un secolo prima del Pulci e del Poliziano, esulta l'ottava nel *Filostrato* e nel *Ninfale*! Ella è come una fanciulla del contado toscano che novelleggi, non sai se accorta o sprovveduta, se sciolta o succinta, e che volgasi a quando a quando con eleganti lusinghe, gittando molti fiori e sorrisi agli ascoltatori.

E osservava ancora che «per il poema delle nuove generazioni popolane e borghesi, occorreva un metro non solenne e forse men triste di quel di Dante; meno uniforme di quello delle epoche feudali francesi, un metro nel quale molleggiasse la fantasia del poeta artefice, che non cantava più né contemplava, ma raccontava». Dove il Carducci coglieva acutissimamente il significato che le forme metriche della poesia hanno sempre un significato storico, non sono silique vuote, puro esperimento di virtù vocale, ma simbolo della stessa sostanza storica della poesia.

Per ritornare al Manzoni, le osservazioni carducciane più penetranti sono quelle relative al poeta, mentre viziate di pregiudizi settari o soltanto generiche sono parecchie definizioni e interpretazioni sul prosatore-artista. E se può parere che egli talvolta faccia la storia estrinseca dei «metri», quei metri, si avverte subito, sono per lui il t o n o m u s i c a l e della diversa vita morale e ispirazione degli artisti.

Il Parini, il Monti e il Foscolo avevano già trattato maestrevolmente i metri brevi in generale e specialmente settenari: il Manzoni andò più oltre, abbandonò le volte troppo lunghe o troppo intrecciate di endecasillabi, incitò la lentezza dell'ottonario, svolse in tutta la sua epica solennità il verso *d'arte maggiore*: il dodecasillabo; e a tutti diede una sciolta austera concinnità tra di ode classica e di melodia metastasiana (III, 159).

Per cotesta sua estetica poggiata sul privilegio apollineo dell'« arma virumque cano », il Carducci cercò spesso alleati, e, fra gli altri, nel Sainte-Beuve, il Sainte-Beuve non dei *Lundis* e dei *Portraits*, ma lo storico di Ronsard, di Marot, di D'Aubigné e di Régnier. Si esagera, quando studiosi francesi e italiani riportano la critica carducciana sotto il gonfalone del pensiero del Sainte-Beuve, come critico psicologico; nulla di più alieno in Carducci, interprete *formale* dei classici, dalla critica psicologica. Egli amò e riecheggiò Sainte-Beuve per i suoi richiami a una disciplina retorica, all'ordine tecnico e metrico dei poeti della vecchia Pléiade cinquecentesca, e gli piacque risentire il suo rammarico personale nel rammarico espresso dal francese sulla decadenza araldica della poesia.

La poesia ebbe la pretesa di parlare come la prosa, con la meno possibile differenza. Cominciò Malherbe, ricordiamocene, a vantarsi di andare in cerca di parole per il suo vocabolario tra i facchini dei grani e tra la gente dei mercati...

A prova di bontà pe' i versi francesi, Voltaire diede la famosa ricetta: Metteteli in prosa. La poesia in Francia seguitò per questa via da Malherbe sino alla fine del secolo XVIII. In luogo d'avere, come altrove si ebbero, quelle che si potrebbero chiamare le logge, ella non ebbe, se è permesso il termine, che un marciapiede benissimo fatto, ma pochissimo sollevato di sopra alla prosa.

Queste sono le proposizioni, che il Carducci cita e traduce dal critico francese, e le fa sue e le sente come argomentazioni della propria poetica. E quasi a difesa della sua ingegnosa disciplina umanistica, e a confusione dei morditori delle sue auliche origini, è lieto di rilevare un inciso, in cui lo stesso Sainte-Beuve giustificava l'artifizio dei poeti della nuova Pléiade del 1830:

> Ai nostri giorni è stato tentato di rendere alla poesia il suo linguaggio proprio, il suo stile, le sue immagini, i suoi privilegi, ma l'impresa poté parere assai artificiale, per ciò che bisognò andare in cerca di esempi nel passato più addietro di Malherbe, esempi per di più manchevolissimi e senza splendore di autorità.

E contro gli incitamenti del Manzoni, che predicava e praticava per suo conto lo spogliamento prosastico della poesia, il Carducci traduceva ancora quest'altro passo della prosa critica del francese:

> In italiano, la mercé di Dante e grazie alla facoltà per ogni poeta moderno di riferirsi a quelli alti esempi e sollevarsi oltre il livello di tutti i giorni, la poesia tenne sempre il suo alto grado o almeno lo recupera ogni volta che vien su un vero poeta. Così potrebbesi rispondere al Manzoni, all'autore dei cori del *Carmagnola*, dell'*Adelchi* e degli *Inni sacri* (IV, 255-256).

Effusioni, giudizi, citazioni che ci chiariscono il significato di quei lamenti frequenti nelle prose del Carducci sulla fine della poesia nei tempi moderni. Il quale rimpianto è parso come un riecheggiamento di alcune affermazioni di Angelo Camillo de Meis, suo collega nell'insegnamento a Bologna, il quale continuava a dar vita a una delle teorie più caduche del sistema hegeliano, sulla risoluzione della poesia nella religione per aver pace definitiva poi nella filosofia, considerata come giudizio universale e novissimo bando di tutta la civiltà umana nei secoli. Ma tale tesi in Carducci non aveva questa bastarda origine filosofica: procedeva invece dalla sua esperienza concreta di buon retore, che vedeva avvilite, nel mondo letterario contemporaneo, queste nobili tradizioni del lavoro musaico, non aveva poi un tono euforico, come in De Meis o in Capuana (che, per parte sua, parlava della risoluzione della poesia nell'arte scientifica del verismo), ma era piena di accoramento e di tristezza. E il Carducci sapeva distinguere tra la poesia, che è eterna, e la poesia-arte musaica: « La poesia dunque non muore; l'*arte della poesia* muore, l'arte della poesia nel suo antico e puro significato di *elaborazione estetica, metrica, disinteressata* » (IV, 280). Il suo lamento era dunque ancora una volta un grido di battaglia per la difesa di uno storico retaggio: il linguaggio poetico dell' Italia di Virgilio, di Dante e del Petrarca.

6. Le teorie linguistiche del Manzoni e del Carducci.

Nell'antimanzonismo del Carducci c' è un'altra nota positiva, che non è stata mai messa in rilievo, e che riflette buona luce sulla maggiore modernità del Carducci rispetto al pensiero e alla poetica di Alessandro Manzoni. Il Carducci fu netto avversario della teoria linguistica manzoniana, ciò che potrebbe ridondare ad onore della sua spregiudicatezza di toscano: un toscano come lui, che respingeva questo blasone di nobiltà, questo mito, la Toscana e Firenze, terra promessa della lingua parlata e letteraria d' Italia. Ma cotesto, se mai, è merito psicologico dell'uomo; a noi importa invece rilevarne un altro, più profondo, del critico: la visione esatta che egli ebbe della sostanza della teoria manzoniana. Quella teoria era una forma di egualitarismo giacobino, che si concludeva con la tirannide oppressiva attribuita a una regione, a una città; il Carducci, in forza dello storicismo che lievitava nell' intimo della sua teoria del linguaggio poetico, si schierava ad oste contro l'antistoricismo illuministico del grande lombardo: era il secolo XIX, il secolo della storia, che si opponeva al secolo XVIII, il secolo dell'astrazione generica e dommatica pur nel suo apparente libertarismo.

Cotesta dell'unità della lingua e dell'accentramento dei favellari di milioni di pensanti italiani dentro una città sola, anzi forse dentro i salotti d'un solo quartiere di quella sola città, è una fissazione giacobina. Sì, in quell'ampia organatura della testa di Alessandro Manzoni, il razionalismo giacobino de' primi suoi anni seguitò a ramificare per entro la superedificazione cattolica, scalzandola e fendendo qua e là di crepacci l' incrostatura rosminiana. Ora il razionalismo giacobino, mova o da Montesquieu o da Rousseau, mira in teorica a rifoggiare la società, senza tener verun conto, anzi con un gran disprezzo, delle cose e dei fatti, della geografia, della etnologia, dell'antropologia, della storia, sur un modello rigido e stecchito, ch'esso imbottì *a priori* dei postulati di una filosofia tutta tra soggettiva ed empirica e tutta cervellotica; tende poi nell'azione con smaniosa e malaticcia impazienza, e con un feroce odio dei vigori della varietà, ad appianare, a potare, a unificare, a concentrare. Così distrusse i diversi stati e perseguitò i dialetti; abolì i parlamenti provinciali ed i cappelli a piuma; fece la constituzione e la giubba a coda di rondine, la codificazione e il cappello tondo, il sistema delle imposizioni e la cravatta bianca, la capitale e la burocrazia; dié Napoleone e monsieur Travet. E ispirò — aggiungo — la dottrina dell'unità della lingua (IV, 161-162).

Così scriveva il Carducci sin dal 1882, e il neo-storicismo del nostro secolo non ha fatto che ribadire questa sentenza lucida e chiaroveggente del poeta ottocentesco; né si può dire che essa rimanesse isolata, accatto o prestito provvisorio ed estroso da altri antimanzoniani. Era la rivoluzione romantica, col rispetto del genio dei singoli popoli e delle varietà storiche e regionali e della genesi sentimentale e fantastica della lingua, che maturava nel pensiero del Carducci, apparente eversore o oppositore del romanticismo. E tale storicismo linguistico continuava a vigoreggiare in lui, anche nella tarda maturità, quando i «giovini», da lui satireggiati come novelli argonauti, smaniosi per una specie di esperanto artistico da imparare a Parigi, sentenziavano che «letteratura italiana non esiste e non può esistere, perché l'Italia non ha centro letterario né lingua letteraria universalmente riconosciuta e comune». Siamo nel 1897, e il Carducci, con decisa visione storica, doveva rivendicare la versatilità spirituale dell'Italia, in forza della stessa storia diversa delle sue regioni: il contemporaneo di Verga, di Pascarella, di Di Giacomo, della Serao, rivendicava indirettamente l'arte di cotesti scrittori, riconoscendo la legittimità di una ispirazione provinciale. Si cita Parigi? Ma Parigi, rispondeva vivacemente il Carducci, «fu il portato non invidiabile di contingenze e condizioni proprie della Francia, e specialmente delle esorbitanze della monarchia e della rivoluzione». E aggiungeva: «Non invidiabile: perché un centro che assorbe le efficacie individue per renderle macerate in una pasta uniforme da passare per le stampe dell'uso, non pare ciò che più debba conferire alla produzione e allo svolgimento di una letteratura energica e specialmente libera e originale». E ricordava poi l'Inghilterra, la Germania e la Grecia, e l'Italia stessa del '500:

Per lasciar da parte la Grecia, che creò la letteratura e per orrore dell'accentramento e dei tipi ebbe quattro almeno focolari ed officine di spiriti e di forma diverse, ma l'Italia, quando nel secolo XVI pervenne alla compiutezza della sua letteratura e l'imponeva all'Europa, l'Italia, dico, non ebbe ella tanti centri e tante regioni, stavo per dire quante città? e la copia e varietà di quella tanta produzione non ebbe poi finalmente un carattere di effettuale unità? (XII, 452-453).

Si badi a quell'*effettuale unità*: il Carducci coglieva bene, indirettamente, quello che era il carattere stesso dell'Italia a lui contemporanea. Nel formarsi di un nuovo mondo spirituale della nazione, si chiedeva il contributo delle singole regioni, dove vivevano tesori ancora intatti di tradizioni, di una vita ingenua e appassionata, di saggezza carica di storia e pur semplicissima nel suo tono e nelle sue forme. Solo partendo da una varietà più profonda di tradizioni, si poteva giungere a instaurare un'unità anch'essa più profonda, più umana, più concreta. La letteratura dialettale o provinciale in genere aveva avuto difatti la sua massima effusione dopo il 1860, quando tale suo rigoglio pareva dovesse essere segno di disgiunzione spirituale; e testimoniava invece di un più intimo e umano affiatamento dell'Italia tutta, fuori dai vecchi schemi dell'astratta e vieta letteratura accademica. Così, l'aulico, l'illustre, il curiale, il professorale Carducci collaborava amicalmente coi poeti *provinciali* della nuova Italia, assai più che non avvenisse del Manzoni e dei manzoniani, con la loro fissazione giacobina e astrattamente unitaria di Stenterello cattedrante di lingua per ctonia virtù.

Bisogna attingere di continuo alla freschezza corrente della parlata: altrimenti si rischia di fare una prosa liscia e lustrante, senza vita, senza rilievo, senza colore, o d'un color freddo, di biacca, di una freddezza sfacciata, come della scagliola. Della parlata, la correzione nelle forme e ne' suoni, e certa eleganza di scorci e di frasi, certa concinnità di dizioni, è solo in Toscana; ma gli spiriti e i colori, il muscolo e il midollo latino e la vertebratura della costruzione è anche in quasi tutti gli altri dialetti, salvo certe singolarità celtiche al settentrione e certe poche varietà grecaniche al mezzogiorno (XII, 459).

Si ripensi al giudizio che, senza compassate riserve accademiche, il Carducci dava della poesia di Cesare Pascarella. Nei sonetti di *Villa Gloria* «il Pascarella solleva di bòtto con pugno fermo il dialetto alle altezze epiche» (XII, 442), e nei sonetti del *Morto di campagna* e della *Serenata* «voi sentirete, con ammirazione, rappresentato il costume e il dialetto muscoloso del vero popolo romano» (XI, 379). E si ripensi al giudizio dato sulla poesia di Vittorio Betteloni, poesia borghese e quotidiana, ciò che potrebbe parere in contraddizione colla poetica del linguaggio illustre, se questa poetica non fosse invece poi senso del linguaggio nella sua infinita duttilità storica. E il consenso dato ai *Bordatini* del Ferrari era ancora esso un omaggio a questa poesia o popolaresca, o casalinga o dialettale, dove la tradizionale disciplina metrica («i bei metri del trecento e del quattrocento») si accompagna al senso della vita paesana. «Quando il Ferrari si abbandona al sentimento immaginoso o cerca la poesia nella verità del paese che l'attornia, egli ha note e trova forme calde e potenti» (III, 432).

7. I giudizi del Carducci sui contemporanei.

E poiché siamo venuti spigolando qualche giudizio sui poeti contemporanei, non è male ricordare che proprio in tali giudizi il Carducci fa buonissima prova con la sua concreta esperienza di letterato. Si sa quanto sia difficile giudicare di letteratura contemporanea, specialmente per studiosi immersi nelle indagini e ricerche e analisi di letteratura classica; ogni critico militante, a rileggere i propri giudizi dopo un anno, o, se vogliamo esser generosi, dopo un decennio, dovrebbe sovente arrossare e sfavillare e trasmutar sembianza, peggio di san Pietro e Beatrice, lassù nel *Paradiso*, quando parlavano con Dante delle pontificie fallanze. Orbene, rileggiamo i giudizi del Carducci, dopo un sessantennio di prove diversissime e obliosa fuga di stagioni; dobbiamo ammirare sempre la moderazione della mente e la sicurezza tecnica della penetrazione. Cito per tutti i giudizi sulle poesie di Guido Mazzoni e di Giovanni Marradi, due amici e seguaci, sui quali parve si diffondesse troppo l'aura protettrice del grande maestro di Bologna. Del Marradi si dice che «ha la fervida prontezza dell'impressioni che si manifesta nel largo e rumoroso parlare» del popolo livornese, e qualche volta il suo verso «suona soltanto e suona troppo». «È un difetto della natura toscana, faconda, abbondante, colorita; ma poco poetica, o almen poco lirica, nel sentimento e nella immaginazione»; il Marradi «ha il verso dal pieno petto, ha l'inspirazione della melodia: ma gli bisogna non lasciarsi vincere alla natura toscana; gli bisogna, avventiam la parola, pensare più forte» (III, 435-436). E del Mazzoni particolarmente egli loda la bravura metrica, la formale correttezza, la piana eleganza, ma da lui invoca «la piena intonazione di canto» che gli farebbe difetto.

Tra per la facilità dell'ingegno suo fiorentino e per lo snodamento, acquistato con la cultura e l'esercizio, delle facoltà e tendenze estetiche, egli sgomitola i versi e i metri più difficili che non par fatto suo, e le forme scabre e malagevoli ad altri gli sguisciano levigate e lucide dalla mano, e certe stranezze cercate paiono nel suo stile naturali. Ma a questa sua elegante facilità il Mazzoni, diciamolo subito, si lascia andare un po' troppo, e qualche volta dà per rappresentazione fantastica la fosforescenza della frase solleticata dal metro, e all'atteggiamento esterno non ha rispondente sempre un movimento interno dello spirito o un guizzo dell'idea.

E, con particolare compiacimento, ancora rilevava:

Questo fiorentino va provando l'irrequietezza de' suoi nervi e l'agilità de' suoi muscoli, sulle scale di tutti i metri: nelle ventitré poesie che finora ho percorso, egli trascorre dagli endecasillabi italiani sciolti e rimati e misti di settenari agli esametri, a distici di esametri e pentametri, alle odi alcaiche, saffiche, asclepiadee, archilochee, e dai trochaici che dirò klopstockiani passa per i giambici ai novenari, agli ottonari, ai settenari, al sonetto, al *triolet*; sì, anche a un *triolet*, per una bambina, inconscia, poveretta, di tanta parnasseria (III, 420-426).

Questo è un giudizio dell' '86, ma già fin dall' '82 il Carducci aveva giustamente lodato il traduttore di Meleagro e trovato nei versi del Mazzoni « notevole e quasi esemplare la bravura e sicurezza dell'esecuzione tecnica » e il maneggio ritmico, la sapienza della verseggiatura; riconoscimenti, però, sempre di tipo retorico, che dovevano ancora restare i motivi di alcune sue pagine tardive del '93 (VII, 244-296). In coscienza: quanti critici d'oggi sanno essere così discreti, e storicamente contenuti, e umanisticamente precisi, se parlano e lodano un libro di versi o un romanzo contemporaneo, specialmente se si tratta d'un amico di casa?

L'originalità e la forza critica del Carducci vanno ricercate in questi saggi, e recensioni, e minuzzoli, e prolusioni, dove egli discorre della letteratura a lui contemporanea, o a lui molto vicina, dallo Zanella al Prati e all'Aleardi; e vanno ricercate in quegli altri saggi particolari, in cui si discorre delle rime di Cino da Pistoia, delle rime di Dante, di Lorenzo il Magnifico, di Angiolo Poliziano, delle poesie latine dell'Ariosto, delle odi e del poema del Parini, dei versi dell'Alfieri, e nelle sue chiose al Petrarca. Lì, il suo gusto umanistico e la sua poetica del linguaggio fanno sicurissima prova. Assai meno resiste il Carducci nelle costruzioni storiche di ampio respiro, come nei famosi discorsi *Dello svolgimento della letteratura nazionale*, che sono costruzioni ingegnose, imbastite su quegli schemi della mitologia romantico-naturalistica in voga ai suoi tempi, che lo scrittore prendeva in prestito o da critici francesi, come il Taine, o da tedeschi, come il Mommsen, o da italiani, come il Gioberti e il De Sanctis; e tutto trasfigurava in una forma immaginosa o veniva abbellendo e variando con brani di eloquenza poetica, paralipomeni o abbozzi delle *Odi barbare.*

8. Carducci e De Sanctis.

Ma i canoni storici d'interpretazione generale non erano suoi, ed erano spesso intimamente contraddittori tra loro. Molte fatiche hanno fatto gli studiosi francesi (ricordo il Maugain e lo Jeanroy)[1], per documentare il lungo studio e il grande amore che il Carducci ebbe per gli storici francesi: ma i nostri fratelli di oltr'alpe s'interessano alla nostra letteratura, solo quando in un modo o in un altro possono dimostrare che noi siamo *pensionarii* del loro pensiero o della loro arte. Recentemente, un giovane, il Mattalia[1], ha voluto contrapporre tesi nazionalistica a tesi nazionalistica, e ha riportato la critica carducciana nel circolo del pensiero giobertiano. Ma si contende sulla materia più caduca dell'opera carducciana; il Carducci ebbe una sua originalità, ma che non è certo di derivazione tainiana o giobertiana o desanctisiana, e a quella principalmente bisogna guardare.

Vogliamo ancora discutere sul famigerato canone dei *fattori* della letteratura italiana, l'elemento ecclesiastico, il cavalleresco, il nazionale, che fanno la loro virtuosis-

---

[1] Maugain, *G. Carducci et la France*, Paris, Champion, 1914; Jeanroy, *Carducci et la Renaissance italienne: étude sur les sources du quatrième discours « dello svolgimento della letteratura nazionale »*, nel « Bulletin Italien » di Bordeaux, vol. XII, 1912, e vol. XIII, 1913.

[2] Daniele Mattalia, *L'opera critica di Giosuè Carducci*, Genova, Degli Orfini, 1934.

sima prova nel primo di quei discorsi? Ma enumerare i fattori storici significa concepire lo svolgimento di una letteratura come effetto di determinate cause, con l'equivalenza di cause e di effetti; cioè, guardare alla storia come il chimico guarda a un prodotto che si ottiene per combinazione di elementi. E quello è un criterio, che volentieri regaliamo e releghiamo nella critica del Taine, e dal quale ben si guardò il nostro De Sanctis. Per questi il causalismo nella storia non aveva ragione di essere, perché le cause non sono nient'altro che la genesi interna di un movimento e la storia spiegata di quella genesi. Ma il Carducci, diciamolo pure, ebbe troppo docile passività invece per tutti cotesti schemi; ciò che ci conduce a conchiudere che in lui c'era stoffa di grande critico, ma non di grande storico. Se si distingue, empiricamente, tra poeta ed artista, sia lecito distinguere ancora empiricamente tra storico e critico. Vi sono critici letterari, fini analizzatori e interpreti, per dir così, monografici, ma spropositatissimi nelle vedute storiche e debolissimi nell'orientamento generale. Questa la più sostanziale differenza tra il Carducci e il De Sanctis; l'uno fu solamente critico, e l'altro fu anche storico. Anche il De Sanctis si servì di schemi, caduchi e discutibili come tutti gli schemi, ma quegli schemi pur nacquero dal vivo e dall'interno del suo pensiero; mentre quegli altri del Carducci, valgano o non valgano, non si valutano e discutono perché non sono una sua produzione, non rappresentano il suo sforzo personale. La sua virtù resta sempre altrove: nella sua passione, e nel suo buon gusto di retore e nella sua capacità di interprete.

L'umanesimo del Carducci, appunto perché profondamente vissuto, aveva una discrezione di giudizio nel suo interno, ma non poté mai giungere a essere storicismo spiegato. Ciò che spiega la sua intolleranza per l'opera del De Sanctis, che non era tanto intolleranza contro la persona, quanto il sospetto del limite della sua critica umanistica. Del resto, le ragioni dell'opposizione Carducci-De Sanctis sono assai complesse. C'era intanto un fondamentale contrasto di cultura, allora assai vivo, tra i vichiani di Napoli e la cultura celtico-umanistica o piagnona di Romagna e di Toscana. E il contrasto di cultura era anche contrasto di passioni politiche: giacobino il Carducci, antigiacobini e moderati i napoletani. Ciò che diventava anche contrasto di stile.

Lo stile dei napoletani, analitico, storico, scientifico, la cui precisione e scrupolo tecnico doveva sfuggire ai non iniziati, per apparire soltanto ermetico ed esotico formulismo; lo stile della tradizione democratico-apollinea, a cui amava richiamarsi il Carducci, sintetico, immaginoso e poetico. Sintetico, perché astraendo da un esame profondamente storico dei problemi e appellandosi piuttosto a un ordine di miti fantasticamente o religiosamente ammessi, lo scrittore parla quasi *ex tripode*, per aforismi e massime, a cui si deve prestar fede, più che per l'intima persuasione critica che ne scaturisca, per il calore e l'affetto che li conduce; immaginoso e poetico, perché, quando il sentimento trabocca, ogni precisione storica e scientifica si rende impossibile. Ancora: la forma, lo stile, la tacita musa del De Sanctis e dei suoi amici era l'ironia; un'ironia tanto più sconcertante, quanto più bonaria e meno manifesta e voluta. Un uomo come il Carducci può essere ironico solo a tratti; l'ironia è in lui travolta dalla passione, e diventa presto furore ed entusiasmo e ira. Nel De Sanctis l'ironia è sistema, è la logica del suo pensiero che, comprendendo, compatisce e sorride e, costruendo, si riposa. Vorrebbe essere una forma di umiltà cristiana, di bonaria semplicità, in cui l'individuo, colle sue vanità personali, scompare, per riconoscersi nella chiaroveggenza sovrana del pensiero stesso, fatto superiore agli uomini e alle cose. Ironia dunque religiosa e non propriamente estetica: ironia socratica, ma che può contrariare, lo stesso, il nostro genio nei momenti di eccitata passione.

Così quell'umiltà, quella bonarietà, quell'amabile discorsività del De Sanctis appariva al Carducci superbia pesante, presunzione radicata, dispettosa sofisticheria. Nulla di più irritante di quel suo sorriso a mezze labbra, per la sensibilità ingenua dell'uomo immaginativo e sensitivo; il filosofo De Sanctis, superbissimo della mente umana *in re,* ma umilissimo *in subiecto*, diventava nella fantasia dell'uomo apollineo l'ambiguo genio dell'orgoglio, con quella modestia falsa, con quel mezzo sorriso d'amabilità, serioso sogghigno per l'altrui dabbenaggine. Che cosa è mai cotesta critica filosofica, che vuol mettersi alla testa di tutta una letteratura, e chiuderla dentro al proprio pensiero, per rifarsela daccapo a immagine e similitudine di sé, dentro di sé, a forza di pensiero? Chiacchiere, fantasie, imposture, rispondevano a coro i democratici, gli apollinei, gli induttivi, i positivi. E, per conto suo, il Carducci sacramentava: « Gli estetici sono i più impostori tra i pedanti e i più pedanti tra gli impostori ». E delineava questa ipotiposi del critico De Sanctis: « Un estetico è capace di tutto. Egli, già, incomincia dal credere sul serio ch'ei fa un onore, per esempio, a Dante, rimettendogli a nuovo rilegate in prosa marocchina romantica le sue *posizioni* (parlan così, cotesta gente); e poi tiene, o ha dal mestiero l'obbligo di tenere i lettori o gli uditori suoi per un branco di esseri inferiori, ai quali egli deve insegnare a sentire, a pensare, a compitare » (X, 36). E, nelle giornate cattive, il burrascoso maestro tempestava il nome del suo fantastico e illusorio antagonista fin davanti agli scolari, e ne scagliava i volumi giù dalla cattedra, affermando, quando si offriva il caso, sempre « in dispetto al celebre critico, che l'episodio della Francesca da Rimini era una delle cose meno belle della Divina Commedia »[1]. Ancora una volta l'uomo sensitivo e immaginativo recalcitrava e si ribellava a Minerva oscura; e noi non riusciamo a scandalizzarcene, e non sappiamo nemmeno fargliene troppo carico[2].

1935.

---

[1] Così l'ALBERTAZZI, in un articolo, *Opinioni e modi del Carducci*, in « Giornale d' Italia », 21 febbraio 1911. Sull'opposizione Carducci-De Sanctis e i filosofi meridionali, si veda il capitolo *Polemiche politiche* del mio volume *Francesco de Sanctis e la cultura napoletana*, nuova edizione, Bari, Laterza 1943.

[2] Le citazioni di tutti i paragrafi del Carducci sono fatte tenendo presente l'edizione in venti volumi, curati dall'autore stesso.

II

MAESTRI DELLA VECCHIA SCUOLA STORICA

1. La vecchia scuola erudita e la filosofia.

Si torna assai volentieri a discorrere di Alessandro d'Ancona nel centenario della sua nascita, non solo per rendere sincero e cordiale omaggio ad un vecchio maestro, da tutti riverito, e a un grande lavoratore, ma anche per avere occasione di dissipare un equivoco e di chiarire un rapporto di scuole e di indirizzi. Non è vero, dico subito, che i seguaci del neo-storicismo, avviato dall' idealismo filosofico nel primo quindicennio di questo secolo, siano cresciuti avversatori e derisori, o, comunque, tepidi estimatori della vecchia scuola erudita. Soltanto nell'accensione della polemica, e nella fantasia dei laici, si è potuta determinare un'antitesi irriducibile fra la vecchia e la nuova scuola: l'una la scuola storica, l'altra, la così detta scuola estetica; l'una tutta fondata sulla ricerca positiva dei fatti, l'altra affidata all'estro dell' ingegno e alla sensibilità personale. Non a caso ho parlato di neo-storicismo, volendo colpire nella denominazione stessa l'esigenza profondamente storica dei seguaci del nuovo indirizzo, i quali, appunto perché storici e non puri distrigatori dei geroglifici dei loro sentimenti privati e delle loro fantasie, non potevano mai disdegnare gli insegnamenti dei predecessori ed aborrire da quella disciplina metodica, per la quale l'Italia, dopo il 1860, era risalita al livello della più alta cultura europea. Il mutamento che, negli studi storici e in quelli letterari, si è operato nell'ultimo trentennio, non è stato mutamento di disciplina, ma rinnovamento e rinfrescamento e restaurazione di filosofia. Senza filosofia, non è mai possibile ricerca storica di nessun genere; e i nostri maestri nati alla vita scientifica attorno al 1860, i D'Ancona, i Carducci, i Bartoli, i Comparetti, i Rajna, ebbero pure la loro filosofia: filosofia invisibile, ma che operò lo stesso efficacemente nelle loro menti e diede unità alla loro opera, e che non fu quella, come spesso si ripete, ispirata ai principî di un facile positivismo, ma una filosofia che aveva sorgenti più lontane e annoverava fasti assai più eroici. Cotesti maestri, che appaiono, all'immaginazione volgare, come umbratili asceti o aridi portatori di scienza, impassibili ricercatori di documenti, ordinatori di date e di cronologie, avevano pure una loro passione, una loro poesia, che non era soltanto passione di ordine psicologico e personale, ma di ispirazione ideale e universale, e che li accomunava tutti in una fede come fossero gli apostoli di una nuova religione. E il loro movimento non aveva nulla di arbitrario, di episodico, di occasionale, di regionale o municipalistico, ma si richiamava a una comune missione nazionale ed europea. Era precisamente tutta la filosofia del romanticismo che maturava in questo loro atteggiamento e in questi loro propositi nuovi di studi: la rivoluzione romantica, come tutte le rivoluzioni profonde, agiva a distanza, e, *invita Minerva*, operava in quelli stessi che si dichiaravano suoi avversari. Romantico poeta della storia, e nostalgico rievocatore del medioevo comunale, il Carducci stesso, che partiva così a oste contro la romantica famiglia dei languidi verseggiatori alla Prati e all'Aleardi.

Chi ha mai affermato che la filologia sia un'arida scienza di tecnici puri? La filologia nasce sulla *humus* fecondata dai problemi storici, politici, filosofici, religiosi, artistici. E le edizioni critiche dei testi, e le ricerche d'archivio, non si fanno per puro esercizio di mestiere: si fanno per passione spirituale. E si recensiscono criticamente opere di Dante, di Savonarola, di Machiavelli, di Bruno, di Campanella, di Vico, per rispondere a problemi d'ordine più profondamente storico, e non meramente tecnico; e si raccolgono leggende e novelline popolari, non per semplice curiosità erudita, ma per dar vita e colore e fisionomia a quel popolo, chiamato e assurto al suo risorgimento politico; e s'indaga la storia oscura delle origini, per creare un atto di nascita, il blasone della sua remota nobiltà, alla nazione risorta: a quello stesso modo come si risale ai ricordi della nostra infanzia e dei nostri avi, con patetica tenerezza, quando siamo per arrivare al termine di una robusta e consapevole virilità.

I nostri vecchi maestri ebbero dunque la loro filosofia, e una filosofia maturata nella vita e nelle lotte quotidiane, nelle loro esperienze di uomini e di cittadini; e non hanno reso un buon servigio al loro nome e alla loro fama quei tardi scolari, che tentarono di detergere le loro fisonomie da ogni macula di pensiero e di passione, e vollero presentarli come vasi vitrei di scienza pura: quasi che il pensiero sia una specie di peccato originale da cui bisogni redimersi, quel pensiero che non è la scienza formale dei don Ferrante, ma è fede, storia, sentimento d'arte, vita morale, passione politica, e, senza il quale, la filologia, l'erudizione, e tutti gli altri begli studi si riducono soltanto a un esercizio vile di aspiranti a cattedre universitarie. Dove languisce la filosofia, ivi presto o tardi languisce e s'immiserisce la stessa filologia.

2. L'avversione polemica dei giovani alla scuola erudita.

Ma si dice: non potete negare la violenta reazione del neostoricismo contro la vecchia scuola del D'Ancona e del Carducci. Verissimo. La reazione c'è stata, ed è stata violenta; ma bisogna affrettarsi a ribattere che essa non è stata rivolta contro l'opera dei D'Ancona, dei Carducci, dei Bartoli, dei Comparetti, dei Rajna, che tutti abbiamo riconosciuto incentrata in alcuni vitali principî e miti storiografici, ma contro l'ormai troppo consunta e risecchita filosofia dei loro più tardi scolari; i quali, a poco a poco, avevano smarrito per via il senso originale dei problemi e delle ricerche, e avevano tramutato la passione degli studi in mestiere: i cattivi scolari, che non mancano mai in ogni scuola, e non mancano specialmente nelle scuole al momento del loro temporale trionfo, i quali, lontani ormai dalle idealità romantiche e risorgimentali, si erano dedicati alla ricerca per la ricerca, la prima che capitasse per le mani, la ricerca per riempire la solita lacuna, non quella che nasce da un'ispirazione interiore, e che predicavano a noi che venivamo su, ragazzi, che bisognava farsi secchi, aridi, obbiettivi, insensibili a ogni tentazione di vita, alle tentazioni della poesia e degli altri valori umani, se si voleva fare opera di scienza esatta e incontestabile.

La conoscenza della letteratura dell'argomento, canone che il neostoricismo ha fatto volentieri suo, insistendo sul principio che ogni critica di poesia è implicitamente o esplicitamente storia della critica intorno a quella poesia, cotesta conoscenza della letteratura dell'argomento era diventata negli ultimi fiacchi seguaci del metodo storico una pomposa ed estrinseca bibliografia; da cui si derivava un abito di burbanza giudiziaria contro il malcapitato (e tutti si era un po' sempre dei malcapitati), il quale quasi sempre, anche nel suo più scrupoloso lavoro, aveva dimenticato di consultare un qualche dottissimo libro, di un qualche tedesco, o si era lasciato fuggire un importantissimo articolo di un qualche *Jahrbuch* o di una qualche *Rundschau* o *Zeitschrift*. Lo studio poi dei testi, che per noi oggi vuol essere il termine supremo di ogni ricerca letteraria, si limitava a una rassegna estrinseca delle opere, fatta nei termini più convenzionali e tradizionali; e assai lodato era colui che riusciva a non scandalizzare e turbare la pace accademica del lettore, combinando un incontro di frasi in cui l'una temperava garbatamente l'altra, o addirittura entrambe si neutralizzavano a vicenda. L'accertamento dei fatti e l'esplorazione dei documenti era, infine, spesse volte, un semplice affastellamento di notizie brute, che non servivano al raccoglitore, e non serviranno nemmeno a quel futuro geniale sintetizzatore, che ancora non è nato. La disposizione d'animo poi, con cui si giudicava l'umanità dei grandi, era quella del pigmeo, che trascrive la storia di se stesso e della sua meschinità nelle vicende spirituali di un Tasso, di un Alfieri, o di un Leopardi. Meglio ancora, se invece dei grandi, si poteva tessere la biografia dei minori, degli oscuri o addirittura degli inediti.

Nulla di straordinario dunque che i giovani italiani, tra il 1900 e il 1915, cominciassero a sentire fastidio di tutto questo tritume, in cui era andato a finire il grande patrimonio dei vecchi maestri dei primi decenni dell'unità nazionale. Era l'esagerazione propria di tutte le scuole, quando è esaurita la loro ispirazione originaria; esagerazione di cui oggi, a mente adulta, non ci meravigliamo più, come di un fenomeno fatale nel suo intrinseco processo, perché, nel caso contrario, dovremmo meravigliarci di fenomeni analoghi di altre scuole e indirizzi, che all'eruditismo puro si son voluti opporre in questi ultimi anni. Dio ci salvi dal dì della gloria, e Dio salvi le scuole scientifiche dal diventare greggi facili e celebri di scolari. La troppa euforia scientifica è sempre segno d'interna decomposizione ideale, e attorno al '90 i seguaci del metodo storico erano diventati troppo baliosi di sé. Soltanto il tormento, il dubbio, l'angoscia di quello che potremo fare domani, può essere la nostra salute. Gli scolari, quando, alla loro volta, non sanno farsi scolari-maestri, esasperano le sane tendenze dei loro iniziatori, o meglio svuotano di ogni umanità quegli insegnamenti così cauti e laboriosi nel loro nascere, con l'ebbrezza e l'avidità mediocre degli occupatori, che non conoscono lo sforzo della conquista; dei viziati figliuoli di famiglia, cresciuti nell'abbondanza, che ignorano le lunghe vigilie e i digiuni e le amarezze e le lotte mute, e le perplessità, e le disperazioni dei loro padri, pur oggi vittoriosi.

Il malcontento per la degenerazione della scuola erudita era, per altro, già diffuso tra i maestri stessi e tra gli scolari più dotati di quella scuola: dal D'Ancona al Carducci, dal Rajna al Barbi, dal Parodi al Rossi, dal Borgognoni al De Lollis, dal Torraca al Percopo, si potrebbero allineare dichiarazioni, confessioni, scatti, propositi di diversione e di rinnovamento, battute di malumore, che stavano a indicare la crisi interna della scuola e il bisogno di idee nuove. E le idee nuove sono venute, non come cancellazione radicale delle migliori tradizioni assodate dall'opera di quei maestri, ma come ampliamento di orizzonti e assorbimento di nuova linfa. Sicché, se io che esco da una scuola che non è quella del Carducci e del D'Ancona, oggi, vengo qui, a scrivere del D'Ancona e a tessere l'elogio dell'opera sua, non mi sento per questo né uno toccato dalla grazia, né un apostata: né voglio tentare una di quelle conciliazioni accademiche, alle quali mi sento scarsamente inclinato, un po' per educazione mentale, un po' per il peso grezzo dello stesso temperamento.

I giovani della mia generazione ebbero una riverenza sincera, e, direi, un contrastato amore, per i grandi lavoratori come il D'Ancona, il Carducci, il Comparetti, il Del Lungo, il Rajna, il Vitelli; e durante il nostro noviziato di studi di nulla più ci sdegnammo, come di certo ambiguo rispetto di cui alcuni loro tardi e spedati scolari circondava il loro per noi onorabile esempio. Si veniva in Toscana, per una specie di muto e timido pellegrinaggio, per conoscere da vicino quei maestri: sentirli, meritare la loro attenzione, e possibilmente la loro stima ed amicizia. Se mi è lecito indulgere a rievocazioni personali, ricordo, giovinetto, studente alla Scuola Normale di Pisa, una vivace discussione tra compagni, con conseguenti arrabbiature, per un articolo che si era letto, proprio sul D'Ancona, e precisamente nel *Giornale storico della letteratura italiana*, allora considerato la roccaforte della scuola erudita, e un organo che faceva testo nei giudizi di critica. L'articolo era di Rodolfo Renier, il quale riferiva di una raccolta di *Scritti danteschi* del maestro pisano, e ne riferiva con un tono di sopportazione, come se l'autore, adunando quei suoi scritti fosse un importuno perpetuatore di vecchie fatiche di gioventù. Ristampare lo studio sui *Precursori di Dante* del 1874? « Ma sul soggetto fu scritto già tanto, e da tanti, che l'interesse è naturalmente scemato ». Il D'Ancona aveva cercato di migliorare l'edizione di quei suoi vecchi saggi, con richiami e note in parentesi quadre? « Ma — rincalzava burbero il Renier — delle parentesi quadre già notai gli inconvenienti e i pericoli: confronta *Giornale*, 60, 216-17 », e qui un rimando ad altro suo dotto sermone. « Il lavoro, ritengo — continuava imperterrito il recensore — dovrebbesi al dì presente riscrivere da capo con ben altra ampiezza ». E non bastava Il D'Ancona accoglieva nella raccolta quel suo celebre saggio sulla realtà storica di Beatrice, che era uscito trionfante dalle avverse tesi sul significato meramente simbolico della donna della *Vita Nuova*? Ebbene, anche per quello, commentava ironicamente il Renier: « C'è da scommettere che al D'Ancona sembra di aver trionfato, perché oggi nella critica dantesca non si suole più porre in dubbio l'esistenza reale di Beatrice, e dai più anzi si propende a scorgere in essa la Portinari. Ma è vittoria ben poco allegra, quando si consideri che mai come in questo tempo nostro la narrazione degli amori dell'Alighieri fu considerata spediente d'arte e collegata alle tendenze mistiche e allegoriche della mentalità medievale ». Quasi che gli inconvenienti che una verità può generare tra i dilettanti, possano sminuire il valore di una scoperta e di quella verità! Ma il superbioso e inclemente censore così continuava: « Mai, pertanto, al pari di oggi, noi fummo lontani dall' interpretazione semplicista del D'Ancona, sicché la ristampa del suo discorso viene ad avere soltanto un valore storico, come di rappresentante di un periodo della critica dantesca ormai oltrepassato, ovvero, come altri amano dire, superato » [1]. Superato?! conclamavo io tra i compagni. Questi signori parlano con disprezzo del rinascente esteticume (anche questa frase era del Renier), e poi ci plagiano anche le parole! E sono forse i maestri dell' idealismo che scalzano l'opera dei vecchi studiosi, o non sono i loro scolari stessi, svuotati ormai di fede scientifica, che fanno sentire l' inutilità di un'erudizione muta di pensiero?

Precisamente, quello che a noi appariva chiaro era questo: non si trattava negli ultimi rappresentanti del metodo storico di una superiorità di giudizio, che li fa-

---

[1] Cfr. *Giornale storico,* 1913, LXI, pp. 112-13.

ces... guardare con pia distanza all'opera invecchiata dei loro iniziatori; ciò che è sempre lecito. Si trattava invece di quell'arido scetticismo corrodente, che sopravviene negli scolari, quando non sanno continuare degnamente l'opera dei loro maestri. Era l'esaurimento della fede scientifica comune, quella fede che aveva portato un tempo il D'Ancona a farsi « de' cognati e dei dispersi miti Per la selva di Europa indagatore », e ora generava gli sbandamenti, le dispersioni, i compromessi, e quelle tali smorfie d'ironica superiorità, peggiori di ogni sbandamento e diserzione e compromesso stesso. Un nostro compagno, di lì a poco, si trovava a discorrere col D'Ancona stesso, a Firenze, di quella sciagurata recensione, e ci riferiva le parole accorate e le impressioni malinconiche dell'ottantenne maestro, su certi successi della sua scuola.

E questo caso non restava isolato. Sentivamo dire: Rajna, un dotto e caro vecchio, ma troppo intestato su quel problema delle fonti dell'*Orlando Furioso*; ha ragione il collega Cesareo: la fantasia è quella che conta, e l'immaginazione e l'invenzione sono qualità inferiori che possono avere anche gli scrittori di terz'ordine. (Il Cesareo aveva scritto un brillante articolo sulla « Nuova Antologia » del 1900 per criticare l'opera del Rajna, utilizzando la famosa distinzione del De Sanctis su *fantasia*, *immaginazione* e *invenzione*, che risale alle lezioni zurighesi del '58-59: si citava il *collega* Cesareo, ma non si citava l'aborrito nome del De Sanctis!) — Bartoli: ingegno veramente vivace, ma uomo di passioni politiche un po' fantastiche, che gli deformavano l'obbiettiva valutazione dei « fatti ». L'uomo di scienza deve spogliarsi delle sue passioni, e deve lasciar parlare i fatti (quei fatti, in verità, che non parlano mai, se noi non l'interroghiamo!). — Carducci: troppo poeta, troppo letterato, troppo repubblicano, troppo polemista, per poter restare maestro e incommosso maestro di fredde e impassibili ricerche d'archivio o di valutazioni obbiettive. — D'Ancona e Comparetti: editori di testi antichi, così alla buona, un po' grossi, un po' approssimativi, senza finezza e senza la cautela propria della più moderna e più scaltra filologia.

3. Il mito di D'Ancona nemico della filosofia e dell'estetica.

Con questi insegnamenti, non c'è da sorprendersi che i giovani italiani, tra il 1900 e il 1915, crescessero un po' discoli e ribelli, e non volessero più saperne di certe cianciafruscole del metodo storico, a cui non credevano più gli stessi banditori; ma poiché i giovani hanno bisogno di fede, noi lasciavamo da parte gli scribi e i farisei, e, pur presi o infatuati dei padri del nuovo testamento, guardavamo con riverenza commossa anche ai padri del vecchio, e domandavamo di loro e ne leggevamo i libri e cercavamo la loro amicizia ed approvazione.

Del D'Ancona ci attirava, per l'appunto, un particolare della sua giovinezza: studente di legge all'Università di Torino, egli era stato uno degli uditori più appassionati di un corso sulla *Divina Commedia* dell'esule De Sanctis. Uditore non solo, ma attento e diligentissimo stenografo. Ed era stato proprio il D'Ancona, che aveva indotto il maestro napoletano a raccogliere quelle sue lezioni in volume, e ne aveva scritto premurosamente all'editore Barbèra. E c'è uno scambio di lettere tra il Barbèra e il D'Ancona, in cui i due corrispondenti si esaltano l'uno nelle parole dell'altro, per ammirare a gara la vigoria e la finezza del grande critico napoletano, allora all'inizio della sua rivelazione.

Il contratto editoriale non fu conchiuso per ragioni, che qui non giova riferire; ma resta il fatto che il giovanissimo D'Ancona fu il fautore, e, per dir così, l'editore ideale, se non effettivo, di quei saggi sulla Francesca, su Farinata, su Pier della Vigna, su Ugolino, capolavori della critica del maestro napoletano[1].

Ancora un altro legame di simpatia tra i giovani idealisti del '900 e il vecchio maestro pisano: la sua amicizia per Bertrando Spaventa. Il D'Ancona aveva pubblicato, ancora diciottenne, un saggio su Campanella e si era fatto curatore di scritti dello stilese: l'opera di questo giovanissimo appariva già prodigiosa di erudizione, e l'autore novizio ebbe lodi da tutte le parti. Un solo stroncatore, ma assai autorevole, che valeva tutti gli altri lodatori: Bertrando Spaventa. Letta la stroncatura sul *Cimento* di Torino, il giovane D'Ancona non se ne amareggiava e non se ne irritava. Saliva a un quarto piano, a una soffitta, dove abitava il filosofo napoletano, e gli portava l'omaggio della sua ammirazione e il riconoscimento della giustezza delle sue critiche, con quel senso dei propri limiti che manca nei deboli ed è invece caratteristica delle nature vigorose, appunto perché sicure di una loro forza e di una loro originalità[2]. E se passavamo dall'età più antica alla moderna, leggevamo nelle pagine dei maestri dell'idealismo contemporaneo o parole di affettuosa riverenza per il D'Ancona, o riconoscimenti sobri ma decisi e fermi.

Il Croce stesso che batteva, il più implacabile, contro le degenerazioni della scuola storica e contro le grettezze di giudizio di alcuni suoi illustri rappresentanti, si arrestava davanti al D'Ancona, e, pur segnando i limiti del-

---

[1] Si vedano le *Lettere* di Gaspero Barbèra tipografo editore (1841-1879), pubblicate dai figli con prefazione di A. d'Ancona (Firenze, Barbèra, 1917), alle pp. 219-20, 224, 225-26. Il D'Ancona pubblicò lo stesso il saggio su Pier della Vigna nello « Spettatore », n. 23, 8 luglio 1855.

[2] Cfr. G. Sforza, *Commemorazione di A. d'Ancona*, « Memorie dell'Accademia delle Scienze di Torino », serie II, vol. LXV, p. 6.

l'opera sua, ne proponeva agli altri eruditi l'esemplare continenza critica: «Ma il D'Ancona col suo robusto buon senso si tiene rigorosamente, e quasi direi superbamente, nei confini del suo tema, ma che non confonde con quelli dell'arte o della filosofia»[1]. E leggevamo poi in un volume del Gentile, *Scuola e filosofia*, alcuni ricordi dei suoi anni normalistici, e in quelle pagine ancora grandeggiava, in forma bonaria ed arguta, la figura del maestro pisano: «L'avevo già udito la mattina alla lezione dell' Università, e mi era cresciuta la riverenza per lui. Sicché, quando gli fui davanti, mentre parlava, quasi non osavo alzare gli occhi. E ogni sua parola, detta con l'accento di franchezza cordiale che il vecchio maestro sapeva, trovava diritta la via del cuore. Non mi ricordo precisamente che mi dicesse: certo uscii dalla Direzione con un vivissimo desiderio di meritarmi l'approvazione, la stima di quel maestro, con una gran fede nella sua opera; e ne scrissi quel giorno stesso, con gratitudine, al mio professore del liceo, che mi aveva indotto a concorrere per la Scuola Normale». Né ci dispiaceva l' intransigenza antifilosofica, che veniva fuori come una nota del D'Ancona da quelle pagine del Gentile: «Un giorno mi disse che egli non sapeva concepire altri studi filosofici seri, che quelli di storia della filosofia: che dopo Platone e Aristotile, non c'era più nulla da inventare; infatti tutta la storia, da allora, non aveva fatto altro che ripetere ora l'uno, ora l'altro di quei due opposti sistemi; i quali avevano descritto fondo all'universo». Anche la famosa esclamazione «ecco un'altra anima perduta», che il maestro pisano avrebbe pronunziato per un valente scolaro, che al terzo anno si era volto dagli studi letterari agli studi filosofici (e quell'anima perduta, a farlo apposta, doveva essere il Gentile stesso),

---

[1] *La letteratura della nuova Italia*, III, p. 384.

era diventata simpaticamente proverbiale in mezzo a noi giovani studenti: verso il 1910, per iniziarci agli studi di critica letteraria o altro, tutti allora leggevamo libri di estetica e di filosofia, e ci consideravamo spavaldamente «anime perdute». Ma la frase dell'antico maestro ci veniva innanzi, non come simbolo degli errori profetici dei maestri, quando vogliono sentenziare troppo sull'ingegno sempre ricco di sorprese, buone o cattive, degli scolari, ma piuttosto quale indizio della sua robusta fede e della sua sollecitudine d'insegnante. Soltanto i maestri pigri e lassi lasciano girovagare per diversi salti il petulco redo, mentre la loro liberalità è spesse volte egoistica indifferenza o inopia mentale. La battuta del D'Ancona la si sentiva invece come testimonianza di quel generoso accoramento, che prende sempre i veri maestri, dubbiosi degli smarrimenti dei seguaci; per quella sollecita cura che i padri hanno per il cammino dei propri figliuoli, e i quali, per la prepotenza stessa dell'affetto, vorrebbero intervenire nelle risoluzioni più importanti della loro vita, e sono sempre combattuti tra la speranza e il timore, e si lasciano andare a tentazioni di invadenza. E Alessandro d'Ancona era per l'appunto, per concorde testimonianza di scolari, uno di questi maestri paterni.

4. Il D'Ancona e la sua partecipazione alle lotte del Risorgimento.

Ancora un ultimo tratto completava bellamente la fisonomia del D'Ancona ai nostri occhi giovanili: egli era stato non solo giornalista per la causa della Rivoluzione e dell'Unità nazionale, uno dei fondatori e direttore del giornale *La Nazione*, agli ordini e secondo l'ispirazione di Bettino Ricasoli; ma, ancora ragazzo, era stato prescelto dalla sorte a rappresentare la Toscana liberale a Torino, per l'omaggio di un busto al Cavour e di una spada al Lamarmora. Sotto il busto del Cavour, i Toscani avevano voluto scrivere un'epigrafe dantesca: « Colui che la difese a viso aperto ». « Era una mattina d'inverno molto di buon'ora — egli racconta in una sua lettera a Giovanni Sforza — quando col Farini e col Vela, salii le scale del suo palazzo. Con esso era anche il Lamarmora, al quale doveva offrire una spada... Al Cavour e al Lamarmora consegnai le liste dei soscrittori toscani, e rammento bene che il Cavour le sciolse e si fermò sul nome di Bastogi, che a quei tempi poteva dirsi il finanziere del Granduca. Poi mi domandò, quando i tempi e gli eventi mutassero, su quale uomo si poteva fare conto in Toscana, e io gli risposi subito: su Bettino Ricasoli. E poi chi altro ancora? Su Ubaldino Peruzzi. Gli ricordai anche il nome del Salvagnoli, che aveva suggerito l'appropriata epigrafe. Altro non rammento, se non che da quell'alba invernale data la mia conoscenza col gran Conte »[1]. Pochi anni dopo, il Cavour, che accompagnava Vittorio Emanuele, era accolto alla stazione di Firenze in mezzo all'alta cittadinanza officiale, anche dal D'Ancona, direttore ventiquattrenne del giornale *La Nazione*; e al Cavour dovette riuscir caro scorgere un viso già conosciuto — scrive il D'Ancona in alcune sue memorie — « sicché si mosse dal suo luogo e venne a me stringendomi caldamente la mano, e dicendomi quanto era contento di rivedermi in tale occasione ». E il D'Ancona, con arguta umiltà, aggiunge: « Non rammento bene quello che rispondessi, ma dovette essere qualcosa come il famoso: *Si figuri* del sarto manzoniano, né mi riesce immaginare una diversa risposta. In ciò dissimile dal personaggio del romanzo al quale, rimet-

[1] Cfr. SFORZA, *Commemorazione* cit., p. 2.

tendosi col pensiero in quelle circostanze, venivano in mente, quasi per dispetto, parole che tutte sarebbero state meglio di quell'insulso 'Si figuri'»[1]. Si badi alla finezza della distinzione: un D'Ancona, imbrogliato davanti al gran Conte e che avesse sentito dispetto del suo impaccio, sarebbe stato una di quelle comparse delle cerimonie ufficiali, sempre preoccupate di un loro mediocre successo personale. Ma, in quell'incontro non erano in giuoco le persone, non si trattava nemmeno dell'imbarazzante presenza di un grande ministro, non c'erano né Cavour né Vittorio, e la cittadinanza ufficiale, in quella mediocre stazione granducale di Firenze, ma c'era l'Italia stessa che si faceva una, un fantasma che soggiogava le menti e gli animi di tutti e tagliava corto ai convenevoli, e mozzava le parole sulle labbra.

5. Il D'Ancona uomo e studioso «risorgimentale».

Ho detto che la sorte aveva prescelto il D'Ancona, ancora ragazzo, a rappresentare la Toscana liberale e unitaria a Torino. Ma la sorte, checché ne dicano gli uomini, è sempre intelligente; e la sorte era niente altro che la stessa vocazione elettiva di quello studente di leggi, che aveva lasciato la Toscana per studiare a Torino, dove allora era adunato il cuore e la mente di tutta la nazione sparsa. Il primo lavoro storico, anteriore alla stessa edizione delle *Opere scelte* del Campanella, è la pubblicazione delle *Memorie di Toscani alla guerra del 1848*, curata insieme con Mariano d'Ayala. Siamo nel 1853. Si comincia a delineare nel ragazzo la fisonomia dell'uomo e dello studioso, quale sarà negli anni adulti:

---

[1] Cfr. *Pagine sparse*, p. 314.

l'attività del D'Ancona, io la direi, per l'appunto, di un uomo risorgimentale, e tutto il pensiero che confluisce in quel grande movimento nazionale, pensiero storiografico e politico, è riflesso anche nella più arida delle sue memorie erudite.

Lo spirito del Risorgimento nell'opera sua, lo dico subito, vi è, non come apparato retorico, e nemmeno come effusione sentimentale, che interrompa di tratto in tratto l'esposizione delle sue ricerche, ma vi scorre come *animus* segreto che complette in una rigorosa unità le più disparate indagini. Scrisse il D'Ancona una volta: « La prima ventura che mi è stata concessa, e della quale giorno per giorno, ora per ora, ringrazio la Provvidenza, è l'esser nato e vissuto nei tempi del Risorgimento italiano ». Ebbene il Risorgimento italiano non solo diede il suggello ai sentimenti del cittadino fino agli ultimi anni della sua vita, ma anche dié il suggello a tutta l'attività dello storico e dell'erudito. Prendete i suoi studi sulla *Poesia popolare italiana* pubblicati nel '78, e quelli sulle *Sacre rappresentazioni* del 1873, a cui fa seguito nel '77 l'opera sulle *Origini del Teatro in Italia*: tutti insieme, preceduti fin dal 1858, da alcuni sparsi articoli, cominciati a scrivere sotto l' ispirazione di Costantino Nigra. Non si tratta soltanto della insistenza sistematica di tali studi, che fanno sentire subito la tempra scientifica nemica di ogni dispersione dilettantesca; ma è l' ispirazione prima del lavoro, che è tipicamente romantica e risorgimentale. Protagonista di quei lavori è il popolo, e il popolo non più fantasma generico di un appello o di una qualche formula politica, ma il popolo nella particolarità delle sue formazioni storiche, delle sue tradizioni, dei suoi costumi, dei suoi sentimenti, delle sue disposizioni, delle sue attitudini e delle sue varie idiosincrasie. Quella ricerca erudita della letteratura popolare, novellistica o drammatica, non era fine a se stessa, non era erudizione sconnessa e senza pensiero; ma finiva con l'essere, inavvertitamente, una battaglia politica. Tutto il movimento europeo sulle letterature popolari era una reazione all'astratto razionalismo e all' illuminismo settecentesco, che favoleggiava di uno spirito generico e universalistico, vuoto però di quella sostanziale umanità, che viene sempre dall' individuo e dalle individualità regionali e nazionali. Lo studio delle letterature popolari era un contributo alla formazione e alla rivelazione delle nazioni nella loro concretezza, al disotto e al disopra di ogni astratta unità principesca, che venisse suggerita dall'alto. Non l'unità di un principato, quale poteva essere auspicato dalla mente di un Machiavelli nel '500, si cercava più nel secolo XIX, ma l'unità della nazione; e il protagonista di questa unità non poteva più essere il principe, ma il popolo stesso e il principe in quanto popolo. Da ciò la necessità di raccontare i fasti di questo popolo, anche i fasti della sua fantasia ingenua, e raccogliere le sue novelline e le sue poesiole, e studiare le sue laudi, e ricostruire anche il suo rozzo ma suggestivo teatro nel suo secolare sviluppo. Da ciò l'entusiasmo dei cercatori della letteratura popolare, dal Nigra al D'Ancona, dal Pitrè al Comparetti, e per la quale questi insigni italiani riuscivano ad affiatare la cultura del loro paese con quella che era la generale cultura europea. L' Italia, ricostituita recentemente ad unità, nel momento stesso in cui le sue regioni si unificavano, acquistava una coscienza riflessa, storica e letteraria, della differenza e varietà delle sue tradizioni regionali. Il riconoscimento della nostra versatile ricchezza regionale finiva con l'essere incremento, non ostacolo, all'unità politica, appunto perché dominato con visione storica o poetica: per quella legge intima del progresso che si attua sempre più rigoglioso là dove l'unità nasce non dall'uniformità, ma da una più ricca diversità di tendenze, e dalla coscienza critica di cotesta diversità. Fu quello anche il periodo della grande poesia dialettale italiana e del verismo provinciale, poiché l'Italia, fatta nazionale, amava bagnarsi, rinfrescarsi e ritemprarsi nelle sue eterne scaturigini della provincia.

6. Le teorie storiche del D'Ancona.

Oggi noi possiamo discutere sulle teorie particolari che il D'Ancona emise in quei suoi lavori, e possiamo respingere alcune di coteste tesi, come quella della monogenesi del canto lirico monostrofico, sparsosi dalla Sicilia in tutta la penisola; è mutata oggi la visione storica, ma è mutata in forza e per impulso di quella stessa teorica danconiana, che noi oggi chiamiamo pregiudizio. La poesia popolare, come canto monostrofico, non nasce in Sicilia ma nasce dappertutto; non c'è emigrazione poetica da una regione all'altra, alla stessa guisa che il volgare, il neolatino che si disse lingua italiana, non nasce né in Toscana, né in Sicilia, né a Bologna, né nell'Umbria, ma nasce in ogni regione, città e comune, dove c'è un temperamento di scrittore, che sappia nobilitare, aulicizzare, raffinare il nativo dialetto parlato, avviando e favorendo l'ideale di quella lingua illustre, aulica e cortigiana, che fu l'ideale, non soltanto teorico, di Dante.

Noi oggi possiamo trovare a ridire sulla concezione, di tipo darwiniano, che c'è in queste ricerche storiche del D'Ancona, e possiamo trovare un po' curiose alcune immagini che ci richiamano alla cultura e al gusto del tempo; però non riusciamo a sorriderne troppo. Il passaggio dalla sestina della lauda a quella della devozione viene presentata e assimilata, per esempio, allo sviluppo della rana dal girino, e il tetrastico della poesia popolare è detto e supposto il protoplasma dell'ottava e delle altre forme metriche della lirica popolare o dotta. *Rana, girino, protoplasma,* ne conveniamo, sono parolette oggi piuttosto antiquate; ma antiquate alla pari degli abiti dei nostri nonni e delle nostre nonne, che però rivestivano non ombre e manichini, ma corpi e animatissimi e talvolta anche bei corpi. Sta di fatto che il D'Ancona seppe intrecciare la prima storia rigorosamente scientifica del nascere e dello svilupparsi della poesia popolare e del dramma sacro, e del diffondersi di questo dramma liturgico e ampliarsi e arricchirsi da una regione all'altra, fino alla forma matura della rappresentazione sacra. Il D'Ancona ha illustrato magistralmente le ragioni politiche e religiose e letterarie dello sviluppo e della decadenza di tutte queste produzioni; e per tali suoi studi, egli ha preso posto fra i primi filologi e storici dell' Europa a lui contemporanea. E quel che è venuto dopo, fino ai lavori del De Bartholommeis, è tutta una irradiazione e sviluppo di quelle sue dotte e allora assai più aspre fatiche.

Quel che si dice sugli studi della poesia popolare e sulle rappresentazioni sacre, va ripetuto per le sue ricerche sulla letteratura dei secoli più antichi. Al D'Ancona si devono i primi saggi più illuminanti su Jacopone, su Cheli d'Alcamo[1], su Cecco Angiolieri, su Convenevole

---

[1] Scrivo *Cheli d'Alcamo,* e non *Cielo,* perchè congetturo che *Cheli* (cioè, Michele) fosse il nome del poeta del *Contrasto: Cheli* che in alcune province siciliane è palatalizzato in *Celi* (come c' è *chiàngiri* e *ciàngiri,* piangere, *chiano* e *ciano,* piano) che poi il copista toscano avrebbe ridotto in *Cielo.* Quanto a *Ciullo,* ormai non se ne discorre più: *Ciullo* saltò fuori da una infelice lettura di un manoscritto del Colocci, un filologo cinquecentista, e lo si fece derivare arbitrariamente da *Vincenzullo,* e dalla sua forma abbreviativa *'Nzulo.* In Sicilia, in Calabria e altrove è frequentissimo il cognome di *Miceli* (genitivo patronimico di *Michele*), e nelle campagne si dice *Cheli* per *Michele.* In una novella del Verga di *Vagabondaggio* c' è un personaggio, detto zio Cheli. Fu, leggendo Verga, che mi balenò questa congettura su Cielo d'Alcamo: Come si vede anche i deprecati studi di letteratura moderna servono qualche volta a intendere anche i testi antichi! (1936).

da Prato. Diceva Machiavelli che, quando le nazioni si alterano, bisogna saperle ridurre «inverso i principî loro»; la nazione italiana, dopo il 1860, non si alterava ma nasceva nuovissima come nazione proprio allora, e dal punto di vista scientifico, essa, nel campo della storia letteraria, viveva di rendita sulle ricerche dei grandi eruditi del '700. Bisognava perciò rinvigorirla, ringagliardirla, indagandone, come letteratura, i suoi monumenti più antichi, rischiarando con nuove ricerche i secoli più oscuri, creandole, come dicevo innanzi, il suo blasone di nobiltà. Da ciò l'assidua cura prestata dai nostri filologi ai vari problemi delle origini; e il D'Ancona, in questo campo, fu maestro e iniziatore per tutti. Erano quelle sue ricerche, dominate bensì dal motivo del popolarismo e del primitivismo, conforme al canone della storiografia romantica che, con risentimento di motivi dell'estetica vichiana, avvertiva sempre nelle espressioni più vive e più fresche della letteratura la voce del popolo, la sua ingenuità, la sua vena spontanea di poesia; Jacopone riusciva, in tal modo, un poeta di popolo, un giullare di Dio; e Cheli d'Alcamo, con la sua *Rosa fresca*, era contrapposto alla poesia lambiccata e accademica dei poeti della corte sveva; e Cecco Angiolieri riassumeva le correnti del realismo popolare largamente diffuso in Toscana. Oggi si intende a dar valore piuttosto all'ispirazione dotta di parecchia di quella letteratura, e non basta più questo mito della genesi popolaresca e del primitivismo: l'influenza della cultura dei *clerici* è visibilissima nel laudario jacoponico, e Jacopone è un poeta-teologo, altro che poeta laico, poeta dottissimo, e sia pure con un vigoroso temperamento popolesco di lottatore, e *bizzoccone*, come egli stesso amava chiamarsi; e Cheli d'Alcamo, nella giovanile e fresca malizia del suo *Contrasto*, in quel siculo-napoletano illustre che egli scrive, intesse numerosi provenzalismi, francesismi e latinismi, che fanno di lui un poeta, diverso certamente dai rimatori provenzaleggianti della corte di Federico, ma diverso per felice vocazione del suo temperamento, egualmente addottrinato nell'*ars dictandi* del tempo, ma artisticamente meglio dotato; e non già diverso e più fresco per questa sua mitica origine popolare.

È mutata l'interpretazione storica nei nostri tempi, perché è mutata l'estetica ispiratrice dei nostri giudizi: non più un'estetica dell'ingenuità di natura, ma una estetica dell'ingenuità di conquista, l'estetica che fa posto a una verginità poetica ma riscattata attraverso la contaminazione della cultura più diversa. L'opera d'arte, qualunque sia il suo valore, nasce sempre da una esperienza bastarda e peccatrice di vita e di cultura, e non da una semplice primitiva e insulsa innocenza della fantasia. Così all'estetica un po' mitologica che favoleggiava di un anonimo e generico popolo poetante, si è venuta sostituendo un'estetica più realistica, che tende sempre all'individuazione del singolo poeta poetante, e a riconoscere il suo personale sforzo creativo.

7. La filologia, l'erudizione e gli insegnamenti morali del D'Ancona.

Ma, a parte questa linea storica dei giudizi oggi mutata, quale e quanta, sana, soda esauriente filologia dei particolari in quei saggi del D'Ancona! Quistioni cronologiche, il nome e l'essere del poeta, interpretazioni del testo, osservazioni sulla lingua antica, chiarimenti di battute storiche, di allusioni od altro, tutto vi è mirabilmente vagliato, e le congetture stravaganti dissipate; sicché ancora oggi si attinge a quei saggi e si lavora sul materiale offerto da quei saggi, sia pure per un maggiore affinamento critico, ma senza mai distaccarsene indifferentemente o negativamente: ciò che è il maggiore omaggio che si possa rendere a indagini già vecchie di sessanta o settant'anni. Del resto, quel mito del popolarismo, a cui fu sempre fedele il D'Ancona, conferma la coerenza della sua filosofia, e la caratteristica che di lui davamo, testè, come di studioso uscito dalla rivoluzione romantica e risorgimentale. Tale caratteristica noi vediamo confermata nelle posteriori ricerche, anche quelle che possono parere un «fuori d'opera», un semplice spasso del ricercatore, utilizzatore ormai pacifico di una tecnica esplorativa di archivi e di vecchie carte. Voglio alludere ai suoi saggi su *Viaggiatori e Avventurieri*, e all'ultimo suo volume, pubblicato postumo, su *Scipione Piattoli e la Polonia*; ma proprio in quelle ricerche, apparentemente estravaganti, si palesava più aperto il suo spirito risorgimentale. Le indagini sugli avventurieri e viaggiatori italiani dal '500 all' '800 erano una specie di preistoria di quelle altre più generose, più onorevoli, e più idealistiche avventure mazziniane, garibaldine, giobertiane, cavourriane, che dovevano portare all'unificazione della penisola. Le vicende di cotesti spiriti irrequieti che vanno dal Rucellai al Locatelli, al Pignata-Vitali, al Casanova, al Boetti, al Malaspina, fino a Scipione Piattoli, dal D'Ancona identificato nella figura dell'abate Mario di *Guerra e Pace* di Tolstoi, si colorivano davanti alla fantasia dell'erudito come la storia di quella «virtù» estetica, machiavellica, ancora alla sua fase egoistica e barbarica, ingegnosa, la virtù grande delle membra, del singolo, di cui aveva parlato il Segretario fiorentino, la quale, imbattendosi e creandosi un contenuto storico organico, virile, di valore universale, avrebbe saputo compiere il miracolo del risorgimento nazionale. E questa non è un' interpretazione industriosa nostra di critici, preoccupati di ritrovare l'unità di così varia e apparentemente dispersa operosità scientifica, ma è l'*animus* dichiaratamente espresso dall'autore stesso. Raccogliendo negli ultimi anni della sua vita tutte quelle sue ricerche in volumi miscellanei, il D'Ancona lamentava di non avere più ormai la capacità di riesporre e di riordinare « così vasta materia », e lumeggiava il suo disegno con queste parole: « L'altro disegno era di trattare degli avventurieri italiani, buoni o rei, che nel secolo XVIII invasero, può dirsi, tutta l'Europa e ad ogni modo porgevano indizio *di una nuova energica operosità*, la quale, impedita in patria, si esercitava fuori di questa. Anche tale disegno restò in tronco, ma se la vita mi duri non dispero di condurre a termine la narrazione dei casi di uno fra essi, che può annoverarsi fra gli avventurieri onorati: di Scipione Piattoli, fautore e vindice di libertà e indipendenza in Polonia ». Possiamo dire che gli ultimi tre decenni della vita del D'Ancona sono tutti rivolti alla storia diretta o indiretta del Risorgimento italiano: come sempre, le passioni della prima giovinezza si fanno più patetiche, più esclusive, nell'attività dell'uomo al tramonto, con quella trepidazione un po' angosciata perché si riesca a fissare le linee di quel sogno, col quale ci si è svegliati alla vita mentale e alla vita civile. Nel 1883, viene fuori la prima serie delle *Varietà storiche e letterarie*, dove, fra l'altro, è accolto uno studio su Giacinto Provana di Collegno; sono del 1896-1907 la pubblicazione e l'illustrazione del carteggio di Michele Amari, in cui nella biografia morale dello storico siciliano, il D'Ancona sembra trascrivere le stesse vicende interne del suo sentimento e delle sue aspirazioni: del 1898 è il bel libro su Federico Confalonieri; dal 1902 in poi sono stati redatti i vari saggi, i più interessanti e appassionati per noi, raccolti nel volume *Ricordi storici del Risorgimento italiano*. A quegli stessi anni risalgono gli studi dell'altro volume *Memorie e documenti di storia italiana dei secoli XVIII e XIX*, e del volume *Pagine sparse di letteratura e di storia.* Poiché, con l'avvento delle Sinistre, egli dubitò che l' Italia smarrisse la sanità delle sue originarie tradizioni liberali e conservatrici, e allora egli corse ai ripari, richiamando alla memoria i fasti dell'epopea umile e alta della unificazione della penisola.

Forse si è prestata poca attenzione a tali saggi degli ultimi tre decenni, probabilmente perché il grosso pubblico degli studiosi considerava ormai già definito e chiuso il ciclo dell'attività danconiana. A parte la ricchezza sempre originale delle notizie e delle esplorazioni di carte inedite, questi studi hanno un merito: quello di venire elevando la storia del Risorgimento da storia aneddotica a storia complessa di valori, e quello di venire ritirando la genesi di quel periodo storico fin nel secolo XVIII. Ciò che è ora un canone pacifico della nostra storiografia. Per questa parte, il D'Ancona era un po' iniziatore, e un po' si metteva al passo dei nuovi indirizzi: in un periodo in cui pareva ancora poco scientifico occuparsi di storia quasi contemporanea, il D'Ancona provò con l'esempio che si può fare della scienza su materia ancora viva di passioni e, se non si volse allo studio della letteratura contemporanea per la quale i suoi interessi erano stati sempre assai fievoli, con alacrità giovanile si diede a ricerche sui recenti avvenimenti politici della storia nazionale.

C' è una frase, in uno dei suoi ultimi volumi, che ci colpisce: « Chi si è cibato una volta di politica, se ne ciberà ancora, sebbene ne abbia provate le amarezze »[1]. Una frase che illumina tutta la sua attività scientifica, la quale era sempre stata in ogni momento manifestamente o inavvertitamente politica; politica non nel senso spicciolo, ma in quell'altro significato trascendentale, e

---

[1] Cfr. *Scipione Piattoli e la Polonia*, Barbèra, 1915, p. 150.

che non può mai mancare di esserci negli uomini profondamente operosi. Un erudito puro, come un esteta puro, come tutti gli uomini puri di questo mondo, non possono essere maestri veri; il D'Ancona fu maestro e continua ad esserlo anche ora, appunto perché ebbe una robusta unità nei suoi interessi mentali; senza unità morale, non c' è insegnamento o dottrina che valga. Così possiamo spiegarci come egli potesse trapassare agilmente da questa politica trascendentale dei suoi studi all'altra politica militante di amministratore quotidiano della cosa pubblica. Oltre che direttore della Scuola Normale, e per lunghi anni, fu egli, sindaco, nel 1906-1907, di Pisa, sua città natìa, a cui fu fortemente affezionato.

Io non ho la competenza per parlare delle virtù amministrative dell'uomo; ricorderò solo un gesto, che è nella memoria di tutti: la sua famosa visita all'arcivescovo Maffi, che ritornava da Roma insignito della porpora cardinalizia. Quel suo gesto piacque allora ad una parte della cittadinanza, ma dispiacque violentemente ad altri; e il D'Ancona ebbe improperi e tempeste di dimostrazioni ostili. Lui, laicissimo di educazione, lui israelita, lui il compagno di combattimento di Giosuè Carducci, fu gridato il *sindaco clericale*. Sono le disavventure che capitano ai galantuomini per le loro azioni disinteressate e nobilmente imparziali, le disavventure che capitarono a Renzo Tramaglino, il quale, per avere consigliato moderazione nel tumulto di Milano, passò per poco di buono e per uno scampaforche. Ricordo questo gesto, non perché oggi potrebbe essere troppo facilmente applaudito, ma quale segno di una moderazione aristocratica, superiore ad ogni settarismo. Il D'Ancona voleva rendere omaggio, come egli scrisse, ad un uomo « persona gentilissima e coltissima », amato « per luce di mente e mitezza d'animo », « fisico e direttore autorevole di un periodico di scienze fisiche »; gli rendeva omaggio, perché come egli aggiungeva in quel suo commento all'episodio, « un tempo si obbligava a credere, non devesi ora obbligare a non credere », e lui che usciva da una razza « un giorno perseguitata » non voleva « a sua volta diventare persecutore »[1]. Parole di una grande temperanza morale, e gesto il suo di un uomo, che non si arrende passivamente alla credula pazzia dei volghi; ebbene anche per questo in Alessandro d'Ancona, così lontano da noi per una certa sua arida arguzia e un apparente scetticismo di semita lucido e smagato, noi sentiamo e riveriamo un maestro.

1935.

---

[1] Cfr. *Ricordi ed affetti*, Milano, Treves, 1908, pp. 126-136.

III

MICHELE BARBI E LA NUOVA FILOLOGIA [1]

1. Il Barbi filologo nato.

Il primo grosso libro, con il quale Michele Barbi esordì nel campo degli studi, è la sua tesi di laurea, pubblicata negli *Annali* di questa scuola, nel 1890. Argomento: la fortuna di Dante, uno di quei temi allora di moda, che furono in voga a un dipresso ancora fino al 1914, quando si sostituirono con ricerche sulla storia del problema critico più propriamente detto. La fortuna di uno scrittore attraverso i tempi cominciava ad apparire una semplice ricerca di curiosità erudita, di notizie estrinseche, rassegna di edizioni, elenco di traduzioni, centone delle opinioni e dei giudizi che in un dato secolo o in un dato paese erano sorti e avevano circolato intorno all'opera di uno scrittore: aneddotica letteraria, più che vera storia. Ma se il Barbi nel 1889, quando lavorava a quella tesi, si fosse limitato anche lui a condurre la trattazione nella maniera estrinseca, consueta a parecchi studiosi del suo tempo, egli sarebbe stato uno del gregge,

---

[1] Discorso letto nella commemorazione tenuta presso la R. Scuola Normale Superiore di Pisa il 28 maggio 1942.

e la iniziale passività mentale del novizio sarebbe stata di pessimo augurio per tutta la sua successiva carriera mentale. Mentre siamo persuasi che un maestro diventa tale negli anni suoi adulti, se fin dai lavori della sua primissima giovinezza è già nato maestro a se stesso e denuncia, sin dalle prime prove, una sua originalità di vedute e una vocazione istintiva verso un determinato gruppo di problemi, che poi, con la mente tutta spiegata, resteranno i cardini di tutta la sua vita e della sua operosità avvenire. Uomini con la mente scientifica, di solito, si nasce a vent'anni, e gli anni posteriori non fanno che approfondire quell'area di interessi, che rapidamente si è venuta tracciando dai venti ai trenta.

Orbene in quel libro sulla *Fortuna di Dante* ci colpisce il precoce interesse per la storia del testo critico delle varie opere di Dante: niente divagazioni sulla fortuna esteriore, niente frondosa e ingannevole bibliografia, niente miscellanea di giudizi, quelli che i vari letterati cinquecenteschi pronunciarono su Dante e su Petrarca (anche su questo punto, il Barbi portò un interesse di natura più storica e meno di curiosità pettegola), ma rigorosa discriminazione di ciò che in codesto secolo decimo sesto si compiè per la divulgazione editoriale delle opere dantesche. Il capitolo terzo del volume si apre con questa proposizione:

> Prima cura di chi si fa ad esporre l'opera di un antico scrittore, deve essere quella di ridurne il testo a quella forma, in cui fu probabilmente lasciato dall'autore. La *Divina Commedia* aveva in centocinquantanni che era corsa per le mani degli studiosi manoscritta, ricevuto molti guasti; e già fin dall'età di Coluccio Salutati riusciva impossibile trovare del poema dantesco un esemplare corretto.

Seguiva a queste parole un'attenta classificazione dei manoscritti e delle stampe cinquecentesche, con richiami alla precedente tradizione, proprio quella stessa che gli editori critici del nostro Novecento hanno dovuto tutte le volte riprendere e rinnovare, preludendo a edizioni delle opere di Dante: Borghini, Bembo, Manuzio, Boccaccio, interpreti o possessori di codici danteschi, editori o trascrittori, intrecciano il loro animato colloquio nelle pagine di questo lungo capitolo che costituisce il nodo centrale del volume.

Con la pratica dei manoscritti — osservava il Barbi — si andava formando in molti la convinzione che un'edizione corretta e fedele della *Commedia* di Dante non si potesse avere senza una larga esplorazione di codici; poiché un manoscritto del tutto senza errori non si trovava, né era da fidarsi delle antiche stampe, fatte ordinariamente esemplando il primo codice venuto alle mani.

Anche questa una proposizione apparentemente semplice, che pareva riecheggiasse i bisogni della comune filologia del tempo: ma pure si badi a quella «larga esplorazione di codici», e si badi a quella diffidenza per quel «un solo manoscritto senza errori», su cui esemplare la stampa di un testo. C'era implicitamente una conversione di metodo, per cui il Barbi doveva essere più tardi riconosciuto maestro di una nuova filologia, diversa da quella allora trionfante del Monaci, del D'Ancona, e con temperamenti di maggior finezza, dello stesso Rajna. Tre anni dopo, nel 1893, il Barbi (aveva allora 25 anni), pubblicava un lungo saggio *Sugli studi danteschi e il loro avvenire in Italia*, nel *Giornale dantesco* del Passerini, dove enunciava ancora più esplicitamente il canone di questa sua nuova filologia. Contro il parere dei maestri che predicavano l'eccellenza del metodo meccanico, perché il più obbiettivo, escludendo che si potessero contaminare tra loro tradizioni di codici diversi e che l'editore si dovesse limitare soltanto a riprodurre l'unico testo più attendibile, e a rispettarne tutte le peculiarità, il Barbi opponeva che quello non era fare l'edizione critica, ma apprestare solo il materiale di un'edizione critica, di cui veniva lasciato arbitro il lettore, perché trascegliesse tra le varianti quella che più gli tornava comodo e grado. L'« omai per me ti ciba » di Dante non andava bene per la critica letteraria, per la quale non bastava segnare un'astratta caratteristica di un'opera d'arte, ma pur bisognava cogliere i punti essenziali, poetici, di quell'opera, in una sia pur rapida analisi; ma non andava bene per la stessa filologia, perché anche la filologia vuole e deve affermare la soggettività della mente dello studioso, il quale s' impegna proprio lui a ricostruire il testo e non lo lascia ricostruire al lettore, sempre assai meno preparato di lui. La filologia non poteva essere pura attività diplomatica, ma implicava responsabilità critica, non per la scelta di un codice fatto una volta per tutte, ma per la sceverazione di ogni frase, paragrafo, pagina: e però essa esigeva un lavoro lento di ricostruzione. L'editore critico trasceglie non solo i manoscritti più autorevoli, ma anche le parti di essi che meglio possano integrare le lacune e i guasti e le scorrezioni di altri manoscritti. Per il *Decameron* si era per tanto tempo seguito il codice di Amaretto Mannelli; poi si era scoperto che un codice Hamilton di Berlino poteva essere ritenuto più autorevole; ed ecco che il solito filologo meccanico si dà a riprodurre la lezione di quest'altro codice, senza darsi pensiero, se non in una rassegna di varianti, di quello che può essere stato il contributo di una diversa tradizione. Scriveva fin da quel lontano 1893 il Barbi:

Alcuni riputando impossibile allo studioso moderno riconoscere con sicurezza la lezione fedele in mezzo alle molte varianti dovute all'arbitrio dei copisti, credono che l'opera di editore dei testi antichi si debba limitare alla riproduzione del codice che dopo accurati confronti paia più autorevole, recando in nota le varianti degli altri. Ma questo non è dare il testo critico di un'opera, sì bene preparare il materiale per la critica del testo; e la scelta della lezione che ha in suo favore più forti ragioni diplomatiche e storiche non deve essere lasciata al lettore, il quale non potrebbe farla senza molto studio preparatorio, ma è ufficio di chi prepara la stampa.

Proposizioni queste di sapore eretico nel 1893, e che pur sapevano di eresia ancora fino a qualche anno fa, almeno fuori della scuola fiorentina che è stata sempre la più scaltrita su questi problemi, quando il Barbi si decise finalmente a raccogliere, nel 1938, in un volume, alcuni suoi scritti esemplari di metodologia filologica, intitolandolo: *La nuova filologia e l'edizione dei nostri scrittori da Dante al Manzoni.*

Perché *nuova* filologia, si domandò allora qualche studioso distratto o ritardatario, o profano di questi problemi? E si sentiva sussurrare ancora il nome di Bédier, che era morto, praticando il verbo del codice autorevole, dell'unico manoscritto eccellente che fa testo, della incontaminabilità delle varie tradizioni. Michele Barbi, il cauto, il prudentissimo Barbi, questo sparente romito della scienza pura, si faceva dunque banditore di una scienza in cui giocava la sua parte importante la mente individuale, la dottrina di lui individuo, il suo discernimento, la sua finezza personale, il suo acume, il suo fiuto stilistico. Una filologia, parrebbe, ad arbitrio del soggetto pensante, così come, in campi finitimi, da altri giovani maestri, tra il 1890 e il 1900, si veniva parlando di una critica letteraria, di una filosofia, di una storia della filosofia, in cui la responsabilità del giudicare era trasferita dalle cose o dai fatti (come allora si diceva) alla mente di chi si impegnava a interpretare quelle cose e quei fatti. In questo appunto la modernità di Michele Barbi, che fino all'ultimo giorno della sua vita ebbe la riverenza non convenzionale di studiosi anziani o giovani, pur di diverse tendenze mentali, perché tutti riconoscevamo in lui un contemporaneo, e non un vecchio; un maestro attuale, e non un sorpassato.

Quando, nel 1923-24, passando a insegnare nel Magistero di Firenze io fui per qualche anno collega al Barbi nell'insegnamento dell'italiano, affezionatomi rapidamente a lui, mi diedi a ricercare ordinatamente i suoi libri e a leggere i suoi studi sparsi, che solo in questi ultimi anni hanno trovato corpo in una serie di volumi (e io stesso fui esortatore alla stampa di quelle raccolte, perché dal mio caso personale potevo misurare le difficoltà che avrebbero incontrato le nuove generazioni nel conoscere l'opera sparsa di un sì versatile maestro). In quell'anno 1924 m'imbattei fra l'altro in questa sua tesi di laurea sulla *Fortuna di Dante*; e a dire il vero mi ero accostato al libro con una certa diffidenza, sospettando di ritrovarvi il solito centone di notizie sulla fortuna esteriore di un poeta, se a curiosità di tal genere io mi ero rifiutato di collaborare, nel 1914, quando, scrivendo il mio primo libro su Metastasio sotto la guida del Flamini, un altro danconiano, avevo preferito invece tracciare una storia della critica intorno a quel poeta, nel Settecento e nell'Ottocento, preparazione e formazione e giustificazione del mio giudizio nuovo, qual mai esso potesse riuscire.

Ma la lettura spiegata del volume barbiano mi persuase del contrario: non storia del problema critico, come forse io avrei voluto trovarvi, per un momento, ma nemmeno rassegna erudita e aneddotica della fortuna di uno scrittore: bensì storia del problema filologico. Fin dai suoi vent'anni il Barbi vedeva dunque chiarissima la sua via, sicché, ritornando a lui, dopo la lettura di quel suo primo libro, in cui era tracciata tutta la sua futura carriera mentale, io, in tono di celia affettuosa, per rispettare il suo schivo pudore, gli dissi: « Barbi, Galileo Galilei vedeva l'universo descritto in circoli e in triangoli, tu vedi il mondo sempre come un manoscritto da decifrare, da classificare, da emendare. Niente bibliografismo estrinseco, nella tua *Fortuna di Dante*, ma problemi filologici ad ogni momento: sei la mente più problematica che sia uscita dalla scuola del D'Ancona. Tu sei un problematico, e quegli altri erano soltanto degli eruditi sdottoratori estrinseci di bibliografie ». Il Barbi scosse il capo, fece una delle sue solite risatine stridule, ricche dei più opposti significati, poi si aggrondò e mi parlò, vivacissimo, dei suoi primi studi pisani, e dell'avversione incontrata nel D'Ancona e dell'avversione ancora di poi perpetuatasi in circoli accademici di Firenze contro le sue ereticali novità. Quando nel 1934, si decise a raccogliere la prima serie di *Problemi di critica dantesca*, egli, riconoscendomi una certa virtuosità di intitolatore di libri, mi chiese: « Dammi un titolo per queste mie povere pagine sparse ». E io, senza pensarci su due volte: « Problemi di critica dantesca! ». « Problemi, problemi! mi fai diventare anche me un crociano o un gentiliano; io sono un uomo di un'altra razza! » « Ma chi più di te, rincalzai io, ha la mente problematica? » Dopo due giorni, rividi il Barbi, fatto ironicamente dolce e mansueto, e mi disse: « Va bene, avevi ragione te; vada per problemi di critica dantesca »; e la prima serie fu varata, e si passò a ragionare di altro.

Mente problematica quella del Barbi, fin dai suoi vent'anni, e perché problematica, antigenerica e antiaccademica. L'affermazione di una soggettività discreta nel lavoro di un filologo impegnava una preparazione minutissima, non soltanto di ordine paleografico o diplomatico, ma di ordine artistico, linguistico e storico. I testi si recensiscono criticamente, ma perché si interpretano bene; e per interpretare non basta la vocazione istintiva del lettore e del critico, ma è necessario un largo affiatamento linguistico, con la lingua degli scrittori recensiti.

Sempre in cotesta sua tesi di laurea sulla *Fortuna di Dante*, il Barbi si proponeva come maestro esemplare un filologo cinquecentista, filologo perché peritissimo linguista e lettore: quel Vincenzo Borghini, a cui aveva già dedicato un anno innanzi un opuscolo *Degli studi di Vincenzo Borghini sopra la storia e la lingua di Firenze* (1889). Nel suo lavoro maggiore, il novizio ritornava a ribadire la sua ammirazione per quel maestro di filologia nel Cinquecento:

> Egli era veramente tal persona che, solo forse, nel Cinquecento, poteva darci della *Commedia* una lezione fedele, quanto era possibile; grande perizia della lingua antica, appresa non su i testi dei maggiori trecentisti guastati dall'imperizia e dall'arbitrio degli editori, ma su molte altre più oscure e più fedeli scritture, che diligentemente andava togliendo alla polvere delle librerie e degli archivi; diligenza rarissima nel confronto dei codici, per cui si induceva a notare fin le più piccole varianti grafiche; conoscenza delle cause, per cui tanto guasto avevano sofferto i testi; bontà e sicurezza per procedere nella loro correzione.

Il giovanissimo filologo di quella fine dell'Ottocento trascriveva e trasportava, come di solito avviene negli studiosi che hanno una personalità, quelle che erano le sue stesse esigenze di novizio della scienza filologica, nella vita e nella mente del Borghini. Grande perizia della lingua antica, e questa fu pur la virtù maestra del Barbi: studio di cotesta lingua, perseguito non soltanto sui testi dei maggiori trecentisti, ma anche in altre oscure e più fedeli scritture, sepolte negli archivi. E ancora questo fu il laborioso tirocinio del nuovo maestro: che all'esplorazioni sistematiche d'archivio diede trent'anni almeno della sua attività. Non contento di ripassare a caso filze di documenti, per pescare, come allora si diceva, particolari ghiotti e di una spiritosa novità, egli lesse e rilesse carte antiche, con la stessa passione e diletto con cui un qualche grande giornalista legge i suoi molti giornali e le sue molte riviste della stampa internazionale. Cotesta ascesi di lettore di carte d'archivio, gustate nella loro intimità linguistica, fu per l'appunto uno dei pregi sommi del nostro Barbi: egli non sentiva di affaticarsi su quelle carte, perché esse costituivano l'atmosfera contemporanea della sua mente, erano i suoi molti giornali di filologo moderno. E se a Firenze c'erano maestri insigni nella conoscenza dell' italiano antico, come Isidoro del Lungo e Raffaello Fornaciari, il Barbi si distaccava da cotesti maestri, direi con arguta coscienza critica, perché i suoi interessi non erano di riesumatore di modelli statici ed esemplari di lingua morta, ma erano interessi di storico che riviveva quella lingua soltanto come materia distaccata delle sue indagini. Ciò che si rivelava nello stesso stile dei suoi scritti, in cui riscontriamo qualche inversione di periodo all'antica e qualche vocabolo dotto e un giro sintattico di tipo cinquecentesco, ma solo nei primissimi scritti dello scolaro ventenne, quasi per assonanza cortese allo stile, al galateo della scuola che egli frequentava. Ché poi, per il resto, il Barbi fu scrittore sempre agile e conversevole e moderno, e disdegnò in ogni tempo il robone accademico e le apparenze grandissime di postillatore degli antichi, amando una prosa snodata sintatticamente, chiara e nitida come la sua scrittura fisica, e senza superfluità di metafore e nemmeno di vecchie preziose e peregrine parole.

La modernità di una mente, quando c' è, *rèdolet* dappertutto; e come il Barbi nasceva alla vita mentale, non filologo meccanico, ma filologo critico, così i suoi interessi linguistici nascevano fuori della traccia del vecchio e pur ancora imperante accademismo puristico fiorentino, e si affiatavano piuttosto con gli studi moderni di glottologia. Ed egli, pur non essendo glottologo di professione, gli studi di glottologia seguiva con attenzione di specialista; ed ebbe come suo migliore amico e compagno di lavoro e suo conversatore disputante Ernesto Giacomo Parodi, con il quale resse collaborò e mutò ufficio per un ventennio nella direzione del *Bullettino della società dantesca.*

Il Borghini, non si dimentichi, era ancora vantato per la « conoscenza delle cause, per cui tanto guasto avevano sofferto i testi », e per la « bontà e sicurezza di criteri » con cui procedeva all'emendazione di essi. E il Barbi, nel discutere delle famiglie dei manoscritti, portò sempre questa discrezione di storico, riguardo ai tempi e agli umori degli uomini e si rendeva ragione dei mutamenti e delle trasfigurazioni, che la tradizione manoscritta viene subendo da un decennio all'altro. Però attraverso queste trascrizioni interne, egli riusciva a fiutare e a fermare e a classificare l'età e la dipendenza dei manoscritti. Questo filologo nasceva alla vita della sua filologia armato dunque anche di un finissimo senso artistico di lettore e di questa seconda vista dello storico, abilissimo nel cogliere la patina che il tempo e l'umore di una civiltà lasciano, inconsapevolmente, anche nel lavoro meccanico di un semplice amanuense. Da questa particolare e nuova filologia scaturirono gli interessi del chiosatore e del critico letterario degli scrittori antichi e di qualche moderno, come il Manzoni, poiché filologia per il Barbi in ogni tempo voleva essere anche lettura e godimento e assaporazione linguistica dei testi. Sono i due grandi filoni della sua operosità scientifica perdurata per cinquant'anni: il ricostruttore e filologo e il chiosatore linguistico e estetico, accanto a cui, terza attività, si spiega quella del raccoglitore e descrittore dei canti popolari.

2. Il Barbi e la letteratura popolare.

È noto che il Barbi ha lasciato a questa Scuola Normale un ricco materiale di canti popolari, da lui raccolti in più di cinquant'anni di ricerche. Scrive egli stesso, in una prefazione a un suo libriccino del '39 su *Poesia popolare italiana*, con il discreto orgoglio che francheggia sempre la coscienza di un lungo lavoro compiuto e su cui sarebbe lezioso fare degli ipocriti disconoscimenti:

> Sono stati — egli scrive — cinquant'anni spesi utilmente, perché con quel po' di tenacia che natura mi ha dato ho potuto salvare dall'oblio una messe ricchissima di canti toscani, che oggi più non sarebbe possibile raccogliere, e che potranno essere fatti oggetto di studi seri e dare alla storia della poesia popolare quello che ancora le mancava per essere ricostruita nelle sue linee fondamentali e nelle sue più varie manifestazioni. Visto che a me era ormai impossibile pubblicare con la debita illustrazione anche solo i testi più notevoli della mia raccolta, ho cercato fra gli studiosi chi potesse assumere la cura di un'edizione critica di essa.

Come si innestano questi interessi per la letteratura popolare nell'opera del filologo e in quella dell'interprete e chiosatore dei classici? Si tratta forse di una diversione dilettantesca, di uomo stanco del suo lavoro quotidiano e che si rivolge ad altro per una qualche distrazione? È forse in giuoco il retaggio di un problema che era stato caro ai romantici dell'Ottocento e agli ultimi trasfigurati romantici che furono i maestri del positivismo erudito, e che accettato una volta in passiva eredità, non si era saputo poi condurre a termine con l'alacrità che è sempre urgente, tutte le volte che un problema o un'indagine ci preme? A dire il vero, io non saprei ammirare uno studioso, un critico, un filologo, che si disperda in troppe cose, e che in tutte le sue ricerche non ritorni a un suo centro ideale. I filologi estravaganti solo apparentemente sono estravaganti, e, in verità, se hanno ingegno veramente scientifico, al di là della forma dispersa della loro attività, si richiamano sempre a un problema, il problema fondamentale della loro vita, che è sempre uno. Dove manca questa unità di interessi, manca in verità anche l'ingegno, e manca anche lo stimolo del lavorare e del condurre a termine le diverse imprese che veniamo investendo. Ma bisogna saper guardare al di là delle molteplici parvenze. Il Barbi si interessò al problema della letteratura popolare, non per seguire la moda, perché quel problema gli fosse stato tramandato dalla storiografia del Risorgimento, e dagli ultimi maestri del positivismo; le mode hanno sempre la virtù di invecchiare rapidamente. Ed egli non fu nemmeno il collettore estetico-sentimentale di canti popolari, illudendosi di trovare in essi una freschezza e ingenuità quale i primi romantici avevano, sotto l'influsso consapevole e inconsapevole dell'estetica vichiana, scoperto e magnificato nelle produzioni di questo anonimo barbarico creatore, che sarebbe il popolo.

Si capisce il D'Ancona, si capisce il Comparetti, si capiscono l'Imbriani, il Nerucci, il Pitrè, raccoglitori tutti più o meno commossi di novelline, fiabe e canti popolari, o perché vi trovavano freschezza di immagini o di eloquio, o perché ciascun canto o favola rappresentava il blasone di nobiltà, l'idiosincrasia fantastica, di un loro focolare, di una loro provincia. Il Barbi non ebbe questa inclinazione estetico-sentimentale, ed ebbe anche tiepida l'inclinazione civile di restauratore del lare domestico e provinciale: per quanto nobilissimi questi fini, essi erano ideali dell'Ottocento, che avevano avuto il loro impetuoso svolgimento per tutto un secolo fin dal preromantico ultimo Settecento, e riportarli nel

Novecento poteva parere fatica disperata di erudito che esplora le ultime macchie della selva dei miti dell' Europa e aggiunge il suo tardivo fastello alla grande bica accumulata dai primi più fortunati esploratori. Se il Barbi fosse stato soltanto un epigono di quella poetica del popolarismo che dominò le menti per tutto il secolo XIX, egli si sarebbe stancato presto e inaridito, e a mezza strada avrebbe piantato l' impresa; mentre egli, di tratto in tratto, la riprendeva sempre con rinnovato e giovanile fervore. La prima sua ricerca risale al 1888 (il Barbi era nato il 19 febbraio del 1867) e troviamo *I maggi della montagna pistoiese*, da lui pubblicati nel volume settimo dell'*Archivio per lo studio delle tradizioni popolari*; dell'anno 1889 è un saggio di *Canti popolari pistoiesi*, pubblicati nel volume ottavo dello stesso *Archivio*, e nel 1895 è tracciato come un programma critico di queste sue ricerche nell'opuscolo per nozze Bacci-Del Lungo sulla *Poesia popolare pistoiese*, dove sono già delineati i canoni che dirigeranno questa sua attività rispetto a quella dei suoi maestri. Gli ultimi scritti sull'argomento sono due capitoli: *Contaminazioni nei canti popolari italiani* e *Poesia e musica popolare*, scritti e pubblicati nel 1934; e ancora nel 1939 il Barbi raccoglieva in un volumetto di *Studi e proposte* i suoi vari saggi dal 1911 in poi, e negli ultimi anni della sua vita con acuto zelo invigilava, perché in questa Scuola Normale si perpetuasse un insegnamento scientifico sulla letteratura popolare, generosamente donando danari, carte e manoscritti e stimolando l' interesse dei giovani. Per esperienza tutti sappiamo, che quando un interesse mentale si esaurisce, non vale industria o di amor proprio o di vanità, perché si tenga in piedi ciò che è morto dentro di noi; ma il Barbi fu sempre vivo in questo problema della letteratura popolare e fu vivo, perché egli lo visse sincronisticamente alle esigenze scientifiche del nostro tempo.

Il problema della letteratura popolare in quest'ultimo decennio, per influenza del Barbi, ha fatto una notevole diversione dalla via in cui si era immesso per tutto l'Ottocento: non si studia più la letteratura popolare, come già si è accennato, per ragioni estetico-sentimentali o civili, ma il canto popolare rappresenta una materia, una ricerca di filologia e di storia.

Procurarsi tanto le varie lezioni di una stessa canzone, necessarie a ristabilirne, fra le alterazioni dovute alla trasmissione orale, il testo primitivo nelle sue linee sostanziali, quanto i dati di fatto, che servono a illustrare i canti nella loro origine, nel loro contenuto, e nella loro forma, in relazione con quelle delle altre regioni d'Italia, e, occorrendo, delle nazioni vicine, è cosa, più che utile, necessaria.

Così scriveva il Barbi sin dal 1895: egli dunque trattava sin da quei lontani tempi un canto popolare, con la stessa dignità, con cui si cura la ricostituzione di un testo di un poeta dotto e grande: procurarsi le varie lezioni di una stessa canzone, ristabilire, fra le alterazioni dovute alla trasmissione orale, il testo primitivo; nelle sue linee sostanziali, era lo stesso problema filologico che lo assillava nello studio del canzoniere dantesco e dei canzonieri di altri poeti minori del secolo XIII e XIV. Studiare la tradizione dei canti popolari, come si può studiare la tradizione di una famiglia di manoscritti della *Vita Nuova* o del *Canzoniere* o della *Divina Commedia.*

Il problema era sempre uno, e il filologo campeggiava dappertutto; soltanto che la critica dei testi popolari trasferiva il problema filologico su un piano spaziale e non più semplicemente temporale, perché c'era da fissarne l'origine, l'area e i modi di diffusione. La tradizione dei canti popolari era non più genealogia di manoscritti, ma estrosa diaspora di umori regionali, provinciali e individuali, del singolo poeta poetante rifacitore e contaminatore, a quel modo che il suo genio gli dettava dentro, di canti e storie diverse, venute da altri paesi. Non si trattava di ricondurre tutti quei canti ad un archetipo, come avrebbe voluto fare il D'Ancona che riportava l'origine del canto lirico monostrofico alla Sicilia, ma di attestare e descrivere una tradizione che ha valore per se stessa e non per il presunto originale da cui sarebbe scaturita. S' impiantava in tal modo una descrittiva storico-filologica della varia tradizione dei canti, in cui le varianti, come aveva già intravisto il Tommaseo, ancora più che nella critica dei testi dotti valevano come « studio d'estetica e d'alta filologia » (*Dizionario estetico*, 1867, col. 758): sono parole precise del Tommaseo. In tal caso le differenti versioni di un canto popolare costituiscono la storia effettiva di quel canto, e quelle versioni sono più importanti che uno stesso canto nuovo.

Da ciò la disciplina del nuovo raccoglitore; non andava in cerca della novità, ma della varietà ed estensione di una tradizione; e non cercava il genere letterario, quanto piuttosto voleva rivivere il genere nella sua effettiva e concreta formazione storica; così come nella storia letteraria, mi sia lecito il raffronto, io posso fare la storia della letteratura narrativa dei manzoniani, e poi dei veristi e poi dei decadenti, esplorando le singole regioni italiane o altre isole e chiazze letterarie della penisola, e non con il proposito di mostrare la scaturigine di un genere da un altro genere, di un tipo di racconto da un altro racconto, ma soltanto per riconoscere, descrivere e circoscrivere questa o quella formazione storica del raccontare italiano.

Era il principio nuovo inaugurato da Costantino Nigra con i suoi *Canti popolari del Piemonte* del 1888: il Nigra era il filologo ottocentista, al cui esempio il Barbi continuamente si richiamava, e di cui avrebbe voluto rinnovare l'esempio per i canti della Toscana. Niente adunque più raccolte svagate e dilettantesche, predilette per la freschezza e per il brio; e niente nemmeno raccolte per illustrare il patrimonio sentimentale di una provincia, e nemmeno ancora raccolte a scopo dimostrativo di una qualche tesi dottrinaria, quella della monogenesi o della poligenesi dei canti popolari, care a dottrinari come il D'Ancona e ad altri della sua scuola, fino ad Ireneo Sanesi che in un articolo nella *Critica* del 1906 tentò di scuotere la teoria monogenetica, ma restando sempre sul piano delle congetture teoriche e dottrinarie.

A Michele Barbi, mi verrebbe voglia di dire con parole celebri, parve « più conveniente andare dietro alla verità effettuale della cosa, che alla immaginazione di essa ». Questo nostro filologo sin dalle sue origini batté una strada assai diversa di quella dei suoi maestri: gli uni volevano la fortuna aneddotica ed erudita di uno scrittore, ed egli scriveva la storia del problema critico del testo di quell'autore; gli uni esibivano una frondosa bibliografia, e si cibavano e citavano, con schiocchi di lingua salace, il contributo del tale e tale altro dotto collega o valente discepolo, ed egli leggeva i testi e semmai scuoteva carte polverose d'archivio per trovare documenti e parole consonanti a quei testi; gli uni tracciavano frettolose e astratte teorie sulla nascita dei canti popolari e della loro emigrazione per tutti i paesi di Europa, ed egli raccoglieva le versioni dei canti di una regione, e dava qualche esempio, come per la *Scibilia Nobili*, del modo di trattarli e descriverli.

Ma a me stringe l'obbligo di parlare di altre parti dell'opera del Barbi. Sennonché, voglio accennare soltanto a un episodio, a una scaramuccia, che si ebbe nel 1934 tra il Barbi e il Croce. Il Barbi si sentì come disturbato dai saggi che il Croce veniva pubblicando sulla *Critica* dal 1929 in poi e che costituirono in seguito gli scritti del volume *Poesia popolare e poesia d'arte*; il maestro napoletano voleva ricondurre gli studiosi a un nuovo concetto del popolare, popolare come sinonimo di elementare; popolare in questo caso poteva essere uno scrittore anche come Franco Sacchetti; e insieme con questo concetto più storico, e non più sociale, del popolare, il Croce ribadiva il principio della genesi individuale di ogni canto e di ogni novellina popolare. Parve al Barbi che con queste nuove vedute del Croce si togliesse importanza alle ricerche come egli le veniva conducendo da quarant'anni: e lui così paziente si trovò a scrivere nel 1934, sulla rivista *Pan*, queste parole impazienti: « Non si tratta di fissare un nuovo e più appropriato concetto teorico di quella poesia (popolare) come si provò a fare alcuni anni fa Benedetto Croce: ormai è prevalso nell'uso un dato concetto empirico, e non si può di punto in bianco mutar nome alle cose ». Il Croce non se la tenne, e rispose epigrammaticamente ricordando ritrosie di altri uomini di studio per altre questioni di carattere letterario e scientifico, rinnovate da scoperte o meditazioni, e di cui ogni secolo aveva pur dovuto tener conto.

In questa ritrosia e fastidio da cui è preso il valente Barbi (valente segnatamente per tutto quello che sa e c' insegna circa la poesia italiana del dugento e del trecento) rivedo un curioso atteggiamento mentale del tempo della mia giovinezza (età positivistica): quando ogni tentativo che si facesse di pensare i problemi in termini di concetti rigorosi doveva aspettarsi il pronto rimbrotto di perdersi nelle nuvole e il duro richiamo alla « realtà », cioè alle usuali e non pensate e non pensabili « classificazioni », che, sovrapposte alla realtà, erano tolte in scambio della realtà stessa.

« Uno intendea, e altro mi rispuose », si potrebbe dire questa volta con un verso dantesco; ingiustificato l'allarme del Barbi, brusca la reazione del Croce. In vero il caso del Barbi poteva essere quello dello stesso Croce che aveva descritto e giudicato della lirica e della commedia del Cinquecento, come formazione storica, e tutto questo in apparente contraddizione col teorico dissolvitore dei generi letterari; anche il Barbi giudicava della poesia popolare, come di una formazione storica, e non semplicemente come un genere letterario che avesse una sua sociale distinzione e genesi sociale in un ente immaginario che si dice «popolo», e veniva dando la descrittiva storico-filologica di quella formazione: il filologo dunque di una realtà effettuale il Barbi, che restava fedele a se stesso, e che ancora una volta dava a vedere con l'esempio che i problemi della filologia sono diversi dai problemi storici veri e propri. E però il Croce aveva ragione di fare il suo mestiere, e il Barbi di continuare nel suo: «la filologia ha i suoi problemi», quest'ultimo badava spesso a ripetermi: «il filologo non è lo storico; né la filologia aspira a salire alla storia, ma dovete rispettare quello che è l'ambito dei nostri problemi, che sono diversi dai vostri». E diceva cosa giustissima, e ricca di quel buon senso che fu sempre al fondo di ogni suo lavorare. E la scaramuccia tra lui e il maestro napoletano era dovuta a un'ombra, a una nuvola di passaggio, all'impazienza del vignaio che circuisce la sua vigna e teme intanto l'incursione e l'invadenza e qualche malestro, e questa volta a torto, da parte del grosso latifondista confinante.

3. Il Barbi come dantista e critico letterario.

Un altro aforisma che ho sentito dalle labbra del Barbi, e che me lo faceva sentire vicino e contemporaneo anche per i miei problemi di critica letteraria, era questo: «Il problema filologico di un testo è diverso dal problema filologico di un altro testo. Non c'è una competenza generica, un astratto metodo buono per tutti gli autori. Se tu mi domandi del modo come va condotta un'edizione delle liriche del Tasso o delle laudi di Iacopone, io non ti so rispondere, perché bisogna studiare in concreto quello che è il testo del Tasso e la sua storia e la sua fortuna, e quello che è il testo del laudario iacoponico e le sue varie contaminazioni. » E io dicevo: « Caro Barbi, tu sei idealista senza saperlo; anche Angelo Camillo de Meis diceva che non c'è una polmonite o una turbercolosi in generale, ma c'è la polmonite o la tubercolosi di questo o quell'organismo particolare, e il medico generico non è mai un vero medico: deve essere il medico non di una malattia, ma il medico di quel malato ». Insomma, concludevo, è come la faccenda dei generi letterari, che non esistono se non nell'individualità dell'ispirazione del singolo cantore o del singolo narratore; come i nostri problemi di metodo critico, che devono nascere volta per volta dalla particolare natura e storia interna dell'arte nell'opera di uno scrittore, e nessuno però possiede il metodo una volta per tutte, come intendono i balordi, ma il metodo nasce dalle cose stesse, che sono sempre diverse e volubili.

Rilevo questo particolare, perché l'affermazione che io ho fatto della modernità della mente e della contemporaneità del Barbi non ha voluto essere un riconoscimento di cortesia accademica, ma pur vuol dare una spiegazione del legame che tutti a Firenze (parlo dei neòteroi), e altrove, sentimmo di aver con questo sparente e ascetico maestro di filologia pura. L'affermata e vantata soggettività della ricostruzione del filologo (e ora sappiamo che soggettività non significa arbitrio), l'individualità di ogni problema filologico diverso dal problema filologico esaminato ieri per questo o quell'altro scrittore, la gelosa aderenza alla formazione storica, e non la fedeltà a un astratto genere letterario, di una qualche letteratura come quella popolare, erano tutti canoni che non ci facevano avvertire che il Barbi fosse uomo di altro secolo o di altra scuola: e però tutti, anche i più alieni dai suoi lavori, gli fummo vicinissimi.

Questo insegnamento della individualità di ogni problema della critica del testo è il fondamentale, con cento altri particolari, che si leva dal suo libro ricordato: *La nuova filologia e l'edizione dei nostri scrittori da Dante al Manzoni.* Quelli che si illudono di trovare in un manuale di metodologia le regole per comporre saggi critici o edizioni critiche di un testo devono disincantarsi alla lettura di tale volume, che, in ogni pagina, batte in breccia contro le generalità, e segna l'impostazione concreta di singole questioni o di singoli testi: il testo della « Divina Commedia », il testo del « Decameron », il testo delle novelle del Sacchetti, il testo dei « Ricordi politici e civili » del Guicciardini, il testo delle « Grazie » foscoliane, il testo dei « Promessi Sposi ». Una lezione di concretezza, a ogni pagina. L'opera può essere ravvicinata a quella di Giorgio Pasquali, sulla *Storia della tradizione e critica del testo,* anch'esso un libro di apparente metodologia; ma in verità discussione delle regole critiche calate volta per volta in singoli e particolareggiati problemi testuali. Cito il libro del Pasquali, perché di un maestro dell'ultimo Novecento, e per riaffermare anche per via di vicinanze, quella che era la freschezza e la modernità di vedute del nostro Barbi. E del resto questa vicinanza era avvertita con compiacimento dal Barbi stesso, che però aggiungeva, chinando il capo: « Ma Pasquali è un *doctor universalis* »; e intanto mi guardava in tralice, e faceva scintillare quella sua pupilla in cui io leggevo tante cose, proprio « come quelle molte idee sottintese, in un periodo steso da un uomo di garbo », di cui parla il Manzoni a proposito dei tizzi e tizzoni spenti nel focolare di don Abbondio.

Si potrebbe obbiettare il desiderio, che il Barbi invece di limitarsi a impostare il problema dei vari testi dei classici italiani vi si impegnasse proprio lui, dopo l'esempio felicissimo dell'edizione critica della *Vita Nuova* e l'edizione (pur senza apparato) del *Canzoniere* dantesco. Ma un'edizione critica per il Barbi era lavoro di decenni, e bisognava vederlo all'opera, come io lo vidi, quando attendeva alla ristampa della *Vita Nuova*, in cui aveva rimesso in crisi tutto il suo lavoro di vent'anni innanzi, e aveva voluto ricontrollare la composizione del testo, spiegando innanzi a sé come tante tavole logaritmiche delle sue varianti: poiché la ricostituzione di un testo era per lui ricomposizione minuta, particolare, di ogni parola e di ogni paragrafo, dovuta a una raffinatissima e calcolatissima combinatoria, che era come il lavoro di un artista, di un orafo della filologia. E gli artisti, gli orafi non compongono le loro opere a serie, e lasciano, se mai, fare i calchi soltanto ai giovani di bottega.

Dirò che quel libro sull'« Edizione dei nostri scrittori da Dante al Manzoni » racchiude, insieme con l'edizione esemplare della *Vita Nuova* e gli intrigatissimi *Studi sul Canzoniere dantesco*, un insegnamento che si perpetua per i futuri filologi: quegli *Studi sul Canzoniere dantesco* in particolare non servono soltanto per Dante, ma valgono come riordinamento della selva dei manoscritti e delle varie questioni concernenti i canzonieri di tutta una pleiade di rimatori dei secoli XIII e XIV; e lo si vede e io lo constato, come direttore degli *Scrittori d'Italia* del Laterza, un po' tutti i giorni: per le edizioni di poeti antichi gli studiosi devono far capo a quella miniera di notizie raccolte in questo grosso tomo ricordato degli *Studi*.

Ma un particolare della filologia del Barbi era quello che ho fatto già intravedere, dell'assidua lettura e interpretazione dei testi con la quale si correggono anche i trascorsi di un codice autorevole, anche un testo a stampa come *I Promessi Sposi*, riveduti pur dallo scrupolosissimo autore. Qui si innesta la valentia del Barbi come interprete e chiosatore linguistico degli scrittori, in cui tutti lo avemmo e lo riconoscemmo affabile e utilissimo e quotidiano maestro. Per Dante e per Manzoni egli in modo particolare spiegò larghissima la sua attività, e chi domani vorrà scrivere un commento della *Divina Commedia* o di altre opere di Dante, dovrà far capo alle numerose chiose sparse nel *Bullettino* e poi negli *Studi danteschi*, e oltre che ai due volumi di *Problemi di critica dantesca*, al volume *Con Dante e coi suoi interpreti*, raccolto nell'anno stesso della morte.

Al Barbi si deve l'interpretazione più piana e più documentata dei sonetti della tenzone con Forese, dove non ricorrono ingegnose congetture, ma, vorrei dire, si schiariscono oscurità offrendosi dati linguistici e dati del costume con la ricchezza e col gusto selettivo che soltanto un contemporaneo ideale del Trecento poteva avere. Né io starò a dire quanto al Barbi si deve per la illustrazione della vita e del pensiero dei tempi di Dante: questa, direi, è la parte più divulgata della sua opera scientifica. Nel volume *Con Dante e coi suoi interpreti* sono compresi due saggi di critica letteraria spiegata, uno sul canto di Francesca, l'altro sul canto di Farinata. Bellissimo il primo, meno fuso il secondo. L'atteggiamento interpretativo del Barbi è intonato sempre a quello che io vorrei chiamare un realismo psicologico o linguistico. Questa la sua forza, ma anche il suo limite.

Io non sono uno di quelli che esaltano la mente critica contro la mente filologica, perché per me non esiste il critico letterario o il filologo, ma esiste questo o quel critico, questo o quel filologo con la loro particolare personalità. Però, come non accetto l'antitesi polemica a favore del critico letterario nel contrasto col filologo, non accetto nemmeno l'esaltazione dell'interpretazione filologica di contro all'interpretazione artistico-umana. Perché la poesia non è soltanto quistione di vocabolario, quistione d'italiano antico e moderno, ma è fantasia, umanità, esaltazione. Ora il Barbi, già nelle chiose alla *Vita Nuova*, voleva riportare ogni espressione dantesca al paradigma del linguaggio espressivo del tempo, mentre oggi si tenta di far valere la ricerca di quello che è il particolare linguaggio mistico di quel libello giovanile di Dante. Nelle parole di Dante c'è l'italiano antico, c'è il linguaggio dei poeti dello stil nuovo, ma c'è innanzi tutto il rapimento religioso, la vocazione individuale alla poesia dell'uomo e del poeta Dante. Così, mentre il Barbi è interprete inconfutabile che ci fa ammutolire tutte le volte, quando tocca del significato preciso storico-lessicale di un verbo del suo Trecento, ci lascia perplessi quando vorrebbe esaurire il significato poetico di quel verbo riconducendolo all'uso. La poesia è l'uso ma non è soltanto l'uso.

Noi abbiamo trovato bellissimo il saggio su Francesca, perché le osservazioni lessicali lì appoggiano l'interpretazione estetico-umana di tutto l'episodio, non più presentato, secondo la tradizione romantica, come il canto della colpa e dell'amore, ma come il canto della pietà. Allora il Barbi scrive pagine che oltrepassano i limiti della semplice chiosa linguistica; ma quando, davanti a *tutto il vedrai* dell'episodio del Farinata egli vuole esortarci a leggere in quel *tutto* un significato meramente realistico (*lo vedrai del tutto*, tutto fisicamente dalla cintola in su, *interamente*), perché quello era l'uso di *tutto* nella lingua del Trecento (e il Barbi qui esemplifica largamente), noi allora non possiamo più seguirlo e ci teniamo più stretti al De Sanctis, che dà una sfumatura morale a quel *tutto*, lenta preparazione poetica a quel « come avesse l'inferno in gran dispitto ». Perché le statue i poeti le sbozzano a poco a poco e non le fanno sortire, d'un tratto, per opera di meccanico sortilegio. Quel *tutto* va spiegato con l'italiano antico, ma anche con il tono particolarissimo che Dante gli diede in quel verso e in quell'episodio.

Così anche nell'episodio di Francesca (e questa volta per omaggio al realismo psicologico e non più semplicemente linguistico) il Barbi interpreta i *dubbiosi desiri*, come i sentimenti di cui gli amanti non si rendevano conto e che solo la lettura di Lancillotto e di Ginevra avrebbe accesi (« ma solo un punto fu *quel che ci vinse* », cioè essi si sarebbero presi d'amore nel momento in cui lessero del bacio di Ginevra e Lancillotto). Ma anche qui preferiamo l'interpretazione del De Sanctis, per cui i *dubbiosi desiri* sono i sentimenti dell'amore che già covavano nel petto dei due cognati e che essi soffocavano e non confessavano a se stessi: e preferiamo De Sanctis, non perché si tratta di De Sanctis, ma perché pur questa è la tradizionale interpretazione artistico-umana formatasi attraverso i secoli, e la prima volta enunciata da Giovanni Boccaccio, che di queste cose come andassero nella vita e nella poesia, era, come è noto, fortemente intendente.

Il Boccaccio, commentando questo passo, aveva scritto: « Chiamagli 'dubbiosi' i desideri degli amanti, perciocché, quantunque e per molti atti appaia che l'uno ami l'altro e l'altro l'uno, tuttavia sùspicano non sia così come a lor pare, insino a tanto che del tutto discoperti e conosciuti sono ». Il Barbi è stato sempre per le interpretazioni tradizionali, e ha battuto spesse volte noi perché correvamo al moderno e ci facevamo forti di moderna sensibilità. Ma questa volta la polemica contro il gusto romantico e talora alquanto fantasioso del De Sanctis gli prese la mano, ed egli era andato un po' al di là del giusto segno. Ma di questo non saremo proprio noi a fargli carico: la polemica è inerente a tutte le menti scientifiche, e gli uomini accomodanti e conciliantì sono tali perché a loro nulla gliene importa degli studi e della scienza; e però anche il mitissimo Barbi era polemico e talvolta inclemente nei suoi giudizi. Ma in quel saggio su Francesca tutte le altre correzioni sono saldissime e ferme, e sempre là dove l' interpretazione linguistica sale ad essere interpretazione estetico-umana di tutto l'episodio.

Le stesse osservazioni dovrei fare per le sue chiose a Manzoni, l' interesse per la cui arte non ebbe nel Barbi nulla di improvvisato: fin dal 1895 egli pubblicò un opuscolo di *Note sull'umorismo dei Promessi Sposi*: non a caso egli aveva messo l'accento sull'umorismo manzoniano, come la parte che meglio pareva riflettere questo realismo psicologico a lui caro; mentre pur c' è da dire che nel grande romanzo la città terrena fa soltanto di antifona alla città celeste, anche se celebrata nel vivo di questo mondo, nel cuore stesso dell'uomo, e la commedia manzoniana non è mai semplice commedia che non sia dramma dell'umanità e compatimento sorridente dei suoi limiti, nella serena fede che soltanto in Dio si riscattano questi nostri limiti. Da ciò la necessità di un' interpretazione religiosa dello stesso umorismo manzoniano: ciò che non attirava lo spirito del Barbi.

Su questa linea è l'altro opuscolo del 1915: *Di alcuni pregiudizi intorno al Carmagnola del Manzoni*, dove il Barbi conduce una difesa di questa tragedia manzoniana, appoggiandosi al formalismo espressivo dell'autore, che è, cartesianamente, correttissimo e coerente, ma che a noi appare solo a tratti mosso da quella esaltazione religiosa interna, la nota vera che sola in ogni tempo costituisce lo slancio poetico dell'opera manzoniana. Ma io vorrei dire a lungo, come non posso, di quel nutrito gruppo di *Voci* che egli pubblicò recentemente sui *Promessi Sposi*, nel primo volume degli *Annali manzoniani*, dove il suo sottilissimo e raffinatissimo acume percepì i fraintendimenti o le esagerazioni che in ogni tempo sono corsi nei commenti ad alcuni passi di quel grande romanzo.

Ma la novità sua più grande nel campo dei *Promessi Sposi*, sono le sue correzioni al testo manzoniano: errori che sfuggirono allo stesso Manzoni curatore attentissimo della sua opera e che si sono perpetuati in tutte le edizioni del romanzo, poiché il Barbi, con paziente discriminazione, raccolse molte copie dell'edizione originaria, dove alcuni sedicesimi portano delle correzioni postume aggiunte dallo scrittore, mentre il suo libro andava in macchina, o meglio sotto i torchi, e alcuni fogli, per la comoda lentezza con cui allora si stampava, uscirono in un modo e altri in un diverso modo. E attraverso industriose congetture e la collazione delle bozze di stampa, egli è giunto ad emendare il testo, pur corretto dall'autore: esempio del modo in cui egli intendeva la filologia, che non è mai riproduzione meccanica, ma collaborazione vigilatissima di un artista alla scrittura di un altro artista.

Per la legittima curiosità di tutti, ricorderò qualcuna di queste emendazioni, come quella del passo: « Con tutti questi brani di notizie, messi poi insieme, e uniti come s'usa, e con la frangia che ci si attacca nel cucire »: dove al posto di quell'*uniti*, bisogna leggere *cuciti* (messi poi insieme e cuciti come s'usa, e con la frangia che ci si attacca naturalmente nel *cucire*...), perché c'è rispondenza e ripresa tra il *cucire* e il *cuciti*, ma troppa approssimativa corrispondenza tra il *cucire* e l'*uniti*. E così dove abbiamo sempre letto della *visita* di Lucia a donna Prassede, dobbiamo invece leggere la *vista* di Lucia, perché parlare di una visita da parte di quelle povere popolane a una gentildonna come donna Prassede, aveva osservato già lo Ziino, sarebbe quanto mai improprio, mentre la vista di Lucia, si riferisce all'attenta investigazione a cui donna Prassede sottopone l'aspetto, l'espressione, e ogni atto, ogni parola di Lucia, perché la proterva signora aveva il suo pregiudizio in testa con quella contadinella che si era potuta promettere a un poco di buono, a un sedizioso, a uno scampaforca.

E correzioni di questo tipo, acutissime e sottilissime, ce ne sono una dozzina, di quelle che farebbero la fortuna e la carriera di dieci aspiranti a cattedre di filologia: perché non si tratta di ingegnosi indovinamenti, né di risultati ottenuti da una meccanica collazione di bozze o di manoscritti, ma di correzioni che nascono e procedono innanzi tutto dall'abito di una lettura del testo attenta e acutissima.

Ebbi questo estratto del Barbi con la dedica più effettuosa che egli mi abbia mai scritto, quasi una forma di commiato (un mese dopo egli non era più): «al mio caro Luigi Russo con i più affettuosi saluti M. B.», e io mi affrettai a scrivergli perché sapevo del suo stato estremo di salute: «Caro Barbi, le tue correzioni sono così giuste e persuasive che ho voluto subito riportarle sul testo dei *Promessi Sposi*, da me commentato e che ho qui al mare». Poi non ebbi più nulla da lui; e dovevo rivederlo già chiuso al nostro sguardo nella cameretta dove mi aveva ricevuto tante volte.

4. Ricordi dell'uomo Barbi.

Io non ho potuto frenare qualche reminiscenza biografica in questo mio discorso, per quanto l'eminenza scientifica dell'opera del Barbi me ne esonerasse: se ne può parlare, senza conoscere nulla dell'uomo, tanto essa ha un valore obbiettivo in sé e per sé. Ma sono stati 18 anni di affettuosa dimestichezza; e io rileggendo i suoi libri per questa occasione vedevo quei libri come un'animata persona e sempre in un animato e confidente colloquio. Ci conoscemmo la mattina del 1° dicembre del 1923, quando io ero stato chiamato al suo fianco nell'insegnamento della letteratura al Magistero fiorentino. Mi disse subito di darci del tu; ed io che avevo una vaga e un po' paurosa idea della sua alta filologia accettai l'invito, così, senza reagire, tanto l'accento suo era stato semplice e cordiale. Ci ritrovammo qualche ora dopo in una seduta di laurea e la malizia della mente ci unì e ci fece subito amici. Un collega riferiva con accurato eloquio di frasi accademiche e con elogi un po' soverchi sulla tesi di una fanciulla su Pinocchio: « Lei, diceva il relatore, non è soltanto un critico, ma un artista ». Istintivamente, sebbene fossi imbarazzato e impacciato del mio nuovo ufficio di giudice in una seduta di laurea, mi volsi di scatto verso quell'altro lato del tavolo in cui sedeva il Barbi. Anche il suo sguardo cercava il mio, e la sua pupilla arguta s'incontrò con la mia, lampeggiò come un'intesa, sicché da quel momento fermammo il nostro patto di amicizia.

Poi col Barbi presi l'abitudine di uscire tutte le sere e taluni si meravigliavano di questa intrinsichezza di due temperamenti così diversi, di due menti che parevano agli antipodi. Anche gli anni che ci dividevano erano molti, e il mio gran corpo tentava di umiliarsi, alla meglio, a lui vicino; non potevo andare a « par di lui », ma almeno « il capo chino tenea » ecc., con quel che segue nel verso di Dante. Appresi moltissimo in queste conversazioni serali, e così ebbi il raro privilegio di temperare la mia cultura di diversa origine al contatto del più sottile e del più artista dei filologi del nostro tempo. Non sentii mai disagio o noia di quelle conversazioni e di quella sua amicizia, anche quando si faceva ammonitoria, tanta era la cordialità dell'uomo e tanto mi lusingava il suo affetto, per essere dato a me, uomo di troppo diversa mente che non dissimulava i suoi più veri amori e le sue più profonde inclinazioni.

Quando nel 1928 pubblicai un volume su *Francesco De Sanctis e la cultura napoletana*, poiché in quel libro io contrapponevo una cultura napoletana di tipo vichiano, viva, piena di fede, animosa, antropocentrica, a una cultura fiorentina, di tipo galileiano, col senso dei particolari acutissimo, ma ormai un po' stanca, senile, acentrica, con una sfiducia un po' atea negli studi e nella letteratura, il Barbi, incontrandomi per Piazza S. Marco, mi abbordò dicendomi: « Tu quoque, Brute, fili mi », e mi strinse affettuosamente il braccio. Si riferiva a un passo del mio volume, in cui mordevo l'eccessiva complicazione dell'agire delle varie accademie fiorentine:

> E non mancano poi gli impedimenti di ordine pratico: tutta un' invisibile selva di lacci e lacciuoli, in cui quei valentuomini vanno a cacciarsi, per rispetto all'autorità di questo o quel maestro e per altri riguardi mondani che finiscono col paralizzare ogni iniziativa felice e possibilità di lavoro. Ne vien fuori una segreta gerarchia con i suoi pontefici ed arcivescovi, di pii torturatori e di pazienti torturati e tutti allo stesso modo vittime di una trascendente legge accademica; ciò che impedisce il libero articolarsi della vita scientifica e spirituale.

« Hai ragione — mi soggiunse il Barbi — e la prima vittima sono io »; e qui i suoi dolenti sfoghi contro gli inerti o gli inetti o i gelosi che continuavano a intralciare il suo lavoro. In quegli anni, mi parlò una volta del Gentile, verso il quale ebbe una nota risentita, perché l'aveva rimandato ad insegnare. « Ma un fanatico come lui non l'avremo più come ministro! ». In quest'ultimo decennio mi tornò a parlare dello stesso uomo, con la consueta ammirazione per la mente, ma questa volta anche con una amicizia sempre crescente per l'uomo; si rallegrava molto dell' ingrandimento della Scuola Normale, opera sua, e poi mi parlava della nuova impresa degli *Annali manzoniani* e dell' insegnamento della letteratura popolare in questa scuola e della biblioteca che egli voleva lasciare sempre a Pisa, che era per lui la città-mito della salvezza dei nostri studi. Un giorno mi disse: « Quello sì che è un uomo, concludente, fattivo, che mantiene quel che promette: ma questi di Firenze... ». E disegnava certe figurine nell'aria, come segni di una sua cabala interna. « Che, che, che! » e qui una paroletta che la castità dell'eloquio mi vieta di riferire.

Ma a proposito del Barbi insegnante, si è sempre sussurrato che egli non amasse la scuola. Orbene egli non faceva alcun mistero di questa sua scolastica tiepidezza. « Che, che, che!!! con tutte quelle donnette! non c' è sugo ». E un giorno mi disse: « Oggi compio i miei venticinque anni, non so se dire di insegnamento o di non insegnamento », e rise della sua celia. Ma egli così arguteggiava, perché era sicuro dentro anche per questo punto, ché non era un ozioso e sentiva che il suo lavoro di maestro era altrove, non soltanto nella conversazione e nei larghi consigli, che dava a noi adulti (era una specie di personale e ambulante Sorbonne per tutti noi), ma perché nell'opera sua è vivissima, anche fin troppo, questa preoccupazione didascalica. Il volume *Con Dante e coi suoi interpreti*, per non dire delle sue numerose recensioni, è il libro, a tratti, di un pedagogo, che corregge pazientemente gli errori dei suoi scolari; e i suoi scolari si chiamavano Grabher, Steiner, Pietrobono, Scarano e cento altri.

E con tutti aveva una grande pazienza, mentre talvolta si sarebbe desiderato che lasciasse andare e che scrivesse lui un commento a Dante, un commento che fosse una condanna implicita degli spropositi, delle esagerazioni, degli arbitrii di altri commentatori. In questo senso, il Barbi, oltre che maestro vero, fu, o si sentì fin troppo, maestro di scuola. Però egli era serenissimo nella sua coscienza di esonerato per molti anni dall'insegnamento attivo, e nessuno di noi gli invidiò quel privilegio perché quel privilegio poteva essere soltanto suo, perché di esso egli largamente ricompensava la scienza e la scuola italiana.

Questa serenità arguta il Barbi ebbe sempre anche per la morte, per la sua morte, della quale discorreva come di un «partito comunale», su cui non bisognava fare piati e piagnistei. Si rammaricava soltanto dei tanti lavori che lasciava incompiuti: «Mi raccomando a te che sei, come tu dici, del 'non mollare', a Gentile, e agli scolari della Normale». Quattro o cinque anni fa egli entrava in una clinica per una laboriosa e difficile operazione; lo andai a salutare nella sua cameretta di ospedale. Era giallo e invaso dalle infezioni delle feci: mi parve un dissepolto. Ebbi paura e sconforto, poiché con questo animo e con questo corpo io ho, non di rado, paura e sconforto. Gli stesi la mano, e mi parve che lo dovessi salutare per l'ultima volta. «Addio», egli mi disse, e levò lentamente la palpebra dell'occhio sinistro.

Allora intravidi come una sottilissima correzione ironica al mio fanciullesco spavento, l'arguzia solita della sua pupilla, quella pupilla in cui io leggevo tante cose, poiché egli amava sempre il discorso ellittico nella conversazione e lasciava l'intendere e il completare all'ascoltatore discreto. Mi ridussi a casa; e mi buttai, soverchiato dall'angoscia, sul letto. Una persona cara, abituata a questi miei eccessi di kirchegordiano del Novecento, quando ebbe sentito il particolare della pupilla arguta, mi disse, tanto per dire qualche cosa come si fa coi ragazzi: «Va là, il Barbi è troppo furbo per poter morire così da un momento all'altro. Se è entrato in clinica, deve aver fatto bene i suoi conti. Vedrai che guarisce». Il Barbi guarì veramente ed io, poiché non avevo segreti per lui (ed egli mi voleva bene forse per questo), gli raccontai l'aneddoto augurale. Il Barbi, come succhiandosi compiaciuto le parole, mi disse: «Ah queste nostre donne capiscono tante cose meglio di noi: (e alludeva anche alla sorella e alla nipote, delle quali mi parlava sempre con tenerezza grandissima e gelosa cura); poi aggiunse: «Uno di questi giorni vengo a riverire la tua signora, e per ringraziarla».

Poi si tornò spesso su questi discorsi di morte, e una volta, nel giardino d'Azeglio, mi ripeté alcuni versi di Cavalcanti, i soli versi che io ho sentito ripetere da lui, che conosceva tutto Dante a mente, e molti altri poeti della nostra letteratura aveva familiari, e che era stato intimo di Carducci e di Pascoli; ma mi pareva che per un estremo pudore di filologo, non volesse guastare quasi e contaminare i testi coi suoi affetti quotidiani. «Noi siam le tristi penne isbigottite, Le cesoiuzze e 'l coltellin dolente... La man che ci movea dice che sente Cose dubiose nel core apparite». Quel giorno il povero Barbi parlava veramente *fiochetto e piano*. Questo è uno degli ultimi ricordi che mi rimangono di lui; quando nel tardo settembre del '41, ebbi al mare apuano un telegramma del Pasquali[1]. Mi diceva di andare a Firenze, poiché il Barbi, il nostro Barbi, non era più, e bisognava che almeno pochi, quelli da cui egli si sentiva amato, con semplicità e senza arzigogoli di carriera, fossero presenti alle esequie. Aveva detto a Maria Vandelli, la figliuola di Giuseppe Vandelli, un altro degli amici a cui era stato legato per lunghissimi anni da grande affetto e stima (poiché Michele Barbi era capace di grandi affetti, proprio nella misura stessa con cui li dissimu-

---

[1] Il Barbi si spense il 23 di quel mese.

lava), aveva detto con grande risolutezza, poche ore prima di morire, « Mi raccomando che tutti lo sappiano dopo la sepoltura », e a Francesco Maggini: « Saluta tanto gli amici ».

E oggi qui, in questa Scuola Normale, che egli tanto amava, tutti ci siamo riuniti, non per una delle solite commemorazioni accademiche, ma per il ricordo umano e veritiero di un maestro, di un amico, di una persona della nostra famiglia.

1942.

IV

TENDENZE METODOLOGICHE DELLA CRITICA CONTEMPORANEA [1]

1. Lo storicismo assoluto.

La critica letteraria italiana, nell'ultimo trentennio, è dominata, volente o nolente, dalle teorie e riforme metodologiche, che il Croce, con assidua opera di critico e di filosofo, è venuto bandendo attraverso la molteplice opera sua. In principio, tra il 1900 e il 1910, si profilò come un'antitesi tra scuola estetica e scuola storica, tra metodo estetico e metodo filologico; sennonché, a poco a poco, questa antitesi polemica è venuta sparendo, e i seguaci della critica estetica sentono di fare, in tutto e per tutto, della critica storica, storia della poesia, storia della cultura, storia della vita morale, tra loro distinguentesi e intersecantesi; e i seguaci del metodo filologico-erudito tendono essi stessi a una filologia e a una erudizione, che non trascura o dimentica o abbassa l'opera d'arte a mero documento, ma sentono l'opera d'arte, l'episodio di cultura, la testimonianza della vita etica, come il termine ideale, sottinteso od esplicito, delle loro particolari

---

[1] Ricordo che la prima parte di questo saggio fu una lettura tenuta al congresso di storia letteraria di Budapest, nel maggio del 1931; i due capitoletti finali sono stati redatti nel 1935-36.

ricerche. Solo qualche ritardatario continua a parlare ancora di critica estetica e di critica storica, come di due forme nemiche o integratrici l'una dell'altra; e in un certo senso, s'è perfino lasciato cadere l'aggettivo o estetico o storico, come un aggettivo superfluo, e si parla soltanto di un nuovo storicismo assoluto, in cui le vecchie tendenze storicistiche ed estetiche insieme sono superate, riscattate e legittimate e risanate in quello che è il loro spirito vitale. Quegli stessi studiosi, che dicono di recalcitrare a questo nuovo storicismo assoluto, per l'assidua e inquieta polemica con cui vengono seguendo saggi e monografie del nuovo indirizzo, dimostrano la loro soggezione ideale, ché il loro patimento può anzi considerarsi come l'omaggio sempre attuale e vivo a quei principî a cui vorrebbero contrastare. Cosicché il loro atteggiamento di battaglia finisce con l'essere una forma di indiretto ma più significativo riconoscimento e di laboriosa e sia pure difficoltosa assimilazione dei metodi dei presunti avversari.

Anche la vecchia distinzione tra critica accademica che si occupava soltanto di problemi della letteratura classica, e della critica militante, che aveva l'occhio alla letteratura moderna e contemporanea, si è venuta (e oggi forse fin troppo) sempre più attenuando; e i nostri migliori universitari si battono per il chiarimento dei problemi letterari dell'ultimo cinquantennio, trascorrendo dall'indagine sull'arte di uno scrittore recente allo studio di un pensatore del '500 o allo studio filologico di un qualche poeta delle origini. Tale influenza di una critica più sistematica, e senza esclusioni di età e di periodi, si è fatta sentire negli stessi critici di giornali e di riviste, i quali ambiscono sempre più al nome di uomini di buone lettere, e, all'antico mal dissimulato disprezzo per la critica accademica, si è venuto sostituendo rispetto e riconoscenza verso i maestri universitari di filologia e di critica classica. L'appassionamento che si è avuto, in Italia, per un ventennio e più, per la letteratura moderna e contemporanea, per la poesia di un Carducci, di un D'Annunzio, di un Pascoli, per l'arte di un Verga, di un Fogazzaro, di un Di Giacomo, di un Pirandello, e insieme per la letteratura filosofica che faceva capo al Croce, non era una forma di superficialità, uno sfogo in una provincia letteraria di più facili studi, come si sforzavano di credere alcuni accademici vecchio stile; ma era soltanto una iniziazione di cultura e di vita, un tramite per lo svecchiamento di un'antiquata scolastica, era tutto un travaglioso chiarimento di una nuova visione morale della vita e dell'arte e degli studi, e lievitò fortemente negli animi e nelle menti più capaci per ulteriori esperienze e per più conclusive indagini.

2. La tendenza individualizzante della nuova critica.

Se poi si volesse riassumere in una caratteristica generale quella che è la fisonomia degli studi letterari italiani in quest'ultimo trentennio, bisognerebbe parlare di una storiografia di tipo monografico o, meglio ancora, per evitare l'equivoco che il genere letterario della monografia rappresenta, di una storiografia di tendenza individualizzante. Monografie e saggi e storie generali e storie di un periodo letterario, di un ciclo, di un movimento di cultura, si sono configurate sempre come storie di personalità. Alla storia sociologica di tipo romantico, alla storia atomistica e periferica ed esterna di tipo positivistico, s'è contrapposta una storia che andava all'intimo delle individualità degli scrittori, e che particolareggiava la stessa storia della cultura come storia di problemi visti nel loro concreto generarsi nelle singole figure di pensatori, maestri, apostoli, uomini di azione. In questo processo individualizzante, veniva appagata in una forma superiore la curiosità d'ordine psicologico e biografico; si lasciava cadere una biografia dell'esterno e dell'effimero, per tracciare una biografia ideale dello scrittore, la descrizione del suo mondo spirituale, nella sua genesi e nel suo sviluppo.

Per questo gusto di una storia trascendentale e al tempo stesso individualizzante, la cultura italiana, in quest'ultimo tempo, si è trovata particolarmente agguerrita a respingere le cosiddette « biografie romanzate », che da noi di fatti hanno avuto assai scarsa fortuna di imitatori e di lettori. Si sono considerate le « biografie romanzate », come un nuovo capitolo della letteratura amena, atte piuttosto a soddisfare un certo edonismo e un certo epicureismo spirituale d'ordine inferiore, che a rispondere a una profonda esigenza di vita morale e storica[1]. Ed è apparsa chiara a molti la figura decadentistica di coteste epopee pittoresche dell'individuo, che poi finivano con l'essere la mortificazione della più vera individualità, che non è tanto rilievo di fantastiche qualità solitarie, quanto accordo provvidenziale con l'intima logica delle cose e degli avvenimenti. Uno dei più celebri costruttori di biografie romanzate, il Ludwig, è stato definito da noi col nome di Guido da Verona della storiografia, cioè a dire col nome del nostro romanziere che, durante le ultime stagioni della prima guerra europea e nell'immediato dopoguerra, conquistò rapidamente le folle inferiori dei lettori, per l'impeto grossamente mistico con cui veniva drappeggiando la *cupiditas* contempo-

---

[1] Recentemente il Croce ha battuto contro le « vite romanzate » in una conferenza alla Radio di Lugano, tenuta il 4 ottobre 1936. La vedo riprodotta in un foglietto volante, edito dal Laterza, col titolo: *Le odierne « vite romanzate » e i vecchi « romanzi storici »* (1936), e ora nel vol. V delle *Conversazioni critiche*.

ranea, la frenesia sensuale e sessuale del godimento, della ricchezza, del nomadismo. E la definizione ha avuto fortuna, e resta come simbolo di uno stato d'animo assai diffuso in Italia. Giacché lo storicismo individualizzante, di cui facciamo parola, aveva già per suo conto radicato il sentimento dell'unità tra universale e individuale, tra il movimento delle idee e quello delle persone, tra la storia e la biografia, ed era venuto educando le menti all' indagine della biografia come storia dell'uomo obbiettivata nella storia del tempo, e però a superarla come biografia nella storia; e d'altra parte a indagare la storia stessa, non come movimento di idee astratte, ma come movimento di idee incarnate negli individui, quindi a trattare questa storia come se essa fosse una specie di biografia ideale ed eterna.

Nel campo più strettamente letterario, con questa storiografia di tipo individualizzante, si è voluto reagire a un certo generico moralismo, quale si avvertiva nella stessa *Storia della Letteratura* del De Sanctis, e a quegli schemi sociologici e alle storie per generi letterari, che avevano avuto così larga fortuna per tutto il secolo XIX. Il De Sanctis, con la sua *Storia della Letteratura*, ci aveva dato una dottrina implicita sul metodo di sviluppare la storia delle opere d'arte, mirando a una storia in cui le personalità dei singoli poeti s' inquadrassero e si giustificassero nella generale storia dello spirito umano, e particolarmente dello spirito italiano. Così la sua storia letteraria si configurò al tempo stesso come la storia morale del popolo italiano. E in verità quell'opera si colloca nella serie dei capolavori, perché fu intelligenza dell'arte nella sua pienezza, nella sua totalità, poiché ogni opera d'arte è un mondo, e come tale essa esprime l'unità della vita e non si può fare uno stacco in essa, e non si può eseguire la storia del suo valore puramente estetico, senza cadere nell'astrattezza.

Questo intese il De Sanctis; ma poiché egli non sempre ebbe una rigida e lucidissima coscienza riflessa della sua teorica, fu tratto ad attribuire il progresso alle forme artistiche (mentre non si dà progresso nelle forme individuali); quel progresso che c'è, in verità, solo se si considera l'astratto contenuto delle opere. Così il De Sanctis immaginò progresso dalla forma dantesca alla forma shakespeariana, e poté giudicare la *Divina Commedia* nel suo valore poetico, come progressivamente discendente, perché il contenuto umano dell'*Inferno* decade in quello meno appassionato del *Purgatorio*, e poi in quello etereo del *Paradiso*.

E fu errore, temperato solo in lui dal suo vivo senso dell'arte, che gli fece ammirare anche le bellezze disseminate a piene mani nel *Paradiso*, senza che pur giungesse a cogliere l'unitaria bellezza della cantica. Questo pericolo si nascondeva nell'insegnamento del De Sanctis, e il merito del Croce è stato quello di aver affermato risolutamente l'autogenesi e l'assoluta improgredibilità delle forme artistiche; e la sua *Riforma della storia artistica e letteraria* ritiene questo merito positivo, di avere richiamato energicamente l'attenzione sul carattere assolutamente individuale e autogenetico delle opere d'arte, e di avere propugnato una rigorosa critica d'arte affatto libera da ogni interferenza di giudizi circa il valore logico e morale dell'astratto contenuto. Se l'arte è sintesi a priori estetica, come non si può fare una storia delle «forme», che sarebbe storia di un'astratta possibilità — e la tesi è postulata da alcuni critici d'arte contemporanei, i quali vorrebbero intendere la storia dell'arte come storia non di personalità, ma di procedimenti artistici, di stili cioè, che sono astrazioni dalle singole e concrete opere d'arte —: così non è possibile una storia dell'arte in cui interferiscano giudizi sul carattere intellettuale e pratico delle opere poetiche. Ora la storia per concetti generali, propria del periodo romantico, ebbe questo vizio, di astrarre i caratteri generali delle opere d'arte, ciò che poi finiva coll'essere una dissipazione e volatilizzazione del *quid* individuale dell'arte stessa. E come i moderni « stilisti » o « formalisti », sopravvissuti e inconsapevoli seguaci di una forma di herbartismo estetico, riescono a una storia di astrazioni, così i romantici, per l'altro lato, quando sacrificavano la personalità dell'artista agli schemi generici, anche essi riuscivano a una storia di astrazioni. In tal modo, la storiografia letteraria italiana contemporanea, individualizzando sempre il problema artistico nel vivo di una personalità, da una parte vuol reagire al puro estetismo formale, e dall'altra vuol reagire al moralismo e al sociologismo, e a ogni forma di puro contenutismo.

3. L'ALTRA TENDENZA ANTIRAZZISTICA DELLA NOSTRA CRITICA.

Ancora: cotesto sentimento individualizzante della storia artistica ci ha largamente immunizzato dalle concezioni nazionalistiche o etnologiche, razzistiche, della storia civile e letteraria. Il vecchio problema dei romantici, inteso a indagare il « senso », il « carattere » o la « legge che governa la poesia di un popolo », appare oggi problema di carattere mitologico, non critico e scientifico, ma arbitrario e fantastico, che si lega al concetto della poesia come espressione dello spirito di un popolo. E da noi è caduto in disuso e in dispregio. Il tentativo da parte di qualche scrittore brillante di rinfrescare questo problema del senso delle singole letterature europee ha incontrato rapidissima reazione, e reazione non disordinata, fortuita, e sporadica, ma riflessa organica e metodica[1]. E la reazione era accompagnata da una disposizione anche benevola ai riconoscimenti storici: segno che si trattava di una reazione non capricciosa, ma incentrata tutta in un nuovo e adulto sistema di idee. Si è difatti riconosciuto, per giustizia storica, che quel problema del « senso » della letteratura dei singoli popoli ebbe pur la sua importanza critica sul finire del Settecento e dell'Ottocento, quando esso cominciò a delinearsi nelle menti, sotto l'influenza dell'estetica vichiana ed hegeliana. È stato riconosciuto come tale problema rappresentasse una prima evasione dalla pura erudizione, dal puro biografismo, e come fosse valso ad avviare una visione meno superficiale delle singole letterature, e come rappresentasse ancora uno sfogo alle passioni morali e politiche, che furono l'impetuosa caratteristica della prima civiltà romantica. Giacché nel problema vi era nient'altro che un riflesso di quel recente mito della nazionalità, che doveva dare una nuova configurazione alla vita dei paesi europei.

Ma, insieme con questo riconoscimento, si è badato a rilevare il carattere sofistico e un poco giacobino di cotesto condensare in caratteri eterni e nativi quella che è la fisonomia versatile e sempre nuova e irrequieta delle letterature dei singoli popoli.

In Italia sono cadute presto coteste interpretazioni nazionalistiche e razzistiche, non tanto per il decadere delle passioni nazionali o di razza, che pur trovarono e trovano altre vie di sfogo, ma piuttosto per l'esaurirsi del concetto romantico dell'arte, e per il maturarsi di un concetto assolutamente diverso, e per alcuni aspetti polemicamente antitetico dell'arte, quale in modo particolare è stato elaborato nel nostro paese. Difatti questo pro-

---

[1] Si veda nel secondo volume il capitolo *Ritorni ed esaurimento di vecchie ideologie romantiche.*

blema del senso, del carattere, delle singcle letterature, era legato implicitamente od esplicitamente con l'Estetica di tipo hegeliano, con l'Estetica dell'Idea, che continuò a trionfare, anche quando non se ne discorreva più, cioè dell'estetica che intendeva la poesia e l'arte come simboleggiamento del concetto filosofico, e per cui ogni letteratura era la parvenza luminosa, l'immagine sensibile, l'incarnazione concreta e mondana di una filosofia, dell'Idea.

Ma, negli ultimi trent'anni, non soltanto per vaga sensibilità, ma per sistemazione organica di principî, si è maturato il concetto dell'arte ncn più come simbolo dell'Idea, ma dell'arte come simbolo solo di se medesima, come atto spirituale che in sé risolve il mondo totale, e la cui storia non è la storia precrdinata da un destino del « genio della stirpe », perché essa si dà a ogni momento nuove leggi e si assegna nuove mete, fuori di ogni determinismo nazionale.

Oggi il pceta è come l'Omero di cui parlava il giovane Manzoni nel carme sull'*Imbonati*, « cui poi, tolto a la terra, Argo ad Atene, e Rodi a Smirna cittadin contende: E patria ei non conosce altra che il cielo ». Il creatore di ogni tempo cggi potrebbe ripetere, e sia pure con mutato significato e spirito, le parole di Vittorio Alfieri: « Il mio nome è Vittorio Alfieri: il luogo dov'io son nato l'Italia: nessuna terra mi è patria ». Dove non si propugna un'arte e una poesia che nascano in un terreno al di fuori delle singole patrie, ma soltanto un'arte e una poesia che sappiano risolvere la patria terrestre che ha troppo materiali confini di tempo e di spazio in quell'altra patria che è cielo della sua fantasia e della sua individuale esperienza storica. Ciascun'anima di poeta è cittadina di una vera città, si potrebbe dire con parole dantesche, « ma tu vuo' dire che vivesse in Italia peregrina ».

Così la storiografia italiana, col suo metodo individualizzante, riesce alla concezione più universale dell'arte, e, pur nel campo della metodologia letteraria e senza svolazzi retorici ma per obbiettività di logica scientifica, collabora a quello spirito sopranazionale che è la ricchezza superiore della vita morale dei popoli, e si fa propizia all'intelligenza di un'arte e di una civiltà europea. E risulta vana la preoccupazione degli avversari di questa filosofia dell'arte come simbolo di se medesima, quando essi sospettano che una storiografia individualizzante possa non essere altro che una storiografia monadistica. Ma è proprio vero che l'astratto universalismo di cotesti generici dell'arte porta alle classificazioni chiuse, e agli ordinamenti in senso etnico, o in senso altrimenti politico e pratico, mentre per noi è in giuoco l'individuo poetico: non l'individuo particolare, ma l'universale nella sua forma concreta, il quale per l'appunto è aperto a tutta la storia, perché tutta la storia si contrae in lui. Per noi, in vero, nell'arte di un creatore si assomma e si contrae tutto il passato, tutto il *suo* passato, come è, vivo nella sua anima di artista, di cittadino del mondo, ma anche di cittadino della sua nazione e perfino della sua provincia e di un suo villaggio e del suo stesso focolare domestico.

L'esperienza romantica dei diversi umori nazionali, frutto di particolari tradizioni autoctone, non si rinnega. La faccia spagnolissima che attirava l'attenzione di uno dei primi scopritori dei diversi caratteri nazionali d'Europa dopo il generico cosmopolitismo settecentesco, resta pur faccia spagnolissima; così come gli italiani, sempre secondo l'Alfieri, volevano distinguersi «agli enormi e sublimi delitti» che tutto dì si van commettendo nel loro paese. Ma bisognerà anche aggiungere che dove tale carattere nazionale è troppo sensibile e troppo rilevato, lì bisogna temere per le sorti e l'esistenza stessa della poesia. La teoresi della poesia deve fare impallidire e vanire la fisica delle nazioni, e trasmutare gli uomini dai loro primi concetti. La poesia nasce sempre soprannazionale, e in questa sua sopranità è il varco e il flusso sempre mobile verso la *Weltliteratur*.

4. Concezione classica della poesia e della critica.

Insieme con questa tendenza individualizzante della nostra storiografia letteraria, si è fatta strada in Italia un'altra tendenza che possiamo chiamare la tendenza classica della critica. È mutato il rapporto tra la critica e l'arte, tra il critico e il poeta. La vecchia dottrina romantica concepiva l'arte come la primogenita di Dio; e la critica era qualche cosa come un'attività postuma, che giungeva dopo l'arte, e che sarebbe potuta anche non esserci. Da ciò lo sforzo di nobilitare la critica, con qualche metodo esterno, o incitandola a gareggiare con l'arte, a giuocare di grazia di immagini e di scapricciamenti fantastici, e a presentarsi essa stessa come un'opera d'arte che nasca su un'altra opera d'arte. Ancora oggi la critica che adegui l'arte e la poesia è la fantasticheria, il desiderio sempre ritornante, di alcuni infanti della cultura estetistica e decadente. Così si formò il mito del critico come *artifex additus artifici*, che poi, in certi casi, poteva essere un povero manovale, che si arrabattava soltanto a fare un' involontaria parodia dell'arte; sicché la superbia del critico-artista era in fondo un male dissimulato senso della inferiorità ideale della sua funzione. Ma, col nostro storicismo, la critica non è qualcosa di postumo, che giunge dopo, nell'opera d'arte, e che può esserci e non esserci; ma essa è già immanente nell'opera d'arte stessa. Il critico non fa che perpetuare quel travaglio dialettico, che fu proprio dell'artista nelle vicende della sua creazione, sicché si potrebbe dire che l'opera d'arte esiste, ha solo la sua realtà, nella critica, nella critica del poeta stesso o del suo eterno lettore: ha la sua realtà nella critica, come un corpo nella luce, come il sogno nella veglia. Anche la lettura più ingenua è sempre una sottintesa lettura critica, e ciascun lettore, anche se non lo sa, è un compendio di critica più o meno rozza, più o meno complessa, più o meno illuminata. Lo stesso lettore comune, quando intenda e gusti il valore di un'opera d'arte, si serve inavvertitamente di quella filosofia diffusa, di quelle indagini e meditazioni e degli stessi errori dei critici di professione, che son diventati patrimonio di tutti. Non più dunque il critico come *artifex additus artifici*, ma il critico come *philosophus additus artifici.* E perché filosofo, creatore anch'esso di un nuovo cosmo, non più poetico ma logico, e però non più orgogliosamente e anche fatuamente gareggiante in un certame di immagini e di fantasie col suo poeta, ma libero e assoluto nel suo mondo di pensiero; e però scevro di quella forma spasmodica, con cui qualcuno vorrebbe tradurre i miti dell'arte altrui intorbidandola con altri suoi miti, e offuscando le immagini con altre sue immagini. Ecco perché si dice che tal tipo di critica, da noi voluta, tutta serena nella sua creazione logica, è una critica di tendenza classica, ed essa sola, nelle sue forme riuscite, si colloca alla pari dell'opera d'arte, senza che pur voglia gareggiare con l'opera d'arte. In tal modo, un grande storico della poesia ha la potenza creatrice, ma di ordine diverso, quale si ascrive al poeta; e, in questa consapevolezza, esso non si distrae dal suo ufficio, né plora femminilmente per la sua inferiorità, né giudica con orgoglio offeso e risentito di magistrato. Giacché il suo giudicare, non è un giudicare l'opera altrui, ma è un muoversi, in pur trepidante modestia e superbia, ed un misurarsi nella coerenza e nell'ordine del proprio mondo mentale.

Ciò che ci induce a modificare la formula del *philosophus additus artifici* in quell'altra del *philosophus additus sibi ipsi,* perché nella prima permane sempre un equivoco dualistico e come una distinzione fenomenica dell'arte da una parte e della critica dall'altra, le quali a un certo momento entrerebbero in relazione. Il critico gira intorno al monumento, ma non si identifica in esso. Mentre in verità il critico entra in relazione solo con se stesso, col mondo artistico vissuto e assorbito dentro, ed egli pensa non già a chiarire l'arte altrui, ma a chiarire se stesso, a rispondere ai suoi problemi. Il rapporto della critica e dell'arte non è diverso del rapporto dell'arte e dell'esperienza umana, dell'arte e della vita vissuta: pare che l'artista si faccia a riprodurre una realtà, tipi conosciuti nel mondo, e invece capta, attinge soltanto dentro di sé, quelli che sono i fantasmi della sua mente. Allo stesso modo il critico piega l'arte altrui a semplice materia del suo filosofare e del suo giudicare. Il che non porta a concludere sul relativismo della critica, così come non si vuol far sospettare di un relativismo dell'arte: l'oggetto del nostro giudicare una volta absorto dentro la mente diventa il tiranno del nostro pensare, e ci costringe alla coerenza. La filologia si è consustanziata nella filosofia. Si parla della coerenza interna, e non più della verisimiglianza dell'arte; allo stesso modo si parli anche della coerenza interna, e non già della adeguazione estrinseca della critica ai testi. Il vero della critica è vero, perché esso ha già assorbito dentro di sé il certo.

Questo mutato rapporto tra la critica e l'arte è venuto anche trasfigurando il concetto di poesia che, nella prima estetica crociana, e con risentimento della tradizionale estetica vichiana e romantica, pareva caratterizzata da una ingenuità nativa e di natura. Ma se l'arte porta in sé come sigillata e invisibile quella logica critica, che governò l'artista nel travaglio della creazione, e che si perpetua in ogni lettore che riflette su quell'arte, cotesta arte non può essere dunque vita ingenua e aurorale dello Spirito, tutta al di qua da ogni riflessione metafisica. L' ingenuità dell'arte (e l' ingenuità è certamente il suo carattere precipuo) non può essere un' ingenuità di natura, ma una ingenuità di conquista. L'arte non nasce, ma diventa ingenua, e diventa ingenua attraverso una sempre più attenta purificazione e sublimazione di cultura. La poesia non è una barbarie naturale, ma è una barbarie che si ha per conquista; e la verginità poetica la si possiede veramente, quando la si è ben perduta. Essa non è tale all'origine, ma nell'evoluzione di un processo spirituale.

Viene oltrepassato, in tal modo, il concetto romantico dell'arte che aveva dato grande valore al primitivo, al violento, al barbarico, al passionale, all' immediato; mentre il nostro storicismo classico guarda all'arte come a qualcosa di profondamente vissuto e storicamente elaborato, e che pur porta un suo segno e pudore virginale. L'arte è un fiore che sorge su una ecatombe di storia. L'arte è la forma aurorale dello spirito, ma è un'aurora che ha conosciuto contemporaneamente la vigilia notturna e il pieno mezzogiorno[1].

Anche le poetiche degli scrittori contemporanei, che danno tanta importanza alla letteratura, al tirocinio, all'arte come mestiere, e fanno nascere la loro produzione poetica e letteraria da una macerazione di cultura, ribadiscono cotesto principio di un'arte e di una poesia,

---

[1] Concetti analoghi io esprimevo già nel 1926, in quel mio scritto che qui riappare (Volume II) col titolo mutato *La critica dantesca e gli esperimenti dello storicismo*. E mi sia lecito riassorbire alcune delle antiche parole di quello scritto, pur rammentandone la più antica datazione cronologica.

la cui verginità e ingenuità sono una verginità, e una ingenuità di conquista e non di natura. L'estetica vichiana, per cui la poesia è la prima operazione della mente, è completamente trasfigurata nel nostro giudizio: non c'è una prima operazione della mente e un'operazione successiva, ma c'è soltanto un'esperienza circolare, e l'arte e la poesia nascono da questo eterno periplo dell'intelligenza e della fantasia. È una specie di ritorno di cartesianesimo, di quel cartesianesimo che voleva costruire con un atto di volontà i poemi, così come illuministicamente costruiva nuove società, nuove civiltà, nuovi stati ideali, col freddo ardore (se è lecito dire) del geometra che intaglia a secco sul vetro le sue figure. Ma s'intende bene che cotesto rinnovato illuminismo e razionalismo non è un ritorno al cartesianesimo puro e semplice, verbalmente caro ancora oggi ai letterati francesi, ma a un cartesianesimo in cui è maturato dentro tutto il pathos del primitivismo, del barbarico, del violento proprio dell'estetica di Vico e di tutte l'estetiche romantiche. La poesia ingenua e sentimentale dello Schiller oggi è ingenua e sentimentale soltanto perché è letterata, grazie appunto agli artifici della letteratura, senza la quale cotesta spontaneità del sentire è una menzogna e una presunzione. Del resto nello stesso Vico è adombrato questo concetto di una poesia carica di tutti i succhi e le riflessioni di una civiltà, se anche per lui la favella poetica dei grandi creatori sa sopravvivere e iscorrere per lungo tratto dentro il tempo storico o età civile. Ma il maestro del Settecento doveva piuttosto insistere sulla « sensualità » anzi che sulla « intellettualità » dell'arte e della poesia, perché il nemico allora prossimo e tiranneggiante era l'intellettualismo cartesiano, che non solo negava la fantasia, ma tentava di ridurre a forma matematica anche la metafisica e l'etica, e propugnava la possibilità di lingue artificiali logiche più perfette di quelle viventi, ed escogitava regole per comporre arie musicali senza essere musici, e poemi sensa essere poeti. Questo ritorno dunque del gusto dell'ordine, della finitezza, della classicità, è un po' come la rivincita di Cartesio soffocato dalla voce barbaricamente vigorosa del filosofo Vico, celebratore dei bestioni primitivi, di quelle umane belve pur care alla fantasia poetica di Ugo Foscolo; ma è una rivincita che è trasfigurazione. Non il razionalismo ritorna, ma lo storicismo si svolge anche negli stessi spiriti che ne sono inconsapevoli, e trionfa nell'arte stessa che nasce da una esperienza storica e non da un semplice sogno o dallo stupore del risveglio alle origini del mondo, e nemmeno da una semplice bravura tecnica di geometri. Razionalismo cartesiano e romanticismo vichiano hanno oggi trovato la loro vittoria e la loro morte nello storicismo contemporaneo: lo storicismo che non è l' insegna di una scuola filosofica, ma è la svolgentesi intuizione del mondo contemporaneo, il nostro nuovo umanesimo di novecentisti.

La rivalutazione che in questi ultimi anni si è venuta compiendo del *Paradiso* dantesco è un piccolo esempio di questo nuovo orientamento della critica, antitetico a quello della critica romantica, per cui l' *Inferno* era più poetico, soltanto perché quello era il mondo della passione, della carne, del violento. Ma Minerva oscura sa essere pure pronuba divina di alta poesia.

E il caso di Dante è il caso analogo degli altri poeti, il caso del Foscolo, del Manzoni, del Carducci, del Leopardi, miracolo quest'ultimo di dottrina, di erudizione e di tribolante riflessione, e miracolo al tempo stesso di ingenuità e primitività poetica. Onde si può concludere che tale nostra concezione cosmica dell'arte, mentre rigetta ogni forma di intellettualismo e acrobatismo, postulando questa sovrana innocenza e ingenuità come suo divino privilegio, finisce con l'essere al tempo stesso una battaglia contro ogni mito dell'arte-improvvisazione, dell'arte-immediatezza passionale, dell'arte-frenesia dei sensi, dell'arte decadentistica, e tende ad instaurare, in accordo con le più sane tendenze europee, la teoria di un'arte che sia ordine, educazione, tradizione, esperienza storica, consapevole cultura, armonia, letteratura, in una parola classicità.

5. La nuova filologia estetica.

Questi interessi metodologici e teorici, in Italia, si accompagnano con un rinnovato studio dei classici, per il quale si tende ad uscire dai vecchi luoghi comuni della critica e si tenta di reagire allo stesso eccesso di filosofismo. La scuola, in questo campo, è venuta in aiuto dell'alta cultura e dell'alta critica: la necessità di far gustare ai giovani i versi e le prose dei grandi scrittori del passato ha favorito la pubblicazione di molti commenti ai nostri poeti e ai nostri prosatori. Primo a dar l'esempio in questo campo è stato Attilio Momigliano, che con rara finezza ha chiosato un po' tutti i nostri scrittori, ma particolarmente quelli dal Cinquecento in poi. È sorta così una specie di nuova filologia della parola e della singola immagine, o del movimento di un verso, di una strofa, di un periodo, di una pagina, che si viene elaborando e collocando accanto alla vecchia filologia, maestra nella ricostruzione critica del testo. Cotesta filologia più propriamente estetica può servire moltissimo per uscire da un certo stagnante genericismo, che cominciava ad essere il peso morto della nostra critica letteraria attraverso l'opera sbrigativa di alcuni scolastici del crocianesimo. Dopo l'esempio insigne del Croce, pareva che non restasse altro da fare che procedere a una specie di revisione sommaria di un poeta o un prosatore; ci si meccanizzava nella distinzione formale di poesia e non poesia, quella distinzione che nel Croce era un corollario necessario e fecondo di tutta la sua riforma della metodologia storiografica, e che, in ogni modo, in lui si appoggiava ad un'esperienza umanistica ricca ed aristocratica e a una grande discrezione e complessità di gusto storico. La distinzione della poesia dalla non poesia in Croce era ed è un'individuazione più rigorosa e più vigorosa della personalità di uno scrittore, e in alcuni scolari diventava invece una maniera sbrigativa di mandare al macero tutto ciò che poesia pura non fosse: donde alcune mutilazioni grottesche di capolavori della poesia, che mentalmente bisognava amputare a un certo verso, perché di lì in poi non c'era più poesia. Nell'àmbito della stessa scuola crociana, c'è poi stato chi, come l'autore di questa raccolta, ha sostenuto che non bastava fare la storia della poesia, ma che bisognasse fare anche la storia del diverso della poesia, dando a questo *diverso* un valore positivo e non negativo[1]; e ancora che non bisognasse rifiutare l'insegnamento del De Sanctis, che bene poteva armonizzarsi con le esigenze nuove poste dal Croce. Una critica che tenesse conto della distinzione tra poesia e non poesia, ma che al tempo stesso valesse a darci, al di là di ogni lettura rapsodica, la storia unitaria del mondo poetico dell'artista; il che si otterrebbe raccontando lo svolgimento artistico di un creatore, come fosse la ri-

---

[1] Il recente volume del CROCE sulla *Poesia* (1936) è fondato su questa profonda esigenza di storicismo totale. Mi sia lecito rimandare a un mio saggio del 1926, su *Iacopone da Todi mistico-poeta* (in *Studi sul due e trecento*, Roma, 1946), in cui facevo valere questa esigenza che il critico è chiamato a fare la storia della poesia e insieme del diverso della poesia, e non semplicemente a sentenziare che *A* è *A* (la poesia è poesia), e trascurare il resto, ma a mostrare che anche *B* ha la sua ragione di essere e può essere talvolta il fondamento stesso del nascere della poesia. Senza la varietà delle espressioni sentimentali, o letterarie, o oratorie, tutte suscettibili di una valutazione positiva, non si può intendere e giustificare la poesia stessa (1936).

flessione del suo svolgimento morale, uno svolgimento morale tutto intimo, s' intende, e autogenetico, da non commisurarsi a una astratta o confessionale idea della moralità. La moralità è quella che nasce di dentro, come ascesi, come sofferenza di purezza interiore, ed è privilegio non soltanto di un Manzoni o di un Tolstoi, ma anche di un Baudelaire, di un Flaubert, di un Maupassant, di un Wilde. Poesia frammentaria, episodica, « a luoghi », là dove il mondo morale è ancora immaturo o passivamente tradizionale e convenzionale o è troppo intimamente corroso e stanco; poesia unitaria e circolare, dove c' è equilibrio e compattezza di visione e di sentimento [1].

Ma la distinzione di poesia e non poesia in altri seguaci del Croce si è come chiusa e rattrappita in se stessa: essa è stata esercitata spesso non per pregnante senso dei problemi, ma per estrema povertà di cultura e di interessi, mascherata da una superbia giudiziaria tutta estrinseca e sterile. Alfieri, Foscolo, Leopardi, Manzoni, Carducci, giudicati in una rapida lettura cursoria e come se le loro opere fossero tanti compiti scolastici: di qua a là va bene, di qua a là va male; qui finisce la poesia, e tutto il resto è oratoria e letteratura, quasi che anche questi modi di espressione non abbiano il loro valore positivo, e in se stesse, e come elemento fervido o dialettico, che mette in moto e viene commentando la stessa creazione della pura poesia. Manzoni giustiziato sul documento di tre aggettivi: *sventurata* Gertrude, *infame* il capriccio di don Rodrigo, *tremenda* la solitudine dell' Innominato. *Sventurata, infame, tremenda,* epiteti moralistici, ecco tutto, e non poeticamente rappresentativi. O non si sarebbe in obbligo di studiare e saggiare

---

1 Sono queste parole scritte nel '33. Cfr. l'*Avvertenza* al mio *Giovanni Verga*, 3ª ediz., Laterza, 1941.

tutta la pagina, e venir sempre distinguendo e cogliendo l'accento in cui palpita la poesia e l'altro in cui si esprime piuttosto la vita meditativa dell'artista, preparazione e incremento a quella poesia? E l'accento ancora in cui il poeta, commosso del suo fantasma poetico già obbiettivato, si fa apostolo istintivo di quel suo fantasma e quasi rapito annunziatore agli uomini della buona novella poetica? Poiché è probabile che in ogni poeta vero e grande ci sia sempre insieme e il poeta iniziale e ispirato e l'uomo meditativo e l'apostolo abbandonato di quei suoi fantasmi di poesia e di pensiero. Comunque, nulla di più utile disciplinarmente che il commento puntuale alla pagina di un poeta e di un prosatore, per reagire ad alcune troppo rapide e generiche sentenze.

Si renda un po' di giustizia a quella vecchia critica umanistica, che aveva almeno così spiegata pazienza e gusto dei particolari tecnici. Quella vecchia critica umanistica, che amava le chiose e le postille, conta, nell'Ottocento, nomi come Leopardi, Tommaseo, Carducci, e, minori, come Del Lungo e Fornaciari, per non dire dello stesso Foscolo, il quale ebbe, nei suoi saggi critici, l'idolatria gelosa della parola e dei conflati artistici e storici di essa, per dirla con un'espressione a lui cara. Una critica umanistica la nostra, non più fine a se stessa, né sminuzzata e minuziosa a vuoto, ma ricondotta sempre al centro dell'ispirazione poetica dello scrittore, in modo che ogni osservazione singola sia dedotta e ricondotta e armonizzata in una caratteristica unitaria. Se la vecchia storiografia letteraria vanta numerosi commenti ai classici, commenti contenutistici, moralistici, politici, verbali o grammaticali, che noi oggi non possiamo accettare (sebbene il Carducci e alcuni suoi discepoli ci abbian lasciato commenti complessi di varia dottrina che sopravvivono, sempre utili oggi, nelle scuole e per le stesse letture non scolastiche); la nuova storiografia letteraria del Novecento ha pur bisogno di rinnovare l'esperienza particolarissima degli scrittori, se non vuole degenerare in un formalismo sterile e presuntuoso. E deve fare opera perché siano avviate collane di scrittori annotati, organicamente condotte, che diano la misura dell'avanzamento degli studi e della rinnovata sensibilità. Non è puro caso che gli ingegni più fini, più scaltri, e più scrupolosi, dal Flora al Fubini, dopo l'esempio eminente del Momigliano, si siano provati, in lunghi anni, in puntuali commenti e analisi critiche, quando non volevano contentarsi di un formale sviluppo di tesi già note; e non per nulla Renato Serra sognava una critica che potesse leggersi col testo a fronte dello scrittore. Le nostre chiose non saranno più quelle, tutte mondizia e pietà e purismo, quali piacevano al padre Cesari, o le altre, grammaticalmente esclusive e intransigenti, alla Basilio Puoti, o le postille sbrigative ed estrose alla Tommaseo, e nemmeno quelle stesse impressionistiche che hanno avuto fortuna incontrollata fino a ieri, per qualche decennio; ma vorranno essere chiose storiche, con una larga comprensione estetica, filologica, erudita, morale, dei significati di una strofa o di un paragrafo. Note storiche, che debbono per l'appunto valere come un saggio critico frantumato e umiliato a piè di pagina; reazione alla barbarie filosofeggiante e giudiziaria degli incolti, e ai vaniloqui accademici dei personaggi di autorità, che vanno da una cattedra all'altra a parlare di Dante, o di Petrarca, o di Alfieri, o di Carducci, annegando ogni problema in una acquosa prosa commemorativa, che ricorda le apologie di settecentesca memoria.

Ma questo nostro favore per la terapeutica dei commenti non ci nasconde i pericoli di tale esperienza: la deformazione mentale, direi quasi visiva, che ne può venire a chi si riposa in essi, come in una forma di critica definitiva. Essi, invece, vanno accolti come una fase temporanea della nostra vita mentale, una specie di addestramento preliminare, una propedeutica, un dissodamento e rivolgimento in largo e in profondo della *humus* letteraria, per sapere ripensare poi le linee di un'opera di un artista, con la consapevolezza cauta di chi ne conosce tutti gli anditi più riposti e le sfumature più lievi. L'interprete di poesia deve sapere, a tutti i momenti, tramutarsi in istorico della poesia e della letteratura. Di tanto ci dobbiamo rafforzare in questa esperienza filologica dei testi, di quanto, contemporaneamente, ci radichiamo e ci profondiamo, sempre più persuasi, nelle premesse filosofiche di cui abbisogna una critica letteraria. La filosofia non si rinnega, e il padre Cesari e Basilio Puoti e Vito Fornari sono morti per sempre; non si tratta più o soltanto di quistioni di parole, ma di stile, anzi di personalità, di umanità, e di storia unitaria. Certe degenerazioni estetizzanti dei nostri tempi (e forse nessuno ne è andato immune) non sono che una larvata reincarnazione della vecchia critica del padre Cesari, un ritorno del letterato puro, che scuote da sé, come incomodo, ogni fardello di idee storiche e filosofiche. Già altre volte chi scrive queste pagine ha mostrato di reagire a quell'atomismo e impressionismo estetico, che imperversava, almeno fino a qualche anno fa, nei commenti dei classici destinati alle scuole[1]: atomismo e pedagogismo estetico, per cui si assoggettava la poesia, verso o prosa, a un processo di filtrazione, a un'assidua e sottile revisione. Tutta la cosiddetta critica estetica italiana, una grande distilleria poetica; o, se giova meglio un'immagine più clemente, un gabinetto romito e solitario, in cui si faceva opera raccolta per la misurazione precisa (quasi ossessiva) delle pulsazioni, dei battiti della

---

[1] Si vedano i miei *Problemi di metodo critico*, e particolarmente il capitolo « I classici italiani e gli esperimenti della nuova critica », che è composto di una serie di articoli scritti tra il 1925 e il 1928.

poesia. Quando è risaputo, che le troppe analisi di gabinetto finiscono col fare smarrire spesse volte il senso concreto della vita vivente; cioè, nel caso nostro, fanno smarrire il senso storico della poesia, dell'umanità di un poeta, e dello sviluppo di tutta una letteratura.

Però, per l'amore di questo storicismo integrale abbiamo combattuto in ogni tempo quell'altra rinascente tendenza di un raffinato e dispersivo umanismo (ora degenerato rapidamente in un pretenzioso magicismo evocativo ed esclamativo), che induce a tradurre la parola o l'immagine del poeta in una parola e in un'immagine corrispondente, quasi che il commento debba essere una perpetua parafrasi, come voleva l'antica retorica dei gesuiti, quella che consigliava, secondo le norme del *Candidatus rethoricus*, l'esercizio di ridurre in tre o quattro maniere diverse il « Scendeva da una soglia di uno di quegli usci ». Vezzo umanistico che può dar luogo a un virtuosismo e a sottigliezze verbali, in cui si misuri la finezza e la leggerezza artistica del traduttore, ma che, nel migliore e più inverosimile dei casi, riesce a un ozioso duplicato del testo originale; e opera di critica e di interpretazione vera non si compie con il *Vocabolario dei sinonimi* alla mano. Senza dire dell'impazienza del lettore, che si tedia fatalmente di questa didascalica *locupletatio verborum* (che può essere, se mai, esplicazione viva, parlata, dell'insegnante), desiderando piuttosto un cenno critico, di orientamento, su tutta la frase o il periodo strofico. Del resto di tale tendenza è stato rappresentante isolato il De Robertis, il quale, per altre prove, in questi ultimi anni ha chiarito sempre meglio la sua fisonomia di reazionario della critica, apparentandosi ai metodi grammaticali dell'abate Cesari, dell'abate Zanella, dell'abate Fornari. Critica di abati e non di uomini nuovi, e che ci riporta, con civetterie moderne, alla vecchia critica dei seminari; critica umanistica, ma di un umanismo ancora al di qua della storia, e però di tipo dommatico e agnostico e reazionario[1].

Tale atomismo estetico, procedente da difetto di filosofia, tanto più andava combattuto, in quanto, incolpevole e inconsapevole, favoriva lo stesso il gusto di quell'altro atomismo lirico, proprio di alcuni poeti e verseggiatori contemporanei: atomismo lirico, che va rispettato e riconosciuto per quel tanto che esso vale, ma che non può essere assunto a criterio di gusto e a canone discretivo di tutta la letteratura italiana. Non si giudica la letteratura italiana, diciamolo pure, con la sensibilità attimistica, astorica e dispersiva, educata sulle rare ed ermetiche sillabe della nostra poesia contemporanea; e, nemmeno per polemica, credo che valga la pena di fare un'antologia della lirica italiana, per considerarla soltanto come una umile premessa alle nostre esperienze ultime. L'opera di un artista genera da sé sempre una poetica, che si assume dagli iniziati ed adepti quale norma storica per giudizi letterari; l'opera del D'Annunzio generò tutta un'estetica e un estetismo, che si cercò di far valere per giudicare la letteratura italiana del passato e del presente. E Angelo Conti ne fu il cortese e pio battista ed evangelista. Ma la poesia di oggi non ha ancora trovato il suo nuovo Daniele Glauro.

Quando verrà fuori (se verrà fuori) il vangelista critico della nuova poesia, si sappia fin da ora che noi rispetteremo l'oratore del nuovo gusto poetico, ma non sapremo mai riconoscere in lui uno storico, un critico. Così non fu storico o critico Angelo Conti, ma semplicemente profeta, banditore, oratore del gusto dannunziano; e lo fiutò bene il suo cenobiarca, quando lo ebbe

---

[1] Queste parole io già scrivevo nella *Prefazione* della 1ª edizione del commento alle *Liriche e Tragedie* del MANZONI, Firenze, Vallecchi, 1932. Ora il De Robertis ha cercato di mascherare la sua sensibilità di vecchio seminarista con citazioni da Mallarmé e da Valéry.

a battezzare il dottor mistico della bellezza. Ma noi non siamo mistici, però vogliamo dappertutto storia, storia, storia; e poiché facciamo ufficio di critici, ci piace di educare in noi cotesto gusto obbiettivo e largamente storico della poesia del passato.

6. Descrittiva estetico-psicologica e oratoria del gusto.

Il nostro favore per i commenti e per le analisi critiche non ci nasconde, come si è visto, i limiti, le deformazioni e le angustie visive che possono venire da tal genere di lavori. Ma ora il nostro discorso vorrebbe andare più lontano; poiché certe forme di commento o di analisi critiche rientrano in quella descrittiva psicologico-estetica, che ben si trovano anche in saggi di critica spiegata. La descrittiva psicologico-estetica è particolarmente abbondante e ridondante nella critica musicale e nella critica delle arti figurative, campi in cui ancora non si è arrivati a quella concretezza di pensiero e di giudizio storico, a cui si è arrivati nella critica letteraria (e non per difetto d' ingegno dei critici d'arte, ma perché ogni problematica delle arti particolari ha la sua lenta maturazione, e questa della critica d'arte è stata la più tardiva). Ma, ci si domanda, è legittima cotesta descrittiva estetico-psicologica? e quali sono i suoi limiti? Molta critica così detta estetica non è forse semplice descrittiva, e non vera e propria critica? A queste varie domande possiamo rispondere, affermando innanzi tutto la nativa e fatale necessità della descrittiva estetico-psicologica, la quale potrebbe chiamarsi anche semplicemente impressionismo. Senza impressionismo, non è possibile arrivare alla critica piena, ma bisogna anche aggiungere che l' impressionismo non è la critica, ma è soltanto una prima, vaga, tentatrice, esplorazione della poesia, della pittura, della musica. Parecchie pagine o analisi del Momigliano, del Serra, del Cecchi della *Storia della letteratura inglese*, molte pagine di Roberto Longhi, dei due Venturi, di Matteo Marangoni — (per non dire dei critici musicali, tra i quali il Torrefranca, il Della Corte, che possono essere ricordati vicino a questi nomi che dominano nel campo della critica letteraria o delle arti figurative, sebbene essi siano critici più intellettuali che sensibili), sono una semplice descrittiva psicologico-estetica, la quale può piacere e riuscire suggestiva, ma soltanto per le capacità artistiche, per le qualità di scrittori dei singoli. Sono le loro, pagine suggestive, ma non discriminative e conclusive. L'impressionismo, che poi sotto forme scaltrissime e maliose, è soltanto una specie di impalpabile didascalica, un noviziato sperimentale che il critico tenta intorno all'opera d'arte per venirla saggiando e chiarendo a se stesso, rimane quindi sempre un po' nel limbo, ma non sale alla storia. È una fase necessaria, ma episodica, sulla quale non si può insistere, senza rimanere nel vago e nel dilettantesco; senza che una tale critica non si riveli entomata in difetto. Bisogna andare oltre, e giungere al giudizio critico vero e proprio, alla storia estetica dell'opera d'arte, alla caratteristica, tanto per intenderci, di tipo crociano.

L'impressionismo esplorativo non è dunque la maniera di questo o quel critico, ma è la formazione iniziale, l'esperienza preliminare di ogni critico: un critico che rinunziasse a questa sua iniziale esperienza impressionistica, o a saggi di descrittiva estetico-psicologica, rinunzia a fare della critica. Però la nostra giustificazione, non semplicemente pratica, ma ideale dei commenti, si appoggia su tale eternamente ricorrente necessità dell'impressionismo, che può avere sfogo più adatto nelle note a piè di pagina dei testi classici, o in certe guide illustrative sul modo di guardare un quadro. Chi scaccia da sé l'impressionismo, come una forma malata dell'interpretazione critica, scaccia la possibilità stessa feconda di critica. Senza note e assaggi impressionistici, si va diritto, non alla critica filosofica (che quando è tale è sempre inizialmente impressionistica), ma alla critica logicizzante, astratta, generica, anestetica, in cui tu non senti alcuno odore della poesia giudicata. Non sento spirar l'ambrosia, indizio del suo nume! Da un impressionista puro può nascere, per maturazione di gusto e di pensiero, un critico vero; da un raziocinante, povero di reazione estetica o come si dice di sensibilità, nascono solo dei vuoti ed aridi schemi. Sono i nipoti di don Ferrante che fanno dell'aristotelismo formale, astraendo dalla realtà della poesia. Noi dunque, mentre limitiamo il valore dell'impressionismo, ne esaltiamo l'eterna, ma episodica necessità e la sua iniziale fecondità. Impressionisti vogliamo e dobbiamo esser tutti, salvo a non fermarci su tale descrittiva estetico-psicologica, salvo a non accarezzare queste forme femminili, o giovanili, o crepuscolari, della critica, e rigirarci eternamente in esse. Perché soltanto in tal caso l'impressionismo giunge a una tacita condanna di se stesso: il fastidio che da molti si avverte per la critica estetizzante, è dovuto al fatto che alcuni estetizzanti offrono le impressioni come forme definitive del loro lavorìo d'interpreti, mentre proprio da quel punto comincia l'elaborazione vera e propria del giudizio critico.

E per tale insidiosa illusione, di cui sono vittime alcuni, quelli più poveri di studi e di filosofia, cioè scarsi in ultima analisi di discernimento, si è creato un disagio ed un equivoco nella cultura contemporanea: si accolgono con un'ambigua smorfia di rispetto e non rispetto i loro delicati fregi estetici, che sono in vero utili e belli, quando se ne riconosce la provvisorietà; ma diventano vani e scivolano nel grottesco, se vogliono farsi valere come l'epilogo, la conclusione della critica. E i maligni, gli indifferenti, gli inintelligenti, i filologi puro-sangue accolgono con un ghigno questi loro ricami, che chiamano ragnatele, non drappi tartareschi né turcheschi, ma sottilissimi fili di aracne intessuti nel vuoto; e confondono volentieri in un'eguale condanna l'impressionismo iniziale, che c'è sempre in ogni critico degno del nome, con quell'altro impressionismo fine a se stesso, giostra di scrittori svagati ed atassici, il cui lezioso immaginismo dovrebbe far certi tutti che ci troviamo davanti a vanitosi postillatori, che potenzialmente non sono né critici, né poeti. La spia dello stile in questo caso è decisiva: ché, nel proprio genio e gusto di scrittore, ciascuno, anche se poco filosofo, sa trovare il termine, il freno al suo divagare impressionistico.

Noi non abbiamo avuto difficoltà, si è visto, a chiamare didascalica la descrittiva estetico-psicologica o l'impressionismo: un noviziato esplorativo cioè che il critico compie intorno all'opera d'arte, e per sé, e per i suoi lettori ed ascoltatori. Critica didascalica dunque, e l'aggettivo in questo caso limita fortemente la funzione del sostantivo; lavoro di scuola fatto a piè di pagina di un'opera d'arte, o ai margini di un quadro, e che non va disdegnato per le stesse ragioni per cui non si disdegna la scuola. Dal De Sanctis al Donadoni, abbondano, nella loro opera, delle pagine descrittive di tal genere. Si pensi alle pagine desanctisiane sui personaggi dell'Ariosto, nelle sue lezioni zurighesi, o a quelle su alcuni tipi manzoniani nelle sue lezioni napoletane, o a pagine del Donadoni sui personaggi della *Gerusalemme liberata*, che non possono certamente confondersi con l'impressionismo contemporaneo. Il nostro impressionismo è di afflato dannunziano-pascoliano o generalmente celtico, con prestiti dal linguaggio e dalle esperienze delle arti figurative e di un certo wagnerismo o debussismo musicale. Ma anche quello del De Sanctis e del Donadoni è impressionismo, di diversa origine, di ispirazione romantica, frenato, specialmente nel primo, da un robusto senso storico. Impressionismo o didascalica, lavori nati e accarezzati nella scuola: imparando ed insegnando scolasticamente, noi non ci facciamo scopritori di scienza pura (del resto la scienza pura, come tutte le cose pure, esiste solo nel cielo delle stelle fisse, ambizione degli ingegni sterili e acidi), ma mettiamo noi stessi e gli altri nelle condizioni più propizie per scoprirla. Senza didascalica, non si giunge alla scienza. E d'altra parte, il maestro di scuola che fosse soltanto maestro di scuola, che non fosse già potenzialmente scopritore di scienza, non sarebbe nemmeno un maestro di scuola; ma soltanto un vile pedagogo. Però, come abbiamo concluso che ogni critico è inizialmente un impressionista, così ogni critico è, inizialmente o reticentemente, scrittore didascalico, insegnativo. Anche qua si tratta di non insistere sulla didascalica e di passare oltre, e di sentire la didascalica come un momento fecondo, ma soltanto periodico ed episodico. E allora noi non arrossiremo più dei nostri commenti scolastici, onesta preparazione particolare al saggio critico. In verità didascalici siamo un po' tutti nella nostra vita mentale; e quelli che danno periodico sfogo a tale didascalica o nella scuola, o nei commenti, o in altri scritti minori, possono ammalarsi di pedantismo scoliastico, ma possono anche vaccinarsi felicemente contro lo stesso male.

C'è una vendetta segreta del didascalismo, proprio in quegli scrittori che disdegnano e non riconoscono dignità alla didascalica; essi riescono o confusi, o impasticciati, o amorfi. Ci sia consentito di citare gli esempi classici di scrittori-critici come De Sanctis e Croce, entrambi scrittori spesso molto felici e rapidissimi, ma anche scrittori didascalici. La didascalica per il Croce, filosofo della distinzione e dell'unità, non può non essere immanente a ogni forma di attività spirituale, quindi anche a quella dell'attività scientifica del critico; ma il Croce, è noto, nella polemica, volentieri batte contro professori ed esercitazioni di scuola. È naturale che in tal caso la sua polemica va contro il tono indiscreto della didascalica, così come, tutti, in un'ora del giorno almeno, siamo insofferenti dell' indiscrezione dell' impressionista puro. È quistione di gusto e di limite. Ma tra la prosa del De Sanctis e la prosa del Croce, quella che è più intimamente didascalica è la prosa del secondo. Una ragione di ciò può essere la maggiore complessità del pensiero crociano, che, per la sua più larga cerchia d' interessi ha avuto bisogno di essere ben sistemato ed ordinato con più scrupoloso rigore: a una maggiore scientificità di pensiero corrisponde una didascalica più profonda. L'opera scientifica del De Sanctis, eccezione fatta per le sue lezioni raccolte, procede rapida, senza indugi discorsivi, lampeggiante, sintetica. Il maestro di scuola si è come liberato dalla scuola. Mentre l'opera del Croce, specialmente nella fase giovanile, dell'espositore della *Filosofia dello spirito*, e della *Letteratura della nuova Italia*, piega volentieri ad un tono più didascalico, ciò che costituisce l'arte, l'equalità di stile della pagina dello scrittore, e non è la ragione ultima del successo rapidissimo e tenace delle sue esposizioni. La didascalica, insomma, per noi è la parte insopprimibile dello scrittore-maestro. E alla scuola un po' tutti si rende omaggio, anche quelli che non vogliono essere professori; e ha ragione il volgo a chiamarci tutti professori!

Valgano questi nostri chiarimenti, per rendere giustizia all' impressionismo e alla didascalica, e per esorcizzare al tempo stesso la mediocre tentazione propria dei critici dimidiati, che nell' impressionismo più o meno felice, o nella didascalica più o meno proba e puntuale, credono di avere esaurito tutto il compito della critica. Ma c' è ancora da fare un rilievo su quella che io vorrei chiamare l'oratoria del gusto. Tutti d'accordo oramai che la critica non può riprodurre in alcun modo la poesia, e che, a entrare in gara con la poesia, non soltanto c' è da cadere nel ridicolo, ma si finirebbe col dar ragione ai grossi che vedono nella critica un'attività ancillare dell'arte: la critica ancella della poesia. Si gareggia con la poesia, così come le domestiche si straziano talvolta nei vestiti e nelle mode delle padrone. Il critico che vuol poeteggiare sulla poesia ha qualcosa di lascivo: cui poter falla e desiderio avanza. Ma, negata questa funzione imitativa della critica, dobbiamo pur riconoscere che, al di là del giudizio strettamente critico e mescolato con esso, c' è anche quella prosa eloquente, che non è né pensiero né poesia, ma pur si serve di pensiero e di poesia, per eccitare, preparare, esaltare il lettore all' intelligenza e al godimento della poesia presa in esame. Sarebbe superfluo ricordare che la critica del De Sanctis, mentre appaga l'esigenza teorizzata nei nostri tempi dal Croce che bisogna sempre dare una caratteristica centrale di un'opera d'arte, dare il giudizio, per dir così, filosofico, strettamente logico, su di essa, schietto di vane fronde, tale critica desanctisiana si abbandona poi a un'acclamazione eloquente, o a una ricostruzione sentimentale o a una descrizione letteraria della sollevazione interna del nostro animo davanti ad un'opera di poesia. Si dice dai puritani della filosofia: cotesta è retorica romantica; si dice dagli incorreggibili ambiziosi, e pervertiti nel gusto e nell' impotente desiderio della poesia, che quelle pagine sono la poesia del critico, e che il De Sanctis è un poeta, oltre che critico, mentre gli altri non lo sono. Poeta come è poeta Carducci in certi suoi bozzetti e discorsi, o come cominciava ad esserlo Renato Serra in certe sue pagine effusive su Pascoli e su la Romagna, su Paul Fort e su un brumoso cielo mattinale. Ma, a dire il vero, come non si tratta di retorica, così in quei casi non si tratta di poesia; ma precisamente di oratoria del gusto, in cui il critico, ricomponendo gli elementi poetici che si muovono nella sua fantasia insieme con gli elementi del suo giudicare filosofico, eccita se stesso e il lettore, per suscitare un'atmosfera propizia, per determinare un'assonanza spirituale, accarezzare il raccoglimento dell'animo, recitare una specie di *introibo ad altare Dei*, un introibo alla poesia di un poeta e al rafforzamento della interpretazione critica agitata o che sta per essere agitata intorno ad essa.

Per esemplificare, sia pure alla lesta, ricorderò una pagina del De Sanctis su Farinata, quando il critico si domanda: Cosa dunque c'era nell'anima di Dante quando gli si presentò quell'immagine? Quali sentimenti, quali opinioni operavano in lui e gli accendevano la fantasia? E qui il critico trascorre ad abbozzare quello che è lo stato d'animo di una generazione che passa e lo stato d'animo di una generazione che sorge, e della curiosità fantastica che i sopravvenienti cominciano ad avere per gli uomini tramontati da poco: « La Rivoluzione francese è giunta al nostro orecchio prima ancora che l'avessimo letta nelle storie; e Robespierre e i giacobini ne' racconti fattici da' padri nostri ci son parsi qualcosa di simile a que' paurosi mostri di cui le nutrici popolano la nostra immaginazione puerile, e le avventure di Napoleone ci sono parse una pagina di *Mille e una notte* ». Tale lo stato d'animo di Dante: « I tempi di Dante furono preceduti da un'epoca simile illustrata dal trionfo e poi dalla caduta di parte ghibellina, e da alcuni grandi uomini chiari per valore e per consiglio, Farinata, Cavalcante Cavalcanti, Jacopo Rusticucci, il Tegghiaio e altri. L'impressione che questi grandi nomi, vivi ancora nella tradizione, produssero sopra Dante, si scorge fin da' primordi del suo poema ». Questa pagina desanctisiana, citata per sommi capi, non è né critica, né poetica, ma introduzione oratoria alla poesia di Dante, atta a rimescolare l'immaginazione del lettore, a spoltrirlo, a sollevarlo in una regione prossima alla poesia o meglio allo stato d'animo della *Commedia* e di quel particolare episodio. Queste parti oratorie sono frequenti nella critica del maestro napoletano (segnalo ancora ciò che egli scrive sulla poesia della donna nel saggio su Francesca), e non sono tali da essere respinte o accolte e tollerate con disdegnoso gusto. Sappiamo, per esperienza, come esse siano state persuasive ed eccitanti per noi tutti per avvicinarci al cuore della poesia dantesca. Altri esempi io potrei togliere dalla critica carducciana, dai discorsi sullo *Svolgimento della letteratura nazionale*, *Per l'inaugurazione di un monumento a Virgilio in Pietole, Su L'opera di Dante, Presso la tomba di F. Petrarca.* Basterà solo dire che l'oratoria del Carducci è di tipo diverso, di afflato paesistico, o di afflato storico-fantastico; oratoria sempre, ma non poesia, come si è stati tratti qualche volta a concludere.

L'asciuttezza di stile, talvolta matematica, della critica a noi contemporanea, può oggi renderci perplessi giudici sul buon gusto e sulla necessità di quella oratoria desanctisiana o carducciana. Ma tutte le volte bisognerebbe puntualmente distinguere, e non prendere abbaglio sul nostro disagio: per esempio, per certa sintassi romantica del De Sanctis, in cui c'è sviluppo metaforico di pensiero, più che sviluppo di pensiero stesso, accavallamento di immagini di dubbia ricchezza ed eleganza, e un accaloramento meramente verbale del discorso, una *locupletatio verborum* propria del parlatore facondo ed abbandonato. Cose tutte queste che ormai, senza scrupolo e senza irriverenza, ci lasciano freddi e distanti. Non bisogna però, ripeto, prendere abbaglio su tale disagio particolare, per quell'abuso che lo scrittore fa di qualche sua virtù come scrittore, e farlo valere come disagio generale per tutte le parti oratorie della critica del De Sanctis; le quali possono essere felici o meno felici, così come può essere felice o meno felice la poesia di un poeta, senza che ciò infirmi la sua genesi nativa e necessaria. La infelicità della poesia mancata non ci porta ad escludere o a condannare la poesia in se stessa, così come il rammarico per certe forme infelici di oratoria è già riconoscimento della funzione ideale dell'oratoria stessa. Altrimenti, anche per uno scrittore nutritissimo, contratto e sugoso, come il Machiavelli, dovremmo restar perplessi, se approvare o no, dopo le sue analisi rigorosamente scientifiche, l'oratoria del XXVI capitolo del *Principe*.

Questo discorso vuole condurre al riconoscimento di una distinzione storica nell'interno della critica (impressionismo, giudizio critico, oratoria del gusto), e alla valutazione positiva di queste parti oratorie nella loro idealità platonica, intendendole come effusione del critico, come la sua umanità, la sua prassi di uomo poetico e pensante, il suo respiro morale, la diaspora, la disseminazione apostolica del suo interno sentire. Si capisce che l'oratoria può anche rappresentare la debolezza di un critico (di un critico alla De Sanctis, ma ancora più di un critico alla Carducci, filosoficamente poco addestrato), ma anche qui è quistione di misura, di discrezione, di consapevolezza dei limiti dell'oratoria. Ma come tutti siamo inizialmente impressionisti, così tutti, in maniera più o meno reticente e espressiva, siamo oratori di un determinato gusto. Ciò che risalterà più chiaro, se si pensa in particolar modo alla critica militante, la quale difficilmente o raramente giunge alla visione, per dir così, tridimensionale dell'opera d'arte, cioè alla critica che è prospettiva storica; poiché il critico militante, anche il più avveduto e il più cauto, col gusto salomonico del giusto mezzo, in cui c'è sempre lo sforzo di una visione a distanza (pensate al nostro più concludente critico militante, al Pancrazi), esplorando la poesia che è in sul nascere, o che ancora non ha credito, è tratto ad accentuare le postille dei suoi giudizi: una critica la sua che non vuole soltanto giudicare, ma anche persuadere a un determinato e nuovissimo e ancor vagante gusto. Ciò che ci fa giustificare e al tempo stesso limitare il valore della critica di un Capuana, il quale non è quel gran narratore che lo Scarfoglio voleva, ma nemmeno quel critico che tutti eravamo disposti a vedere in lui; o almeno si riconosce che il Capuana è un critico spigliato, acuto, commosso, ma in quanto egli è anche un oratore, l'oratore del gusto veristico. E analoghe osservazioni si potrebbero fare per Scarfoglio e Martini; per non dire del più su ricordato Angelo Conti, in cui l'oratoria del gusto dannunziano è stato così assorbente da rendere debole, innocente, semplicemente documentaria la sua critica. L'oratore in quel caso, quando non sia assistito da vigile e scaltro senso critico, si riduce ad essere un semplice vangelista, o se piace meglio, il battista di una moda d'arte nascente o trionfante. Ciò che ci porta, non per un gusto sterile della polemica, a diffidare delle rabdomanzie critiche dei vari Gargiulo a proposito del loro gusto quasi esclusivo della poesia ermetica o calligrafica.

Ma noi si voleva concludere col dire: poiché tutti siamo convinti dell'utilità e della necessità della critica militante, implicitamente siamo convinti, anche senza consapevolezza riflessa, del valore e del significato positivo dell'oratoria del gusto, come una fase eternamente ricorrente in ogni forma di critica, anche la più classica e la più controllata. E là dove essa manca, o meglio dove è mortificata e ha poco fiato (perché in nessuna critica degna del nome manca l'oratoria), noi sentiamo qualcosa di secco, di intellettualistico, di sillogistico, che ci lascia come delusi e un po' aridi, e distratti dalla poesia giudicata. Sentiamo il difetto o la debolezza dell'oratoria come un mancamento stesso di respiro e di umanità, così come sentiamo un difetto di umanità nel poeta che voglia essere soltanto poeta, perché il poeta, come Dante o come Manzoni, è sempre un lirico che nasce sul pensatore, e che si fa volentieri, a un certo momento, oratore dei propri fantasmi poetici e speculativi. Non esiste il poeta puro, se non come una forma inferiore e limitata di incarnazione poetica; così come non esiste il critico puro, rigido e casto distillatore di giudizi scientifici, senza che in lui non succeda impetuosamente al filosofo giudicante anche l'oratore umano che esorta all' intelligenza e al gusto della poesia.

V

LA CRITICA LETTERARIA DEL CROCE E IL NOSTRO STORICISMO

1. Gli incunaboli della critica crociana.

Un po' tutti abbiamo dimenticato che il primo saggio di critica letteraria del Croce risale al 1887, quando l'autore aveva passato di poco i vent'anni, e quando solo da quattro anni era morto Francesco de Sanctis. La tradizione dell'altro grande critico trovava già l'anello per una nuova catena. Quello scritto del critico ventunenne riguardava Gaspara Stampa, e il Croce, valendosi delle ricerche allora pubblicate da un erudito napoletano (il Borzelli), trasceglieva le migliori rime del canzoniere della poetessa, e lo veniva giudicando soltanto come il giornale intimo della sua vita, pregiando molto la sincerità della effusione ma non altrettanto la sincerità artistica dell'espressione, presa in prestito dal frasario petrarchesco del tempo. « Il sentimento non abbiamo ragione di credere che non fosse sincero: ma spesso la forma non è sincera; pensiero e parola non andavano d'accordo, e questo sovente annebbiava quello »[1].

---

[1] In *Rassegna degli interessi femminili* di Roma, I, 1887, fascicoli 2 e 3. Vediamo qualche pagina riprodotta in *Pagine sparse*, Napoli, Ricciardi, 1919, serie prima, p. 11.

Tali parole erano scritte in una rivista che voleva essere la rassegna degli interessi femminili; e poteva parere una scortesia questa del giovanissimo critico, che negava valore di poesia proprio in quella sede, al canzoniere di una donna in ogni tempo romanticamente celebrata ed esaltata. Ma invero il Croce rendeva omaggio alla gentilezza appassionata della Stampa, ed anzi se ne mostrava umanamente assai rispettoso: di un rispetto non formale, non convenzionale, ma animato da una segreta riserva storica, che è stata presente poi in tutto il suo posteriore atteggiamento mentale. La letteratura femminile, in momenti di saturazione o di stanchezza letteraria (che poi sono gli aspetti di un unico medesimo fenomeno), può rappresentare una forma di rinverginamento umano di una civiltà letteraria, qualche cosa di più semplificato, di più vibrato, trasfuso ormai come gusto e istinto naturale; ciò che spiega l'indulgenza umana che il Croce ha avuto fino ai nostri giorni per talune scrittrici, che però si è accompagnata al tempo stesso con un concetto sempre più severo della poesia. Di fatti anche in quel saggio sulla Stampa, mentre egli dava rilievo alla gentilezza e appassionatezza della rimatrice (fino al punto di farsene divulgatore), inaugurava pur decisamente la sua pedagogia polemica contro l'arte che è mera confessione, pura effusione di sentimenti, contro ogni forma di muliebrismo espansivo che volesse passare per poesia. « Non basta sentire: sentire è nulla, se la mano non ubbidisce all'intelletto. In Gaspara la rappresentazione di se stessa resta spesso al grado di volontà, di pura intenzione... Gaspara aveva le lacrime, ma non sempre la magica facoltà della trasformazione in perle ».

Si legga il primo capitolo della *Poesia* (1936), su *Poesia e letteratura*, là dove si discorre dell'espressione sentimentale o immediata, e della espressione oratoria, o della letteraria, tutte rigorosamente distinte dall'espressione poetica, e con curiosità si scorgeranno in quel lontano paragrafo sulla Stampa i lontanissimi germi di questo atteggiamento teorico-estetico del nostro critico.

Poiché bisogna convenire che nell'infanzia della nostra mente, è descritto, a linee misteriose prima e a lettere sempre più chiare dopo, tutto quello che sarà il successivo destino, la logica storica della nostra vita mentale. O, per allontanare ogni equivoco deterministico o magico o astrologico da questo nostro discorso, bisognerà convenire che le grandi personalità, o poeti o filosofi o uomini di azione, non hanno nulla di incerto, di contraddittorio, di dispersivo nel loro nascere alla vita della mente, ma già partono con una vocazione determinata, inconsapevoli e consapevoli di una meta, quasi termine fisso di un assai mondano, ma pur esso eterno, consiglio; e i temperamenti dispersivi, bramosi ma inconcludenti, gli ingegni troppo facili e versatili e senza un interesse di centro, i troppo irrequieti e fantasiosi cercatori di strade nuove, nella loro apparente ricchezza, per ciò stesso dimostrano una loro fiacchezza iniziale, che resta il peccato originale, il crisma perpetuo di tutta l'opera successiva. In quel paragrafo critico il Croce è già in forma germinale il teorico della poesia come arte, esercizio di stile, tirocinio, dell'*ars dicendi* dei dittatori e dei dicitori medievali, ciò che doveva passare a essere l'insegnamento più resistente della poetica umanistica del Rinascimento, ma che la pratica di alcuni romantici aveva cercato di dissipare, appellandosi alle interiezioni del sentimento e ai gridi della passione. Il Croce usciva per l'appunto da questa recente esperienza romantica, la cui suggestione non aveva però avuto presa sul suo spirito e sul suo gusto. Presentiamo già il critico della *Filosofia della pratica* e dei *Frammenti di etica*, che batterà contro le intenzioni che non siano azioni, contro le velleità che non sono volontà, contro la sincerità sentimentale che non è originalità espressiva.

Quest'ultimo punto doveva egli rielaborare venti anni dopo, discorrendo dei versi di un'altra donna, della contemporanea Ada Negri, acclamata scrittrice umanitaria, socialisteggiante ed erotico-sessuale, quando il critico riconosceva col volgo che essa ci fa « sentire i problemi della tormentata vita moderna ». Ma egli bruscamente passava a restringere poi il valore di tale concessione critica: poesia antiletteraria, materiata di vita reale, sommamente sincera, quel che volete, « ma è bene mettere in guardia ancora una volta sugli equivoci di questo concetto della sincerità dell'arte. Anche gli scrittori più frigidi e letterari muovono di solito da sentimenti realmente provati; anche i petrarchisti, i proverbiali petrarchisti, erano quasi sempre (come sa chi per loro spende la vita nelle biblioteche e negli archivi) innamorati di qualche donna di carne ed ossa... Ad essi non mancava la sincerità reale, o iniziale che voglia chiamarsi... Ciò che mancava a quegli scrittori era, invece, la sincerità artistica: la quale poi non ha bisogno di lunghe definizioni perché fa tutt'uno con l'arte stessa ».

I due scritti del critico ventenne e del critico quarantenne si corrispondono nei termini; e del resto il Croce, riscrivendo della Stampa nel 1910 e poi nel 1913 doveva ribadire il suo antico giudizio, sia pure atteggiandolo con tutte le sfumature della maturità, e doveva riprenderlo ancora nel 1929 nel capitolo sulla *Lirica del Cinquecento*, dove il canzoniere della Stampa era sempre definito « un epistolario o un diario d'amore » [1]. Ma giunta notevole e testimonianza del nuovo fermento teorico del filosofo che si preparava a distinguere tra poesia e letteratura, egli nell'ultimo e definitivo saggio acclamava all'efficacia

---

[1] *Poesia popolare e poesia d'arte*, pp. 367-68.

letteraria delle confessioni della Stampa, poiché un libro simile non « sarebbe mai potuto nascere senza che il petrarchismo avesse ridato dignità al verseggiare italiano, ed educato il senso dell'armonia ».

In quegli stessi anni giovanili, il Croce volgeva lo sguardo alle letterature europee. Nel 1892 gliene dava occasione un dramma, tradotto in italiano, di Anna Carlotta Leffler, novellatrice e drammaturga svedese, seguace dello Ibsen. Ci colpisce in quello scritto la viva simpatia per la nuova arte-problema del grande scrittore norvegese, pur nel circondare di molte cautele teoriche quella formula pericolosa. Ma per la letteratura contemporanea è sempre buon segno quell'aderire appassionato alla mitologia di una nuova nascente e ancor discussa poesia, se poi si vuol corre a segnarne i limiti, quando quella mitologia si è come riposata nella mente e nel pensiero discriminante. Così solo nel 1913 il Croce, tornando a scrivere della Leffler, doveva reagire con accento più decisamente etico contro le formule che troppo campeggiano nell'arte di Ibsen e dei suoi seguaci, quando quei miti indebitamente tentano di trapassare dal mondo della poesia nei termini della vita quotidiana, grazie a quell'oratoria che si sprigiona sempre da un'opera d'arte, facendosene segreta o manifesta accompagnatrice [1]. Ma nel saggio sull' Ibsen del 1921 il critico doveva dare una giustificazione riflessa di quella formula equivoca dell'arte-problema, che era problema soltanto nell'apparenza, e riconoscerne la genuina sostanza lirica. È vero che « l' Ibsen tende qua e là a proporsi problemi; ma sono appunto quella sorta di problemi che, come insegna la Storia dell'Etica, non sono stati risoluti mai, e che la Logica chiarisce insolubili: i problemi della casistica ». « E, d'altra parte, come si può chiamare problemi, pro-

---

[1] Cfr. *Conversazioni critiche*, II, p. 349.

blemi mentali, ciò che è così perpetuamente, burrascosamente scompigliato?» Contro i critici europei, inglesi e scandinavi che discettavano di una materia ibseniana ancipite e suscettibile di un duplice risultato espressivo, tale da potersi effondere indifferentemente in un dramma o in un trattato critico, il Croce rivendicava l'originale afflato lirico di quei cosiddetti problemi, ricordando che essi «non diventarono mai trattati critici» e che l'Ibsen non ha scritto mai una pagina di prosa dottrinale «e invece diventarono sempre drammi, perché drammi erano sin dall'origine, nella loro cellula primordiale, e profondamente ed unicamente drammatica l'anima del poeta».

Ma a noi, in questo momento, non importa segnare la singolare coincidenza tra il pensiero del critico esordiente e quello del critico maturo e lo sviluppo rettilineo della sua mente (ciò che per altro è segno di profonda vocazione critica e di robustezza mentale), quanto rilevare la sua aperta sensibilità per le espressioni dell'ultima arte europea, in un momento in cui in Italia tornavano ad affiorare gli interessi per le letterature straniere, dopo la lunga dittatura nazionalistica del Carducci che aveva ristretto un po' troppo, almeno in un periodo della sua vita, il giro dell'orizzonte alla quasi esclusiva nostra letteratura nazionale e, tutt'al più, a quella finitima di Francia. È proprio vero che europei si nasce e non si diventa, e non europeo fu il Carducci nella sua cultura e nei suoi interessi; ed europeo fu invece il Croce, ancor giovanissimo, mentre si preparava a succedere nell'insegnamento critico a quel maestro-poeta. Il Croce europeo di questi ultimi quarant'anni della sua attività dunque era già nato tale nelle primissime prove della giovinezza.

Significativo a questo proposito un articolo del 1902, sul *Faust* del Goethe, liberamente rifatto e contaminato con quello del Marlowe dallo scrittore napoletano Mario Giobbe. Siamo già a dieci anni dopo, al tempo in cui il

Croce aveva abbozzato l'*Estetica* e si era allineato tra i grandi studiosi del pensiero europeo. Questo suo attaccamento al *Faust* goethiano prelude al saggio dedicato al poeta tedesco nel 1917, preparato a sollievo dei crucci di quell'altra guerra europea, ma in verità anche per riprendere e legarsi a un suo amore giovanile. Il *Faust* era per il Croce la sua divina commedia di uomo moderno. A proposito della formula dell' Imbriani che aveva definito il *Faust* un capolavoro sbagliato, il Croce osservava che quella era « una denominazione pregna di verità » ; ma il torto dell'Imbriani « fu... di battere in modo unilaterale e sofistico sulla parola *sbagliato*: laddove bisognava battere anche, e con ben altra forza, su quella di *capolavoro* ». E fin d'allora egli, con decisa sicurezza, insisteva sulla composizione a strati del *Faust*, considerandolo « non come un'opera di getto, ma come un taccuino o un albo, nel quale il poeta scrisse durante tutta la sua vita, seguendo le impressioni varie e i vari sistemi d' idee dominanti... scrivendo ora con la mano rapida ed inspirata del giovane, ora con quella calma e ferma dell'artista maturo, ora con la esperta ma meno vigorosa del vecchio »[1].

Interesse per la letteratura italiana classica, particolarmente cinquecentesca, attraverso lo studio del canzoniere della Stampa; interesse per le letterature europee, particolarmente nordiche e germaniche, attraverso lo studio e i dibattiti su Ibsen e su Goethe, ma interesse anche per la letteratura contemporanea senza pregiudizi aulici di gusto. Proprio del 1899 è un cenno alla poesia di Salvatore di Giacomo: in quell'anno il Croce scriveva una prefazione a un volume di *Memorie napoletane* del bozzettista veristico Amilcare Lauria, e discutendo col

---

[1] *Pagine sparse*, I, p. 33.

suo stesso autore tutto rifugiato in un amore un po' municipale del passato osservava:

> Io conosco oggi poesie dialettali, deliziose, fini di sentimento, ardenti di passione, plastiche, pittoresche; e non so se l'artista di esse Salvatore di Giacomo, sarebbe potuto sorgere cinquant'anni or sono, al tempo della bonarietà e ingenuità artistiche partenopee. Odo ripeter che questa non è più « la vera canzone napoletana », che vi appaiono influssi stranieri e raffinatezze moderne. Ma non riesco a intendere che cosa voglia dire siffatta sorta di critica: per me, quelle sono cose che mi rapiscono e che hanno per ciò piena giustificazione in loro stesse.

E in quello stesso anno recensendo l'erudita *Storia della prostituzione in Napoli* del Di Giacomo coglieva il carattere più veritiero di quella curiosa erudizione del poeta napoletano, come essa stessa fosse « un sogno d'arte », e osservando che « il lato pittorico è ciò che l'attira sempre, in tutto il corso dell'opera ». E la tesi della poesia pittorica o poesia-pittura del Di Giacomo, il quale ebbe familiarità con i pittori napoletani del tempo più che con i letterati stessi, doveva aver corso nel saggio del 1903 in cui il Croce consacrava il poeta dialettale a fama nazionale ed europea, e ancora più esplicitamente nella prefazione del 1915 alle *Novelle napolitane* edite da una casa milanese.

Ma cotesti sono finora assaggi critici di singoli autori, e deformerebbe la natura critica del Croce chi non scorgesse subito al fondo di queste sue esperienze la pianta del teorico e dell'estetico. La critica letteraria del Croce è stata incentrata in ogni tempo in un sistema d'estetica: gli interessi critici in lui sono rampollati al piè degli interessi teorici. Non c'è da aspettare le *Tesi d'estetica* del 1900 né l'*Estetica* del 1903, come di solito si fa, per segnare il nascimento del Croce teorico dei problemi letterari, ché la sua irruzione come critico è innanzi tutto irruzione di teorico dell'estetica, e questa avvenne nel

1893 con un libello polemico sulla *Critica letteraria*, che commosse e scompigliò il bonario mondo degli studiosi napoletani e italiani. Filologi e letterati si comportavano in quel tempo a mo' di positivisti ed evoluzionisti della storia letteraria, e il Croce, che viveva nella loro compagnia e aveva profondamente assimilato lo spirito storicistico che circolava negli scritti del De Sanctis, si rivolse contro di loro, rimproverandoli di trascurare la logica della loro disciplina, ed egli, in sui venticinque anni o poco più, già elaborava tutta una teoria della critica letteraria e parlava di una logica della fantasia o Estetica. Protestava in quel libello contro la critica sintetica, materialmente intesa alla maniera dei positivisti, dicendo che i critici che mettevano insieme la biografia degli autori, la bibliografia e la critica dei testi, la storia delle fonti e della fortuna delle opere, non facevano critica sintetica, perché, se mai, quella era « una sintesi fatta dallo stampatore ». Protestava contro la critica delle fonti perché cotesto era un semplice contributo allo studio della genesi di un'opera, e spesse volte soltanto della materia, del contenuto di quell'opera. Limitava energicamente la « critica dei paralleli », vanto e blasone allora di un maestro dell'università napoletana, Bonaventura Zumbini, scolaro e presunto superatore del De Sanctis, mettendo in rilievo come tale critica dei paralleli fosse soltanto un espediente didascalico di esposizione. S' impigliava in alcune distinzioni di tipo positivistico sui vari momenti della critica, che oggi non è più necessario ricordare, e che restano traccia di una persistente influenza dell' herbartismo sulla mente del Croce nella sua prima giovinezza. Del resto egli per un pezzo amò dare ai suoi scritti una rigorosa e leale armatura scolastica, che si svela anche nelle forme stilistiche dell'esposizione, come una forma di autodidatticismo: soltanto dalla *Teoria e storia della storiografia*, scritta dopo i tre volumi della

Filosofia dello Spirito, fatto più sicuro e consapevole dell'agilità e della versatilità del suo pensiero e ancora della consonanza ormai avviata con i suoi lettori, l'autore si decide a liberarsi stilisticamente da forme scientifiche un po' scolastiche di esposizione, utili per la chiarezza sistematica ma impacciose come arte. Niente schemi, niente paragrafi sinottici e distinzioni cautelose fino alla pedanteria di quelle che numerose troviamo negli scritti raccolti nei *Problemi di estetica* (1910), ma discorso fluente, in ogni parola, nel quale si riflette tutto un organico sistema di pensiero, a cui solo discretamente si accenna.

Il Croce, si sa, non è stato mai insegnante in alcuna università, ma egli ha pagato il suo tributo al didascalismo in questo primo ventennio della sua attività, dal '90 al '910; poiché didascalici un po' tutti vogliamo essere, non per superbia, ma per umiltà, se quell' insegnare agli altri è innanzi tutto un volere insegnare a noi stessi. Ma in questo saggio giovanile sulla *Critica letteraria*, accanto a questa cautelosa disposizione didascalica, quale impeto e brio e appassionatezza di giudizi, in ogni pagina e rigo e parola! Si ha l' impressione del risveglio di un forte inebriato, che riacquista tutta la vigilanza dei sensi e proceda con vigoroso anelito in mezzo a un mondo scientifico un po' letargico pur nella sua laboriosa mediocrità; e si comunica allo stesso lettore l'allegria spirituale di questa forza giovanile irrompente nel mondo, e si rivive in quel mondo onesto ma grigio della scienza dell'ultimo decennio dell' Italia umbertina. Colpisce la forma rapidamente aforistica che, nelle pagine di un venticinquenne, denota una quasi anormale maturità di pensiero. L' Estetica ha già chiaro il suo ufficio di «determinare le categorie generali, nelle quali l'una e l'altra arte rientrano, prescindendo dall' individualità, dal proprio e caratteristico di ciascuna»; essa non può sillogizzare sui particolari di opere d'arte, se non ai «fini di esemplificazione o in via di digressione». Il filologo, editore di testi, è come un «restauratore di dipinti, statue ed architetture», e si rende giustizia all'opera sua (proprio dal Croce che i falsi e gretti filologi dovevano predicare spregiatore della filologia), perché «talvolta la edizione di un testo rappresenta spesa di forza intellettuale molto superiore a quella che costano opere di maggiore fulgidezza». E se solo recentemente il Croce ha insistito sulla constatazione storica che la poesia e i poeti sono rari, fin da allora già insisteva sul fatto che gli intenditori e i lettori di poesia non sono frequenti. Non «si creda che *contemplar bene e legger bene, saper vedere e saper apprendere* siano cose da nulla: i contemplatori felici, i lettori non superficiali e distratti, gli animi esteticamente disposti, sono più rari che non si creda». Ma si affrettava subito a combattere qualsiasi illuso epicureismo musicale (rispondendo in anticipo di cinquanta anni ai lettori di poesia pascoleggianti o debussiani dei nostri tempi), che la lettura attenta di poesia è ancora un fatto privato, che quella ancora non è la critica, ma soltanto «la base di ogni ulteriore e critico lavoro». E approvava il Sainte-Beuve che voleva restringere l'ufficio della critica a «insegnare a leggere», una lettura che non restava tacita e evasiva, sulle soglie dell'opera letteraria, ma faceva «vedere quel che propriamente è, nei caratteri essenziali, un'opera letteraria». Sulla assolutezza del giudizio letterario poi, contro ogni triviale relativismo e individualismo del gusto, egli immaginosamente scolpiva la sentenza che «lo spirito individuale è semplicemente la *scena* di quel giudizio; e, rispetto ad esso, l'individuo in quanto individuo è del tutto passivo. In altri termini, l'atto estetico si può parificare all'atto logico che si svolge nell'individuo, ma non è formato dall'individuo in quanto tale».

Ancora: la divisione tra la critica estetica e la critica storica era riportata alle sue lontane origini filosofiche, come « sopravvivenza o l'eco affievolita del contrasto che riempì la prima metà del secolo decimonono tra la filosofia idealistica e la realistica, tra Hegel e Herbart, o come altri si designino gli opposti campioni ». E fin da quel lontano 1893, si dava battaglia alla storia dei generi letterari, giudicati fin da allora « classificazioni più o meno arbitrarie », « denominazioni e aggruppamenti alla buona tanto per intendersi e senza valore scientifico ».

Queste discussioni teoriche o sparsi giudizi letterari, per quanto incastrati in uno schema dottrinario, derivavano la loro vivezza, non soltanto dalla nativa vivacità speculativa dello scrittore, ma dal fatto sottinteso che esse volevano essere la trascrizione in termini teorici di note critiche in concreto sulla personalità di un grande maestro e storico della letteratura italiana: il De Sanctis. Cotesto gusto concreto della storia delle « personalità » è stato sempre radicato nel Croce: quando si dice di lui che, come critico letterario, egli nasce innanzi tutto come teorico, si afferma cosa che può prestarsi a un'interpretazione equivoca, come volesse essere una limitazione polemica della sua capacità di critico in atto. Niente di più falso. La forma teoretica dottrinaria era una forma di disciplina scientifica e direi di galateo polemico, in un momento di trionfante positivisteria erudita e in cui l'insegnamento del De Sanctis poteva essere ripreso non con una acclamazione oratoria ai suoi meriti, ma solo filtrando la ricchezza storica del suo pensiero attraverso espliciti teoremi. L'impalcatura teorica era una specie di celata scientifica, in cui il novizio nascondeva il suo *animus* polemico *ad personas*. Ciò che naturalmente non era volgare astuzia di schermitore, ma superiore gusto scientifico.

Batteva allora il Croce contro lo Zumbini che, per

certe tendenze ed atteggiamenti, era il meno lontano dal De Sanctis, e per questa relativa vicinanza scopriva più evidenti ai suoi occhi « il regresso e l'impoverimento accaduto nella generazione di critici e storici, seguita a quella del Risorgimento ». Ma bisogna riconoscere che la polemica per quanto fosse implacabile, assumeva, come quasi sempre ha assunto la polemica crociana in un cinquantennio e più della sua espansione, anche se talvolta acre, sempre una rigorosa veste teorica, per un intimo omaggio alla obbiettività della scienza. La guerra alle persone saliva a essere guerra delle idee.

Da quel periodo il Croce si fa difensore, restauratore ed editore di tutta l'opera desanctisiana; nel 1897-98 stampa *La letteratura italiana del sec. XIX* e i due volumi degli *Scritti vari inediti o rari*. Del 1898 è lo scritto *Francesco de Sanctis e i suoi critici recenti*, che egli lesse il 3 aprile di quell'anno all'Accademia Pontaniana di Napoli. Egli batteva in breccia contro il pregiudizio dei puri eruditi, che accusavano il De Sanctis di essere uno storico in generale, storico dei fatti generali, e non dei fatti particolari; contro il pregiudizio letterario dei grammatici e filologi puri, i quali disconoscevano il legame che congiunge la letteratura alla vita, e non intendevano bene la natura propria di quel legame; contro i critici estetici, tipo Carducci, che riversavano l'interesse dalla forma sul contenuto, e volevano, mettiamo, che la canzone *All'Italia* di Giacomo Leopardi fosse giudicata anche per la sua generosa ispirazione civile-patriottica. Contro l'eruditismo miope ed estrinseco, contro la pura grammatica o letteratura pura (travestimento anche questo di un gusto meramente grammaticale dell'arte e della poesia), contro ogni forma di aberrante contenutismo estetico, il Croce iniziava la sua crociata a dissolvere l'imperante storiografia positivistica, nutrita spesse volte di succhi stantii e di indiscriminati principii romantici; e per un ventennio cotesto doveva essere l'ufficio militante della sua critica, dopo di che sarebbe passato al lavoro più costruttivo e di natura più eterna di autore della *Storia d' Europa* e dei saggi di *Poesia e non poesia*.

2. La critica militante del Croce.

Gaspara Stampa e la letteratura del '500, Ibsen, Goethe, Di Giacomo, rappresentano gli interessi germinali del nostro critico; al centro di tutti questi interessi, un pregnante storicismo educatosi sull'opera del De Sanctis, con tutta l'eredità dei problemi storici da continuare a svolgere e degli accenni teorici, nascosti o appena balenanti nel critico irpino, da sviluppare e sistemare nella coerenza di una generale filosofia dello spirito. Istruttivo sempre il primo decennio della vita mentale di un pensatore, storico o critico che sia: vi si colgono tutte le possibilità *in nuce*, poiché allora sono segnati i termini *de urbe condenda*. La povertà o unilateralità degli interessi di quel primo decennio rimane povertà per tutta la vita. Si volga lo sguardo ai critici che sono venuti dopo Croce, spesso più ambiziosi del maestro, ma soltanto nei disegni e nei bramosi desideri. Ciascuno almeno ha esordito con un suo autore-problema, problema di letteratura militante, Carducci, Fogazzaro, Manzoni, D'Annunzio, Pascoli, Kipling, Verga; e dove è pur mancato l'interesse dominante di una cospicua personalità, l'interesse critico si è rapidamente rattrappito, diventando trastullo giornalistico o ozio accademico. E pur guai per quelli che sono stati critici *unius auctoris*! Il Croce fu precocissimo nel segnare la vasta area dei suoi interessi, letteratura classica, letterature europee, letteratura contemporanea, problemi di storiografia letteraria,

Ma a questa vastità e precocità di interessi non corrispose e non poteva corrispondere una altrettanta rapida felicità di costruttore di saggi critici. Come scrittore sistematico di saggi letterari, il Croce può ritenersi perfino un tardivo; aspetta di arrivarci tra i suoi trentacinque e i suoi quarant'anni, e anche allora con molta diffidenza per le sue forze e persuaso che il suo genio migliore sia quello di filosofo e di esploratore di archivi. Il suo primo saggio su Carducci apparso nella *Critica* del 1903 è sparito dalle opere crociane, riassorbito e allargato e profondamente rinnovato nel saggio del 1910; il saggio sullo stesso Di Giacomo è soltanto una presentazione antologica, una lettura rapsodica delle poesie dello scrittore; l'altro sul Verga (sempre del 1903) è fondamentalmente un chiarimento sui problemi generali, romanticismo, verismo, idealismo ed altri ismi, e una un po' troppo rapida, sebbene istintivamente sicura, delineazione storica dello scrittore siciliano. Il Croce proprio è stato tardivo e lento critico, come fu tardivo e lento critico il De Sanctis, che si produsse dopo i quarant'anni; ma quale ricchezza di esperienze in quegli anni di attesa e di incubazione, per le varie indagini storiche-filosofiche e per l'assiduo tirocinio della scuola! È probabile che la natura, secondo l'arguto motto dello Schopenhauer, faccia presto soltanto dove gliene importa poco.

Per intanto il Croce giunse rapido al godimento di un alto privilegio: fu critico e studioso di interessi non esclusivamente letterari. Il Foscolo, il Sainte-Beuve, il De Sanctis, il Carducci, non furono (e se ne sarebbero adontati di esserlo) puri letterati e puri critici di letteratura. Nella letteratura videro un fenomeno molto complesso; e fondamentalmente furono dei moralisti, videro cioè un'opera di letteratura e di poesia nascere sempre non su una esperienza grammaticale di belle parole e di belle immagini, ma su un'esperienza circolare, umana, religiosa dello scrittore. L'arte e la poesia furono sempre per loro una forma di ascesi. Lo stesso idoleggiamento della musica di una parola e di una immagine si avverte in loro come una forma di sensibilità umana. Né si dica che cotesta fu la caratteristica di tutto il movimento romantico, perché pure in quel periodo abbondarono gli Antonio Cesari e i Giacomo Zanella, gustatori grammaticali, e talvolta fini della letteratura e dello stile; e se ne dimenticano oggi i nomi, ai loro tempi perfino ingombranti, per questa gracilità costituzionale della loro opera. Allo stesso modo che nell'imperante decadentismo delle letterature europee la critica dei suoni, delle immagini e dei tropi degli ammodernati puristi, che potrebbe parere l'incarnazione di una nuova e più essenziale critica musicale, impallidirà e si dissolverà allo sguardo dello storico, fuori del pettegolezzo giornalistico, nella lontananza della prospettiva storica.

Il Croce, quando nel 1902 comincia a scrivere le sue note sulla letteratura contemporanea, è già consapevole di questo suo duplice ufficio di critico etico-umanistico. Teorico assoluto dell'arte come intuizione-espressione e nemico di ogni ineffabilismo, è attento al corpo sensibile delle parole e delle immagini dei suoi poeti e dei suoi narratori; e, a differenza dei critici romantici o di quelli suoi contemporanei, che ancor sognarono nei primi quindici anni del secolo una storia letteraria che si svolgesse come «dramma» di idee o di ideali, nel quale ogni scrittore e ogni opera prendesse il suo posto tra le *dramatis personae,* egli ama le citazioni esatte dei passi belli o espressivi e di quelli brutti o impoetici, e si impegna in una discriminazione di gusto. Aborre dal confondere le immagini liriche con le idee della filosofia o con gli ideali della pratica, e si guarda dal porgere una critica letteraria dalla quale sia volato via ciò proprio che fa che la poesia sia poesia. Ma cotesta ricerca strenua della poesia o almeno della bella letteratura si configura in lui come problema etico della sincerità (e, s' intende, della sincerità artistica) degli scrittori che viene esaminando. La sincerità artistica, la quale involge tutta una ascesi morale, un'assidua macerazione e chiarezza interiore, è la misura per giudicare dei suoi contemporanei. D'Annunzio, Pascoli, Fogazzaro, la Negri ed altri scrittori muliebristici degli ultimi trenta e dei primi dieci anni dell'Otto e del Novecento si atterrano davanti a questo inesorabile confessore della critica letteraria. Egli è inclemente nello scoprire il giuoco falso e illusorio delle sensazioni che si offrono come arte immediata, dei desideri impuri, delle bramosie fantasiose che si offrono come arte messianica: sono le confessioni dei figli del secolo, oratori del loro egotismo estetico, uomini-donne, che hanno pur leggiadria, grazia nel loro confessarsi, ma svelano anche nevrosi, civetteria, falsi idealismi, sensualismo di scrittori effusivi più che di scrittori-poeti o prevalentemente poeti. Fanno eccezione pochi scrittori, Carducci, Di Giacomo, Verga e qualche altro minore. Significativo lo scritto che è del 1907, con cui si chiudono i primi quattro volumi della *Letteratura della nuova Italia*, e che è intitolato *Di un carattere della più recente letteratura italiana*: «nel periodo più a noi vicino — il Croce vi scrive — e nel quale ancora viviamo, spira vento d' insincerità». Ed egli si richiamava, per contrapposto, alla poesia carducciana, maturatasi con le *Rime nuove* e con le *Odi barbare*, «una poesia tutta mossa da quei sentimenti che potrebbero dirsi elementari dell'umanità: l'eroismo, la lotta, la patria, l'amore, la gloria, la morte, il passato, la virile malinconia». «L' ideale carducciano non è un ideale transitorio, ma è quello che canta nel fondo di ogni animo forte e sensibile, complesso e sereno: perciò il Carducci è sulla linea della grande poesia: è un omerida.» Parole molto significative di tutto un orientamento di gusto morale e di gusto poetico, a cui il Croce ha tenuto sempre fede; e il Carducci anzi può dirsi il suo poeta fra i moderni, se egli proprio in questi ultimi tempi ha sentito il bisogno (e polemico bisogno) di ritornarvi, e vi è ritornato riesaminando delle singole poesie: forse a tacita reazione della tiepida stima di cui la poesia del maremmano gode tra le giovani generazioni, tutte volte verso una poesia in cui possibilmente non si avverta l'alito di alcuna politicità. Ma forse questo atteggiamento dei giovani ha la sua ragione di essere, quale tentativo sornione di fuga da tutti i sofismi e le menzogne della vita quotidiana. Però il Carducci, quando è poeta, è davvero incolpevole, come ne è incolpevole ogni poesia, di una politicità che possa apparire deteriore e sofisticato politicismo. Il Carducci quindi rimane il poeta tipo del gusto crociano, tra i moderni scrittori italiani, che è quel che avviene per ogni critico, versatile quanto si voglia ma sempre legato, quasi per necessità autobiografica, a uno scrittore suo, che è come il paradigma del suo gusto, del suo metodo e della sua esperienza di vita.

Accanto al Carducci, più rappresentativi e meno solitari i veristi. « Pochi di quei veristi, chiosa il Croce stesso, ebbero tanta forza d' ingegno da attingere il cielo dell'arte. Ma, posta l' illusione, quanta onestà di propositi così da parte dei maggiori come dei minori di quella scuola, e quanti onesti sforzi per tradurre in atto il loro disegno! » Ma le figure dominanti nella nuova letteratura sono l' imperialista, il mistico, l'esteta, « tutti operai della medesima industria: la grande industria del vuoto ». « Basterebbe a provarlo la triade onomastica, onde si può contrassegnare il più recente periodo della letteratura italiana: il D'Annunzio, il Fogazzaro e il Pascoli ». E su questi tre poeti il Croce, già nel 1907, faceva questa onesta dichiarazione:

I miei lettori sanno come io faccia grande stima di una parte dell'opera di essi tre, e segnatamente di quella del primo che è dei tre, il più vigoroso e ricco temperamento artistico; e come mi sdegni quando li vedo oggetti d'indifferenza e di dispregio. Qualche maligno direbbe che mi sdegno e li difendo per poterne dir male a modo mio; simile a Tancredi, che rotava la spada a difesa di Argante per ammazzarlo lui. Ma sarebbe una malignità in cui di vero ci sarebbe solo questo, che a me dispiace in quei tre proprio ciò che altri vi ammira: la morale eroica e la lirica civile e nazionale del D'Annunzio, e il neo cattolicesimo e la morale erotica del Fogazzaro, la gonfiatura del Pascoli a poeta professionale e a *vates* che ha assunto una missione pacifista e umanitaria: la trina bugia che introduce la rettorica del vuoto nelle loro opere, così veramente artistiche quando risuonano delle corde reali delle loro anime. Nel passare da Giosuè Carducci a questi tre sembra a volte come di passare da un uomo sano a tre neurastenici. Artisti senza dubbio che hanno scritto i loro nomi nelle pagine della storia letteraria italiana; ma che temo li abbiano scritti anche in modo meno glorioso in quelle della nostra storia civile, la quale dovrà spesso ricordarli come insigne documento del presente vuoto spirituale.

Questa citazione valga a mostrare come la critica letteraria del Croce insensibilmente trapassi poi (e non è un indebito, ma anzi assai legittimo e necessario trapasso) a essere critica etico-politica. La sua critica letteraria antidannunziana, antifogazzariana, antipascoliana a un certo momento, dopo essere stato proprio lui il difensore di D'Annunzio, non procede da moralismo accademico e accidioso, ma è senso pieno del problema letterario, della letteratura che non può esser mai pura letteratura, ma è anche oratoria politica, e come tale va pure interpretata e combattuta, se non si vuol finire a biascicare passivi elogi in una colonia della sempre rinascente arcadia. Il filosofo delle distinzioni, che alcuni allora si ostinavano a vedere come irrigidito a dissertare sulle quattro forme dello spirito, l'« una separata dall'altra come si trattasse di compartimenti-stagni » (era la frase polemica di moda e voleva parere un fiore di eleganza), con questo suo travalicare dalla critica più rigorosa di poesia a una critica di vita morale, dava una vivace smentita alle astratte censure degli oppositori e riaffermava in atto la sua consapevolezza e il suo senso della circolare vita unitaria dello spirito. La critica letteraria si risolveva in un'azione politica: ciò che è sempre la caratteristica di ogni storiografia. La definizione di critica militante, nel caso del Croce, in piena consonanza con tutto il suo pensiero va riferita per l'appunto a tutta la sua attività filosofico-letteraria. Se egli ha scritto che tutta la storia è storia contemporanea, si può analogamente affermare che tutta la critica, quella degna del nome, è sempre critica militante.

A distanza di trent'anni cotesto costituisce il pregio dei primi quattro volumi della *Letteratura della nuova Italia*; essi, anche per la loro forma letteraria occasionalmente atteggiata, ci riportano alle condizioni di cultura e di gusto dei primi quindici anni del Novecento. Il Croce, nel raccogliere quei saggi in volumi, parve rammaricarsi (nella *Licenza*) di questa intonazione non sempre omogenea delle sue *Note* e per lo stile non sempre equabile dell'esposizione; ma questa è un po' la fortuna e l'interesse nascosto di esse, che invero sono nate sempre su una situazione concreta e rispondevano a un particolare stato d'animo, e però ci riportano necessariamente tutta l'atmosfera storica delle passioni, preferenze, pregiudizi, idealità di quegli anni. La preoccupazione accademica, il didatticismo dominante nelle menti ci farebbe sognare una storia del passato e del presente, in cui la compassatezza di tono dia il senso dell'interno controllo scientifico; ma assai più suggestiva quella scienza che è come l'esplorazione di una foresta vergine in cui si abbattono e sfrondano piante, e i viali recenti e le redole che vi sorgono danno un orientamento e pure un' idea della difficoltà del cammino e del tentato e avviato ordine. Si sente allora che il diboscatore, nell'atto di abbattere, è stato anche illuminato costruttore; ed invero è merito, credo, indiscusso del Croce di averci data la prima distribuzione e sistemazione storica di tutto un cinquantennio della letteratura italiana dal 1860 al 1910.

3. Il Croce e la stupida « querelle » sul « povero Novecento ».

Il Croce, mentre veniva scrivendo quei saggi, ebbe sempre alle costole o alle calcagne i critici giornalisti o i critici-professori, che trovavano poco elegante e piuttosto prosaico quel metodo suo pacatamente didascalico e onestamente discriminante; ma egli resistette a fondere quei saggi in una esposizione unitaria (c'era allora il Borgese che levava la bandiera, vecchia di un secolo, e piuttosto sdrucita, la bandiera romantica dei « nessi dialettici » tra un artista e l'altro). Cotesta esposizione unitaria, anche se attuata, sarebbe mancata lo stesso di quella « connessione » desiderata, perché la mente moderna del Croce, prima ancora di aver scritto *La riforma della storia artistica e letteraria* che è del 1917, era già tendenzialmente avviata a una concezione antisociologica della storia letteraria. E in questo si rivelava e confermava il suo nuovo embrionale storicismo, di poi teorizzato e chiarito come diverso dallo storicismo romantico. Con la nuova forma di storicismo, uno stile nuovo, che non era dell'uomo, del suo temperamento privato, ma proprio della nuova situazione storica: uno stile antidrammatico e antioratorio, che rinunziava volentieri, « per umile amore verso la verità, agli effetti o agli effettacci della esposizione a colpi di scena o ai trionfi del falso acume », uno stile da conversazione, e non da dramma romantico. Conversazioni critiche si potrebbero dire invero tutti i saggi del Croce, anche quelli dell'età più matura e criticamente più raffinata. Si può dire che, dopo il classico esempio del Croce, tutta la critica moderna migliore sugli antichi o sui moderni è stata sempre critica rapsodica, critica occasionale, il che non è negazione di sistematicità. L'attività critica crociana è stata fin d'allora sincronistica e mai anacronistica; ha risposto sempre, cioè, a un problema che era nell'aria. Fu il Croce, giovanissimo, a divulgare in Italia la battuta del Goethe che la grande poesia è sempre poesia di occasione; ed è singolare che tale aforisma goethiano egli lo ripeta con evidente compiacimento in vari suoi scritti giovanili, quasi confessione involontaria del suo gusto personale per una critica e una filosofia anch'essa occasionale. I cinquanta volumi dell'opera crociana sono pur prova della sistematicità e organicità del suo pensiero, ma si potrebbe pur mostrare che ogni suo libro e ogni suo saggio è nato sempre da un'esigenza attuale. Critica militante e critica occasionale (sempre nel significato goethiano del termine) costituiscono appunto la caratteristica dominante di tutta la sua attività letteraria. Da ciò il tono antiaccademico e giovanile di essa, e da ciò l'assurdità dell'accusa sempre risorgente che egli sia stato un nemico dei suoi contemporanei; poiché sarebbe ben strano che, da un trentennio che cotesta accusa si ripete, tutti poi abbiano sentito il bisogno di far capo alle sue critiche di nemico dei contemporanei, per discutere e accettarle in un'ultima analisi, in qualche modo. Il polemismo, se mai, è segno di quella superiore occasionalità, e di quel superiore amore scientifico agli argomenti che, al tempo stesso, nascendo dalle mischie quotidiane, vi si sovrappone e si libra in alto costituendo il segno più duraturo di un'opera.

Notiamo, fra gli altri saggi, quello sul D'Annunzio, del 1904, intonato in parte ad apologia, perché, come lo stesso critico riconosce, « quando lo scrissi avevo innanzi le facce scioccamente ostili degli universitari e accademici d'Italia ». Precisamente, ad un maestro universitario, allo Scherillo, noto scolaro del D'Ovidio, il Croce si rivolgeva pubblicamente nel *Marzocco* del 1902, e per cotesto suo misoneismo nei riguardi del D'Annunzio così lo ammoniva:

Volete voi che siete giovane e pieno di vita, assidervi davvero tra « quei cultori degli studi letterari », che aborrono dalla letteratura del loro tempo, e non credono rispettabili e degni di considerazione se non i libri anche mediocri, sui quali sono passati secoli, o almeno mezzi secoli? Dimenticate che il simpatizzare e il comunicare con la letteratura del proprio tempo è ottima preparazione a ben comprendere quella del passato? Una delle ragioni della scarsa intelligenza che quei professori « ufficiali » mostrano degli scrittori, è nel loro appartarsi dalle fonti perenni dell'arte, è quasi immaginare che i libri del passato siano scritti apposta perché essi vi compongano su « memorie », e i loro scolari « tesi di laurea » e servano da vile materia di pettegolezzi critici ed eruditi. Voi vi richiamate all'esempio dei nostri migliori. Ma tale era, ne converrete, Francesco de Sanctis, che pure fu sempre dentro il movimento della letteratura del suo tempo e, negli ultimi suoi anni, seppe ancora levar la voce per affermare l'importanza artistica del verismo della Zola. Lasciate agli spiriti gretti, alle menti anguste le esclusioni e le antipatie e vivete con gli uomini vivi; tra i quali vi sono geniali ed imbecilli, valenti e mediocri, persone serie e ciarlatani, come in tutti i tempi. Rifugiarsi nel passato è da neurastenico (che non siete), o da vecchio (che nemmeno siete), o da ingenuo *laudator temporis acti* (che non dovete essere).

Oggi che si torna a ripetere la diceria che il Croce è l'osteggiatore della letteratura contemporanea, i facili gridatori dimenticano che cotesto inimico fu il primo nei nostri tempi a dare dignità scientifica agli studi critici sugli scrittori contemporanei, e che proprio da lui procedono tutti gli interpreti del nostro Novecento. Ma cotesto lamento è una forma di vezzo e di idolo polemico di giornalisti in cerca o a giustificazione di un impiego, una specie di indispensabile *gaigne-pain* letterario. Sennonché è proprio vero che ogni scrittore ha pur vivo interesse per la letteratura che fu della sua generazione e che il gusto storico non è mai un gusto generico. Quindi nulla di strano che il Croce si sia fermato alla letteratura che era maturata fino al 1915. La critica militante crea, e perché crea, ama, sceglie ed esclude. L'indifferenza estetizzante, proclive a tutti gli indirizzi più discordi, non è tanto segno di intelligenza e di sensibilità quanto di dilettantismo e di fiacchezza creativa. Solo i fatui o i generici delle lettere sono sempre in linea con l'ultimissima letteratura, e non sempre per motivi teoretici purissimi. E bisognerebbe aggiungere scherzosamente che lo stesso Dante si interessò molto ai rimatori contemporanei e polemizzò con gli arretrati e il Notaro e Guittone e i guittoniani, nel momento in cui egli traeva fuori le nuove rime; ma pur non fece a tempo a interessarsi ai primi esercizi metrici del sedicenne Petrarca e, anche se fosse vissuto più a lungo, è probabile che sarebbe stato, «maestro avverso», amaro commentatore della poesia del nuovo canzoniere. Perché questa è sempre l'alta verecondia dei vecchi che vogliono e debbono rappresentar la loro parte di vecchi, e non già correre a fare i giovani e adulare e adularsi in una falsa perpetua gioventù. «Un vecchio è sempre un re Lear — così il Croce traduce dal Goethe —: quelli che collaborarono con te mano con mano e contesero con te, sono spariti da lungo tempo; quelli che con te e per te amarono e soffrirono, si sono attaccati altrove. I giovani sono qui per loro conto; e sarebbe da folle pretendere: vieni, invecchia anche tu con me!».

Se noi abbiamo una ragione di simpatia e di attaccamento per il Croce, anche in questa ristretta quistione degli ultimi contemporanei, è appunto per la sua ostentata durezza verso gli allettanti richiami dei numerosi balii letterari che annunziano la nascita di un grande poeta, a ogni volgere di stagione: non si tratta di un'ostilità preconcetta, ma di un istintivo galateo, di una regola di difesa, contro i metodi di sopraffazione oggi in uso nelle varie chiesuole letterarie. C' è un tono intimidatorio nei vari cenacoli, che urta e offende anche il più mite e il più docile spettatore: con quel gridio, si ha il bel risultato di impedire «la formazione della pacata *opinio communis*, che sempre ha con sufficiente esattezza compiuto lo sceveramento dei valori dai disvalori e riconosciuto e graduato i primi», e si è ottenuto l'altro risultato di disgustare i lettori e di allontanarli dall' interesse della letteratura contemporanea. I vari preconi della letteratura contemporanea cospirano con le loro ridicole sètte a creare un' intolleranza per quei nomi, che essi continuamente ci gridano dalle cattedre e dalle riviste e dai giornali, per imporli alla nostra attenzione e al nostro gusto. Il Croce, per continuare la citazione del periodo più su avviata (dalla *Licenza* dell'ultimo volume della *Letteratura della Nuova Italia*), «ha vissuto tempi più fortunati, nei quali, letterariamente parlando, l' Italia era come un salotto di gente educata e colta, che discuteva, dissentiva, dubitava e, nei più dei casi, si metteva d'accordo». Oggi no: «il cosiddetto mondo letterario» è «simile a una folla sconvolta e urlante».

Ora è ovvio che non soltanto il Croce scrittore olimpico o «vecchio», come dicono gli avversari, se ne debba ritrarre e volgersi ad altro. Ma un po' tutti, per riprendere un'arguta battuta del Baldini, stiamo diventando parziali, parzialissimi, per Ruggerone da Palermo, Meo Abbracciavacca e Folcacchiero dei Folcacchieri, tanto c' è venuta a noia questa lagna dei difensori del « povero Novecento »[1].

Conosciamo critici accademici e critici da caffé che credono di coltivare le loro fortune politiche, Accademia, Università, premi letterari, tenendo aperte le orecchie alle ultime novità, per non parere arretrati e per non aver l'aria di letterati turriseburnei, quindi politicamente poco ortodossi. Il rifugio esclusivo nei contemporanei è una forma di pigrizia, o di impotenza, o di demagogia, o tutte queste tre cose insieme.

Ricordo un mio maestro universitario, che verso il 1914 si decise a prender contatto con i contemporanei, e fece qualche corso sui letterati che allora sembravano contemporanei (da Graf a Cesareo, tanto per intenderci); mai come allora quel maestro ebbe plebiscitarie e nostalgiche lodi e voti segreti della scolaresca, perché tornasse a decifrare i significati reconditi della *Divina Commedia* e a sistemare la topografia del canzoniere petrarchesco. Ove rui, Anfiarao? petulanti e divertiti, si gridava noi a coro. Perché questa abdicazione ai classici e questo frenetico, incontenibile amore per i contemporanei è precisamente un ruinare a valle e in una valle « dove in pozzanghere Mezzo seccate agguantano i ragazzi Qualche sparuta anguilla » (sono versi di Eugenio Montale, il solo poeta che io leggo dei miei contemporanei, perché mi è riuscito di arrivare soltanto fin lì!).

Ed è pur segno oltre che di miseria mentale, di insen-

---

[1] Il Baldini, molto graziosamente, ha così scritto di recente sul *Corriere della Sera* (1° febbraio 1942, *Tastiera*): « Quarant'anni fa, uno studente d'una nostra facoltà di lettere se si fosse messo a esplorare un autore più vicino a noi che non fossero Ruggerone da Palermo o Cenne della Chitarra era tenuto in gran sospetto dal docente. Esagerazioni! Oggi dalle medesime cattedre, si ammettono, quando non proprio si suggeriscano, esercitazioni e tesi su Marinetti, Ungaretti, Quasimodo. Parte l'esploratore armato di tutto punto e si ferma dal tabaccaio. Eh no, troppo facile e troppo comodo! ».

sibilità al ridicolo. Il ridicolo è l'esclusivo premio di tanti solleciti e iracondi scopritori di poesia. Passi ancora un tale ufficio per i critici da caffè, i quali hanno adempiuto sempre a funzioni del genere: il caffé delle Giubbe Rosse ha avuto nel campo della discriminazione dei valori letterari contemporanei, sempre molta più importanza della cattedra di Adolfo Bartoli e di Guido Mazzoni. Io ne consiglio la frequenza ai miei scolari, come una specie di dopolavoro, per scuotersi da dosso un po' di pedanteria e anche per il gusto delle differenze e degli scontri. Ma è inutile, superfluo, se non pazzesco, trasferire il caffé delle Giubbe Rosse sulla cattedra di Bartoli e di Mazzoni. Si cita il caffé delle Giubbe Rosse, non come luogo troppo determinato, ma quale simbolo, via, come dire?, metafisico di questi luoghi cari alle muse contemporanee, sicché vorremmo che le nostre allusioni non avessero un carattere troppo specifico, perché le Giubbe Rosse sulle cattedre universitarie oggi sono un po' dappertutto. Difatti i nostri critici da caffé sono diventati tutti critici « cattedratici »: il nome di « professore » oggi è salito al terzo cielo e partorisce fama e grandi arie, ma forse per questo comincia a venire in uggia a quelli che a tale ufficio si prepararono o si preparano con lavoro umile e diuturno. Diventiamo troppo celebri a fare i « professori ». Non trovi oggi pittoretto o scultorello che non ti parli della sua « cattedra » con un compiacimento e una quilia di voce, e un tremito e luccicore di sguardo che sorprende noi altri vecchi pedanti: hanno tutti l'aria di quel maestro Simone della novella boccaccesca, che, più ricco di beni paterni che di scienza, da Bologna ritornò a Firenze tutto vestito di scarlatto, con un gran batalo e l'aria di gran bacalare, e prese casa nella via, la quale oggi i fiorentini chiamano via Ricasoli, e allora chiamavano via del Cocomero. Anche i nostri critici da caffé un po' tutti vogliono vestire panni lunghi e larghi e con gli scarlatti e co' vai e con altre assai apparenze grandissime! Un altro motivo anche questo di insofferenza della comune degli uomini colti per le lettere contemporanee: ecco il bel risultato che gli indiscreti preconi di queste lettere hanno ottenuto.

Sicché a noi sarebbe sensibilmente dispiaciuto (ma era assurdo sospettare una tale evenienza) che il Croce, nella larghezza irrequieta dei suoi interessi e per il suo ancora giovanilmente passionalissimo carattere, si prestasse a questo giuoco delle «carte letterarie contemporanee», al cui maneggio e scozzo bastano gli avventizi che vengono su ogni giorno. Ciò che ci spiega quel tono di impaziente polemica che c'è in qualche nota crociana sui contemporanei.

La polemica nascosta o esplicita del Croce contro gli ultimi contemporanei ha dunque un significato pedagogico e di buon gusto, e di cui non va deformata l'anima ispiratrice. Il Croce non è nemico di nessuna letteratura, e avessimo tutti la pazienza, e l'agiatezza e il tempo e l'umore che ha lui, anche come lettore di contemporanei! Par davvero che questo gran vecchio non voglia disertare ancora alcun arringo.

Occorre però riconoscere che egli non ha mai disarmato, e non è sempre vero che l'interesse per i contemporanei debba essere l'applauso: anche la polemica è essa stessa una forma di amore. Anche nel campo politico, il Croce apparve nell'altra guerra europea un frigido neutralista, ma il suo volume *Pagine sulla guerra* è ancora lì a testimoniare quale profondo tributo di pensiero e di sentimento egli apportasse a quella guerra pur da lui non voluta, o da lui deprecata, almeno a sentire i fervidi radioso-maggisti del tempo.

Nel 1916 il Croce polemizzava contro i giovani, i quali oggi sono nonni e pur continuano a fare i giovani: cotesta polemica contro la letteratura giovane dunque durerebbe da un trentennio. O come mai tanta resistenza in questo Croce, che, dopo lungo volgere di stagioni, appare ancora a certi disarmati ragazzi o a certi vecchi che non si decidono ad accomiatarsi dalla giovinezza *terribilis ut castrorum acies ordinata*? O cotesti ragazzi sono troppo vecchi essi stessi se si occupano di un sopravissuto, o questo Croce deve essere un mostro, un mostro che non fa che pensare, un Saturno che continua a generare figliuoli e a divorarseli senza che sia sorto ancora un piccioletto Giove che valga a sbalzarlo giù di sella, una giovial facella che ne obnubili la sinistra e proterva luce. Per sottrarsi a cotesto dominio del Croce, non si è pensato di meglio che rimettere a nuovo concetti suoi ormai trivializzati, travestiti però in uno specialissimo gergo massonico che si dice critica ermetica; dove manca la capacità a rinnovare e a svolgere concetti e problemi, ci si attacca alle parole, si fa una quistione di vocabolario e si pretende di fare la ricerca trascendente di un linguaggio critico nuovo fuori della stessa critica in atto. Ma quei pochi che lavorano, sanno che solo nell'esercizio assiduo della critica, i problemi vengono mutando tra le mani, e solo lavorando si può giungere, la grazia di Dio assistente, a una critica nuova, e però a un linguaggio che abbia il suo accento proprio, e probabilmente inconfondibile con quello dei nostri maestri.

Istruttiva, a questo proposito, la polemica sulla poesia del Pascoli; per una quindicina d'anni, su quello scritto crociano del 1907, si versarono inchiostri polemici d'ogni sorta, e si dissertò a lungo di una misteriosa virtù che sarebbe mancata al Croce, e che sarebbe stata invece prerogativa di alcuni lettori di poesia proclamatisi da sé critici puri. Ma oggi il giudizio crociano sul Pascoli è passato nelle storie letterarie, e, quel che più conta, si è consustanziato nella coscienza e nel giudizio dei più (e l'inchiesta della *Ronda* del 1920 sta lì a provarlo); e si è chiarito a fin troppo chiare note che la sensibilità è un'attitudine meramente impressionistica, primo gradino della critica ma non è ancora la critica. La vera sensibilità è la sensibilità storica, quella che trapassa perpetuamente dalle impressioni ai giudizi, e senza la quale non è possibile che nasca e si formuli un giudizio. L'indugio sulle impressioni è soltanto una forma di vezzosa o leziosa infantilità, e darebbe luogo a una critica interiettiva che rassomiglia molto da vicino alla critica stilistica dei vecchi grammatici e dei vecchi retorici da seminario, quella che si distinse per i nomi del padre Soave e dell'abate Antonio Cesari. La polemica sul Pascoli fu proprio la misura della modernità e resistenza della critica crociana e della mediocrità anacronistica degli avversari. Il *criticus ut puer* nato come mito da quelle polemiche, oggi è soltanto oggetto di strazio e di trastullo, nell'aneddotica accademico-letteraria di due o tre città italiane.

La forza di un critico si misura non dalle sue ambizioni e nemmeno dalle sue arie ispirate, ma dalla sua capacità a macinare bel fiore di giudizi e a farli diventare vital nutrimento, patrimonio dell'universale, quasi si trattasse di luoghi comuni, pacifici ed anonimi. Oggi di molti giudizi sulla letteratura dei primi cinquant'anni della nostra unità nazionale si è dimenticato che il primo trovatore e inventore fu proprio il Croce, poiché diventati sedimenti di gusto, storiografia corrente, note pacifiche, coscienza letteraria obbiettiva. Scrive il Croce nell'*Avvertenza* al volume quinto della *Letteratura della nuova Italia*:

Non tutti, in verità, si rendono conto della differenza che passa tra il discorrere di scrittori che si trovano già nei quadri della storia letteraria, e il collocarveli per la prima volta, formando questi quadri. C'è di mezzo un lavoro non facile, per il quale (come ebbe a osservare il Sainte-Beuve) si richiede una sorta di coraggio, più rara forse di quella che comunemente si considera tale e che volge su altre cose pratiche: il coraggio di fare pel primo, tra le ritrosie, le incertezze e le timidezze altrui, certi riconoscimenti e affermazioni, e certe negazioni, e di accettarne la responsabilità.

Chi rilegga oggi i saggi raccolti nei primi quattro volumi della *Letteratura della nuova Italia* (del quinto e sesto volume si discorrerà più innanzi, perché hanno ispirazione e tono diverso), può lamentare la non più giusta proporzione tra le parti rispettivamente dedicate ai vari scrittori, e desiderare l'esclusione totale o quasi di parecchi di essi, nell'esame dei quali il critico è giunto a conclusioni affatto negative, e vedrebbe volentieri abbreviate o assorbite alcune copiose intramesse polemiche. Oppure potrebbe ancora desiderare un fare più rapido ed epigrammatico su scrittori minori e minimi. Ma non bisogna dimenticare che quello fu il primo diboscamento, o, se piace meglio un termine agrario del nostro tempo, il primo tentativo di appoderamento di tanta letteratura contemporanea. Non solo: ma quella del Croce volle essere una specie di critica-scuola, e perciò essa amava i chiarimenti e le digressioni filosofiche, e doveva pagare il tributo, che di solito si paga nella scuola, alla polemica e alle contro-dimostrazioni critiche. In quegli anni si disse che il Croce scriveva i suoi saggi, non per amore alla letteratura in se stessa, ma per amore proprio di tali chiarimenti teorici, e che tale critica era dunque soltanto un'esemplificazione della sua *Estetica*. E si diceva cosa grossolana, e soltanto per un verso approssimativamente giusta; ma lo stesso autore, in una intervista giornalistica, influenzato da questi giudizi petulanti dei suoi scolari e lettori, si trovava a far delle dichiarazioni che potevano incoraggiare un cotal modo parziale di intendere la sua critica. «Io sono un teorico che fa parte per se stesso. Dell'arte mi servo assai più volte che io l'arte non serva. Sono ineguale, sono parziale; non importa; voi dovete giudicarmi non in ogni singola critica, ma nel tutto insieme dell'opera mia... Anch'io, naturalmente, ho degli scrittori le mie impressioni; ma dalle impressioni voglio cavare una lezione teorica. In ogni individuo mi propongo di risolvere una quistione universale »[1]. Tanto è vero che i lavoratori generosi indulgono anche alle riserve degli avversari, acconsentono cortesemente alle loro critiche non perché siano veritiere, ma solo perché sono impazienti di nuove mete e desiderano intanto lasciarsi rapidamente addietro il loro passato!

È pur vero che il Croce, trovandosi in quegli anni a elaborare tutto il suo sistema della *Filosofia dello spirito*, sistema in perpetua sistemazione, come pur deve intendersi non solo la sua filosofia ma tutta la filosofia moderna, egli stesso era come persuaso che la sua forza maestra fosse da rivolgere alla filosofia e non alla storia e alla critica vera e propria; pure quel suo frequente teorizzare, quel suo gusto della digressione dal saggio criticamente espositivo, non solo era un'adesione concreta alle condizioni di cultura e di gusto del suo tempo (e da ciò il valore documentario di tali digressioni), ma era anche un'anticipazione *in nuce* di tutto il suo posteriore storicismo. Il quale storicismo è sempre fondamentalmente storia narrata e descritta, ma anche storia della critica, degli errori e della verità precedenti, polemica e commercio con essi, storia della critica passata, contratta nel presente, sempre implicita, se non esplicita, e però metodologia *dictante*. Gli schiarimenti metodologici non erano dunque un fortuito episodio, ma la sostanza interna di quella sua critica, e si potrebbe dire, dopo il suo classico esempio, la sostanza di ogni critica. Metodologia

---

[1] Intervista pubblicata nel « Marzocco » dell' 11 ottobre 1908, da LUIGI AMBROSINI; vedila in *Pagine sparse*, I, pp. 198-215.

e storia della critica possono essere talvolta poco vistose o addirittura invisibili, ma esse costituiscono le vertebre nascoste di ogni interpretazione degna di questo nome. E se, per esempio nel De Sanctis, noi non avvertiamo questa nota metodologica in forma appariscente, si tratta soltanto di astuzia d'arte dello scrittore, di stile diverso: stile romantico quello del De Sanctis, tutto scorci e baleni di idee, stile classico quello del Croce, tutto di tono prosastico e talvolta sarcastico, apologetico e antilogetico, che si diletta talvolta *Bioneis sermonibus et sale nigro*. Ciò che poi non è né romantico né classico, ma la particolare individualità o dello scrittore De Sanctis o dello scrittore Croce.

Giacché, e forse sarebbe perfino superfluo il dirlo, la critica non è pura e astratta metodologia, ma è innanzi tutto stile, umanità originale del nuovo critico, esperienza e gusto di poesia e di vita diversa da quella dei propri maestri. E se tra i giovani critici di oggi si affaccia il problema della «scrittura» di cui si diceva più su, e si mostra una strana intolleranza verso la nitidezza della prosa crociana, accarezzando una prosa oscura e che sia tutta un colloquio interno con se stessi, tale fenomeno nei più dotati e che vedono un po' chiaramente in se stessi non è altro che un tentativo di nascere alla critica con uno stile diverso, cioè con un pensiero diverso: il tentativo proprio di ogni scrittore e critico nel periodo della sua formazione, e che fu il tentativo dello stesso Croce giovane quando volle distinguere lo stile della sua critica dallo stile del De Sanctis.

Ma forse la nostra può apparire un'ingenua generosità se diamo già corpo storico ai conati, oggi ancora soltanto infantili, della critica ultima, meteora in gran parte informe, e che possiamo chiamare e distinguere in critica grammatico-musicale, ermetico-evasiva, e critica linguistica. Sennonché siamo pur persuasi che non bisogna mai restare indifferenti agli accenni ancora vaghi di una reazione o di una rivolta a questa critica del Croce e a quella che si richiama apertamente e lealmente agli insegnamenti del maestro napoletano. Tale reazione può avere il suo significato, quasi troppo oppressivo si sia fatto alle menti lo storicismo crociano; e a noi ci riporta alla mente il tentativo che gli esteti dannunziani e ruskiniani fecero nell'ultimo decennio dell'Ottocento, proprio nel momento in cui Croce esordiva, quando, con la loro vaghissima mitologia estetica, vollero segnare una riscossa contro la trionfante e oppressiva storiografia positivistica della poesia e dell'arte. Ma a dire il vero, anche allora i dannunziani e i ruskiniani fallirono perché le loro esigenze furono antimetodiche e antilogiche, mentre pur bisognava contrapporre alla più gretta metodologia positivistica una più alta, più complessa e più raffinata metodologia; e l'eversore del vecchio filologismo e della pura erudizione non fu il delirante esteta del tempo, il Daniele Glauro del *Fuoco*, ma proprio il Croce che emulò con i vecchi eruditi per ricchezza più scelta e più viva di erudizione e salì a una concezione più alta, non più meccanica, ma intimamente storicistica della critica. La « critica pura » che dai tempi della *Voce* fino ai nostri giorni si è sforzata di sradicare il gusto della critica complessa del Croce e dei crociani era, in fondo, una forma di rattrappimento estetico, un tentativo di riparare in una nicchia, in cui fosse possibile esonerarsi dall' intendere la vita morale o la politicità trascendentale che perpetuamente si mescola e costituisce la linea di ogni letteratura e di ogni poesia.

Senza dire che lo storicismo moderno lascia aperta la porta a tutte le esperienze, e il crocianesimo del Croce e dei suoi scolari è stato ed è una forma di liberalismo mentale che non predicava e non predica le categorie e i canoni chiusi, alla stessa stregua di giudizio che il liberalismo politico è un regime religioso e non un particolare ordinamento di partito, che può ben riempirsi del contenuto sociale offerto dai tempi. Chi dice metodologia, dice una critica che rinnova per ogni autore e per ogni problema le sue rotaie di movimento; e, a rigore, crociano non è stato nemmeno lo stesso Croce, se da trent'anni egli rinfresca la sua fatica con sempre nuove esperienze. E se si parla dal volgo di crocianesimo, ciò avviene per un polemismo troppo sbrigativo, e spesso per un ghiribizzo personale da parte di qualche genialoide non solo senza genio ma anche senza ingegno e senza cultura. Un Aristotele aristotelizzante esiste soltanto nella fantasia polemica di quelli che non giunsero nemmeno ad essere aristotelici, perché per ogni forma di pensiero, che continua faticosamente a tormentarsi su se stessa, si opera sempre la liberazione dalle proprie categorie di origine, nell'atto stesso che noi passiamo ad immergerci in una nuova esperienza e in una nuova indagine storica. E lo storicismo oggi è problema sempre aperto, perché è tutta l'esperienza *in fieri,* e in questa sua apertezza sta la possibilità di un nuovo stile, quando ci sia la capacità di temperamenti sensibili e di nuove menti alacri e laboriose. La differenza tra il decadentismo e il nostro umanesimo storicistico è precisamente questa: i decadenti cercano il nuovo per il nuovo, sono vittime irrequiete della moda, sono sottili ciurmadori di se medesimi, si collocano e si vedono nella storia ogni momento, e il nuovo umanista nato nel clima dello storicismo crociano giunge al nuovo senza saperlo, o almeno senza preoccuparsene, pago di rinnovare sempre la sua esperienza la quale si dovrebbe sapere arricchire di se medesima e imbocciare dentro e dare buona messe. Come avviene di ogni lavoro onestamente e sistematicamente perseguito.

Così il Croce si liberò dallo stile del De Sanctis, non

per estrinseci sforzi grammaticali e per traduzione ingegnosa della vecchia terminologia desanctisiana o positivista, ma perché fece fermentare il suo nuovo storicismo nel seno del vecchio storicismo, romantico e positivista, dell'Ottocento; e in tale impresa egli riuscì con molta semplicità, solo perché lentamente e assiduamente venne elaborando un pensiero nuovo, e, digrossatolo e sistematolo in un primo momento, ha ripreso sempre ininterrottamente poi a rimeditarlo, a svilupparlo e a rinnovarlo. E ancora in tale impresa egli riuscì e pur riesce con molta semplicità, sol perché provvide e ancora provvede ad elaborare sempre nuove interpretazioni critiche, comprovando l'esattezza e la giustezza del motto goethiano, secondo il quale la verità per l'appunto si trova sempre in modo molto semplice. Ma è vero anche, per continuare nella sentenza goethiana, che « proprio il semplice è quel che non giova » ai molti cercatori e non ancora fortunati trovatori del fantastico vello d'oro di un tipo nuovo di critica. Così avvenne che il Croce non si attardò a fare un mero travestimento grammaticale della prosa critica del De Sanctis, ché una tale operazione avrebbe portato soltanto verso i termini di una nuova fastidiosa e inutile accademia; mentre pura accademia rimangono in gran parte i tentativi che da trent'anni e più « i neòteroi », che restano sempre giovani a cinquanta e a sessant'anni, fanno, travestendo i più triti e triviali relitti del crocianesimo in una forma ora leziosa, ora oscuramente pretenziosa, e contaminandoli arbitrariamente e fantasticamente con le maniere immaginative di un Mallarmé, di un Valéry, o gli eterogenei bergsonismi di un Thibaudet. Il che andrebbe tutto anche bene, se cotesti fatui accrescitori verbali della critica avessero la capacità logica di dominare e di discriminare tali imprestiti e di farli fruttificare nel pieno di una mente profondamente storica.

4. La critica della poesia eterna.

Quel confronto tra il De Sanctis e il Croce fu sempre una battuta di prammatica in tutta la critica che accompagnò lo svolgimento dell'opera giovanile del Croce, ed è una battuta, ancora oggi, di qualche critico ritardatario. Ma con quella umiltà che è propria dei pensatori assidui che faticosamente ma anche ineluttabilmente si svolgono, il nostro autore accettò per quasi un ventennio e più questo canone della sua dipendenza dal De Sanctis e della sua connessa inferiorità, quasi fosse ormai canone pacifico.

> Non conosco se non un sol critico (l'ho detto già molte volte), che abbia degnamente esercitata la critica sopra un'intera letteratura: il De Sanctis. Per quel che concerne me che, in mancanza di altri volenterosi, mi sono provato ad adoprarla per la contemporanea letteratura italiana, io sono di continuo travagliato dal dubbio (igienico dubbio!) della mia inadeguatezza all'alto ufficio. Faccio del mio meglio, mi invigilo, procuro di correggermi; ma non ho mai la sensazione di correre un campo libero di ostacoli o di scivolare come in islitta sul ghiaccio [1].

Così il Croce stesso nel 1907. E a quelli che continuavano a dire che il De Sanctis non aveva successori e paragonavano i saggi crociani con quelli desanctisiani per deprimere l'originalità e la capacità del nuovo critico, il Croce ricordava che il De Sanctis non è qualcosa di isolabile, ma è un'intera situazione storica; che nella sua critica si riflettevano il Romanticismo, la « filosofia della storia », il moto del Risorgimento, e via discorrendo, e, di conseguenza, essa doveva prendere a ritrarre la

---

[1] *Intorno alla critica della letteratura contemporanea*, in *Letteratura della nuova Italia*, IV, p. 200.

dialettica della vita nazionale italiana e le grandi figure rappresentative, da Dante fino al Manzoni e al Leopardi. Ma il 1903, l'anno in cui il Croce iniziò ufficialmente la sua attività di critico letterario, non era il 1830 e il 1848, né la letteratura che egli aveva innanzi — la letteratura fiorita tra il 1860 e il 1900 — « poteva ragguagliarsi alla grande letteratura italiana dal Dugento all'Ottocento ». « Se si vuole per forza istituire paragone — aggiungeva il Croce — tra i miei saggi e quelli del De Sanctis, è onesto scegliere tra questi come termini pel confronto, non i saggi sui personaggi danteschi o sul Foscolo, ma piuttosto gli altri sul Prati, sul Bresciani, sul Guerrazzi, sulla Sassernò, sul Montanelli e simili »[1].

Dichiarazioni di questo genere sono frequenti negli articoli o nelle postille del primo quindicennio della *Critica*, le quali attestano la virtù della modestia presente negli uomini profondamente attivi e la salutarità di una tale modestia. Difatti, il Croce nel 1908 dichiarava al Serra e all'Ambrosini: « Ognuno ha le sue qualità maestre, e, se io fossi un di quei critici grandi e creatori, ma lascerei da parte i nostri contemporanei e mi avvicinerei a Dante, ai latini, ai greci e agli stranieri, che per gli italiani sono ancora, o quasi da leggere ». Ma proprio nel 1917 egli doveva dedicarsi a comporre un lungo saggio sul Goethe e a tradurne una scelta delle liriche, e nel 1920 pubblicava ancora tre saggi intitolati a *Ariosto, Shakespeare e Corneille*, e nel 1921 *La poesia di Dante*, e nel 1922 completava la serie dei suoi scritti sugli autori più eminenti dell'Europa del sec. XIX, che dovevano costituire il volume oggi più ricercato e il più affascinante di *Poesia e non poesia*. Nel momento dunque in cui il Croce si presentava scudiero del De Sanctis e come un trepido novizio nel suo ufficio di

[1] In *Critica*, XII, pp. 318-20; e in *Pagine sparse*, I, pp. 116-19.

critico, sorpassando i suoi cinquant'anni si volgeva con brusco coraggio alla letteratura europea e si sperimentava grande critico degli scrittori eterni. La modestia educatagli dall'assiduo lavoro e dalle difficoltà del lavoro stesso (è provato ormai che soltanto gli ingegni molto attivi sono sinceramente modesti ché gli altri, gli inediti, i fantasiosi, i sublimi oziosi, sono divorati da una superbia luciferiana, una superbia che è in rapporto e in misura della loro stessa impotenza) si rivelava per un' igienica cautela e per un senso discreto delle difficoltà del lavoro letterario, ma perciò stesso agiva anche come perpetuo stimolo a superare i propri sospettati limiti. Il Croce ama ripetere che egli a quarant'anni e ancora a cinquanta non sapeva di dovere edificare così vasta mole di opere, e che egli si contentava e si contenta ancora oggi di non perdere mai la freschezza e la possibilità dello « studiare » e dello « imparare ». Semplicissimo segreto, ma che importa non un temperamento solo astrattamente volitivo; lo studiare e lo imparare sono in rapporto con la forza stessa dell' ingegno, il quale è come un appetito che desidera essere soddisfatto, una forza che vuole avere il suo sfogo. E dove non si studia e non si impara più (e si preferisce invece mirarsi allo speglio e compiacersi della propria bravura), ivi è segno che l' ingegno si è inaridito o che quell' ingegno è nato ed è rimasto rachitico nelle sue fasce.

Con questa pedagogia implacabile che non favorisce le illusioni, il Croce, dopo più di mezzo secolo di attività filosofica e critica, è sempre sul campo a battersi con alacrità giovanile, esempio confortante che anche nel lento e normale declino delle forze fisiche, la mente, chiesa del Dio vivente, quella non invecchia mai, quando sia disciplinata in questa umile ascesi, non soltanto a parole, del perpetuo studiare e del perpetuo imparare. *Ché aio duo scudi al collo, E se io non me li tollo, Per secula infinita Non temo mai ferita*: così potrebbe dire di sé il nostro autore, con le parole del mistico medievale, trasferite a nuovo significato. Sicché anche a noi che scriviamo, dopo cinquant'anni e più del suo lavoro, non ci riesce di parlarne come di uno scrittore dall'attività conchiusa, e non sappiamo allontanarlo definitivamente in un tempo antico. L'opera sua è presente, non soltanto come monumento, ma come lavoro ancora *in fieri* nella civiltà letteraria contemporanea.

Nel 1917 dunque egli si rivolgeva intanto a Goethe, di cui traduceva un buon numero di liriche, preparazione e accompagnamento al saggio critico, « come naturale risonanza delle letture » che veniva facendo. Di tali traduzioni c'è da dire che sono felicissime particolarmente quelle d'indole e di tono epigrammatico e gnomico: in coteste il ritmo è nuovo e moderno, e non chiesto alla tradizione della forma e del verso poetico italiano. Perché tal genere di poesie si incontrano col sentimento umano del traduttore, e parrebbe perfino che la saggezza del poeta di Weimar si accordi felicemente con la saggezza del filosofo e del moralista di Napoli. In altre avvertiamo invece le tracce di quella maniera letteraria, che fu cara ai traduttori dell'Ottocento, e il Goethe è tale poeta che non tollera un travestimento, una sovrapposizione di espressioni letterarie, che, più facilmente che per i versi di altri poeti, ne alterano la natura, tramutandone l'alata gravità in una gravità di tipo accademico.

Ma in questo momento a noi non importa un giudizio di valore su tali traduzioni: ci importa soltanto di rilevare che esse sono come i commenti, pubblici o privati, che ciascun critico vien facendo dei suoi poeti preferiti, commenti che sono una forma di traduzione anch'essi di carattere ermeneutico, e a cui fatalmente si accompagna una specie di variazione e di travestimento poetico, quale è suggerita dalla logica fantastica che c'è in ciascun lettore, che non è però arbitraria e senza legge, ma necessaria e intraligata con l'ermeneusi filologicamente esatta del testo. Nel caso del Croce, questa sua vocazione a tradurre Goethe è il segno di quell'amoroso indugio sulla lettura (che nel Croce si perpetua nella memoria sempre laboriosa, facile come cera e duratura come pietra), ciò che costituisce i preliminari e il lievito di ogni saggio critico; ciò che qualche sedicente lettore di poesia, di quelli che la pretendono a piccoli maghi dei misteri ineffabili della poesia, ha voluto invece negargli, presentandolo come critico impaziente delle letture calme e assaporate, e troppo pungolato dal demone filosofico e da quell'altro piacere più intellettuale di formulatore di « problemi critici ».

Le traduzioni, scrive il Croce, nella prefazione al *Goethe*, « non vengono mosse dall'impossibile speranza di dare gli equivalenti delle opere originali che non soffron equivalenti, ma, direi, dal desiderio di carezzare la poesia che ci ha recato piacere ». Sono espressioni che possono perfino sorprendere, almeno quelli che immaginano un Croce di maniera, lettore freddo e cursorio di poesia, solo perché il complesso gigantesco, impressionante, delle sue molteplici costruzioni storiche e morali fa sospettare che il loro autore non debba avere avuto poi troppo tempo per il laborioso ozio umanistico. Ma il tempo non è aritmetica di ore, e l'ozio umanistico non è poi l'ozio epicuraico: gli epicurei delle lettere sono persone private, che hanno importanza soltanto nella storia della loro camera e della loro àmaca e, tutt'al più, nel cerchio dei loro familiari che debbono soffrirne lo sterile egoismo. Le traduzioni goethiane del Croce vanno dunque considerate da noi come preparazione e accompagnamento del saggio critico, alla maniera, come si diceva innanzi, dei commenti. « Un vantaggio critico, per altro, ho ricavato da esse — dichiara l'autore stesso — che è stato di considerare più da vicino, di quel che mercé la semplice lettura non avrei forse fatto, la struttura intima della poesia goethiana, e venirne riconoscendo, e quasi toccando con mano, la mirabile solidità. »

Ma la nascita del saggio goethiano ha una genesi umana, e non meramente letteraria di industrioso traduttore, e non meramente intellettuale di incontinente e prepotente problemista. Il Goethe è un ideale di poesia per il Croce, ma anche un ideale di vita, e l'opera sua gli appare, come già al De Sanctis, la divina commedia di uno spirito moderno. A un poeta ci si accosta sempre, come per il desiderio dolente di attingere il paradiso di una più alta armonia, come per la vaga nostalgia di un sospiroso eliso, in cui, come per il Foscolo delle *Grazie*, si speri pace al nostro nativo delirar di battaglie. Un Croce prosaico e sistematico lavoratore, senza turbamenti interni, una specie di Giolitti della critica letteraria, un elefantiaco *travet* attaccato pedantescamente al suo lavoro quotidiano, anche questa è una visione di maniera cara ai piccoli borghesi e agli oziosi interiettivi estetizzanti. Il costruttore laureato di saggi critici, il puro assaporatore stilistico e grammaticale di metriche bellezze, non è mai esistito. « Rileggendo dunque, in cupi giorni della guerra mondiale, le opere del Goethe—dichiara lo stesso Croce— ne trassi lenimento e rasserenamento, quale forse da nessun altro poeta avrei potuto in pari misura, e ciò mi invogliò a mettere in carta alcuni concetti critici che intorno a esse mi erano risorti spontanei e che mi avevano sempre guidato a ben intenderle ». *Messer Francesco, a voi per pace io vegno*, mormora dentro di sé il critico, e con maggiore fortuna che il Carducci non avesse quale commentatore delle canzoni petrarchesche *(Ahi, che la chioma scuote e 'l musico labbro una di loro apre al grido ribelle: Italia e Roma)*, trova in Goethe poeta « uno il quale, sebbene esperto quanto altri mai in ogni forma di umanità, mantiene l'animo fuori e sopra gli affetti politici e le necessarie contese dei popoli ». Cotesta dunque l'origine del saggio goethiano. Così si intende l' interesse che l'antibiografico Croce ha per la biografia essenziale e trascendentale del suo poeta. « La sua biografia, congiunta all'opera sua, offre un corso classico e completo, *per exempla et praecepta,* di alta umanità: tesoro che forse non viene ai nostri giorni adoperato come meriterebbe dagli educatori e dagli stessi autodidatti ». Il che non significa che il Croce trascorra a farsi estetico fautore di una *imitatio Goethii,* perché egli non si compiace in questa immagine, che sarebbe una forma di estetistica insanie, e non di umanità. Il proporsi come modelli i grandi scrittori, Dante o Goethe, o Leopardi, o scrittori e poeti versatili quali Baudelaire e Proust e Gide, può andar bene per una breve stagione di « amore », come di solito avviene nei giovani nel periodo del loro noviziato, ma trascorrere a croniche forme di antropolatria estetica è pur segno, non tanto di affetto alla poesia, quanto di estetico egoismo e di decadentismo. Dobbiamo amare i grandi poeti, ma non possiamo fare della loro opera una specie di filotea per la nostra vita quotidiana. Il beghinaggio è detestabile anche in letteratura.

E il Croce goethiano non si è fatto un idolo del suo eroe. La figura di Volfango Goethe è composta per il suo critico « di virtù tranquilla, di seria bontà e giustizia, di saggezza, di equilibrio, di buon senso, di sanità, e, insomma di tutto ciò che si suole irridere come 'borghese' ». Il Goethe crociano è « profondo, ma non abissale, geniale, ma non diabolico ». Si afferma solennemente qui un' interpretazione classica dell'opera del poeta tedesco, di contro a una diffondentesi interpretazione decadentistica, che, necessariamente e fatalmente doveva concludere e ha concluso a una lenta sminuizione, in questi ultimi anni, della poesia del Goethe in contrasto con la poesia di un *cor cordium* di una più alta poesia. Alludo all' Hölderlin. Le pagine polemiche che il Croce ha scritto recentemente sulla *Critica* (20 luglio 1941) sull' interpretazione abnorme della poesia hölderliana hanno per l'appunto la loro premessa in quel saggio del 1917.

« Tu hai folleggiato ai tuoi tempi con isfrenate, demonicamente geniali, giovani schiere; poi pian piano di anno in anno ti fai più dappresso ai Saggi, divinamente miti. » Questa divina mitezza del Goethe, e il suo perpetuo tendere a sì fatta divina mitezza, è la ricerca fondamentale dell' interprete Croce. Direi che in questo si rifletta quasi un ideale autobiografico dello stesso critico. C' è da osservare che cotesto ideale poetico del critico poteva sopraffare l'opera del poeta, quasi contraendola in un unico motivo; ed è quello da cui si guarda il Croce, il quale anzi si parte in polemica contro gli astratti unitaristi, e mostra di fatto quanto sia « inutile, vana e aberrante, per molte delle opere di lui, la ricerca dell'unità e del motivo poetico unitario, nel quale si ostinano critici poco intelligenti, poco sicuri nel sentimento dell'arte ». La divina mitezza nel Goethe è una meta irrequieta, e non un termine fisso.

Quel continuo « sich überwinden », quel rapido superarsi, che era il ritmo e la legge della vita del Goethe, faceva sì che egli non potesse convivere a lungo con un motivo poetico, richiedente molti anni di esclusiva devozione per convertirsi in forma compiuta; e, se si ripensa ad altri artisti, compresi tutta la loro vita da un unico sentimento dominante e affascinati da un'unica immagine, si può vedere la differenza, rispetto ad essi, del Goethe, non già irrequieto e volubile, ma sempre « strebend », e saliente con vigoroso piede di altezza in altezza, e sorpassante sempre il se stesso di poco innanzi.

E questo continuo superarsi del Goethe non è mai presentato dal critico « come una radicale conversione e rinnegamento di un primo se stesso, ma piuttosto il maturarsi di quel primo se stesso, attraverso esperienze che gli erano necessarie ». Mai forse, come in questo saggio sul Goethe, il Croce si è tenuto in robusta aderenza alla storia della personalità nel suo sviluppo: alcuni suoi recenti saggi di *Poesia antica e moderna*, in cui il critico ama piuttosto indugiarsi sulle singole poesie, anzi che sullo sviluppo della personalità del poeta, indicano forse un allentamento di questa sua concezione storicistica della poesia nel suo diverso *fieri*, e sia pure per un esasperato desiderio di attingere una più piena concretezza di indagine? Ma è probabile che oggi egli tema soltanto gli eccessi di un virtuosismo storico, che, tutto inteso alla ricerca dello sviluppo della personalità, possa menomare l'autonomia estetica delle singole opere d'arte e di poesia.

Per importante ed efficace che sia al fine dell'orientamento generale delineare le « personalità » dei poeti, le realtà sono pur sempre le singole ed individue poesie, sulle quali perciò ci siamo di preferenza intrattenuti.

Qualunque cosa si pensi di cotesto ultimo orientamento critico del Croce, e di cui diremo più oltre, la sua compendiosa monografia sul Goethe rimane modello di una critica classica che sa distinguere nell'opera dei poeti la poesia dalla non poesia, ma sa intrattenersi anche, secondo la tradizione romantica e desanctisiana, sullo sviluppo della personalità. E il tutto sta nella cautela mentale del critico che, l'occhio fisso alla storia di uno spirito poetico, sappia sentire viva dentro di sé la reazione del suo gusto di giudice puro di poesia e sappia alternare con arte sapiente caratteristiche storiche dello spirito, della personalità, e caratteristiche storiche di singole poesie o componimenti d'arte, momenti di quella personalità, due processi appena apparentemente divergenti e che poi fanno tutt'uno. In fondo, storia della personalità e storia delle singole opere letterarie coincidono quasi sempre; ma poiché un grande scrittore non è mai puro poeta, è ovvio che per figure complesse come Dante, Goethe, Manzoni o Leopardi, ci piaccia assistere allo svolgimento dei vari momenti della loro attività, che non può essere esclusivamente poetica o esclusivamente letteraria. Perciò l'autore di queste pagine si fa fautore del saggio critico come storia della personalità nel suo farsi, storia della poesia e insieme storia della poetica di uno scrittore (per la quale ultima un poeta si ricollega al gusto dei suoi tempi e al destino fraterno degli spiriti affini e vicini). Solo allora noi possiamo evitare di fare la storia di uno scrittore come di una chiusa monade estetica. L'isolamento grammaticale di alcune poesie, la distinzione di poesia e non poesia, intesa un po' troppo materialisticamente, potrebbe portare all'analisi critica del singolo episodio, e nella dialettica di uno scrittore il singolo episodio è un momento, e non è il suo universo definitivo e ascendente. E a noi pare che in questo saggio goethiano il Croce sappia contemperare in equa misura tale duplice indagine; per cui esso rimane come uno dei più felici esempi di critica romantica e classica al tempo stesso.

Il Croce, dunque, che esclude l'unità del motivo poetico, sente invece fortissima l'unità della personalità goethiana, pur nel suo diverso farsi. Però egli avverte nel *Werther* «non una malattia, ma la guarigione di una malattia, una febbre di vaccinamento piuttosto che una febbre di reale infezione»: matto, *toll*, il Goethe non fu mai né punto né poco, e anche nell'opera giovanile c'è assai più saggezza che non ci si aspetterebbe. E rispetto al secondo *Faust*, il Croce osserverà che già nel primo, «si avverte molto di critico e di ironico», e che nello stesso *Goetz*, « c' è senno e ponderato giudizio morale », e viene messo in rilievo l'*Egmont* come « sennatissimo », « così giusto e perspicuo nei concetti sulla vita politica non meno che su quella affettiva ». Il sempre « strebend » Goethe, e il Croce mostra la varietà di questo suo continuo ascendere, è pur fedele a una sua logica fondamentale, spirito circolare e sempre presente a se stesso nel suo progredire. Questo il senso unitario della personalità goethiana, di cui dicevamo.

Un'ultima osservazione ancora da farsi per questo saggio su Goethe, ed è che già in esso si annunzia il criterio poetico di giudizio, che il Croce quattro anni dopo farà valere nel saggio su Dante. Non sensi morali, anagogici, allegorici nella *Divina Commedia*, ma soltanto opera di passione, questa, di dramma o di lirica; e lo stesso va ripetuto per il *Faust*, in cui bisogna badare soltanto al suo senso letterale, non lasciandosi trascinare da quel retorico avvicinamento tra il poeta medievale e il moderno per fare anche del *Faust* una specie di costruzione filosofica ed un poema più modernamente teologizzante. In questo senso il saggio crociano rappresenta l'eversione di tanta critica tedesca mistico-retorica sullo stesso argomento, e della critica italiana che per tutto l'Ottocento e ancora nei nostri giorni se n' è fatta la riecheggiatrice; e riconduce l'opera del poeta germanico sul piano esclusivo e rigoroso della poesia. La struttura del *Faust* va distinta dalla sua poesia; e le quistioni strutturali non sono questioni di critica letteraria [1].

---

[1] Cfr. *Recenti lavori tedeschi di critica del Faust*, in *Nuovi saggi sul Goethe*, Bari, Laterza, 1934.

5. Critica problematica e critica definitoria.

Il saggio sull'*Ariosto*, scritto subito dopo, pur nella diversa configurazione, accoglie ancora questo criterio della biografia trascendentale dello scrittore: il primo capitolo di essa, *La vita degli affetti nell'Ariosto*, non è che una dissimulata biografia, intendendosi per essa la storia della mitologia amorosa, pratica, letteraria che è propria di ogni scrittore, e che l'Ariosto effuse nelle commedie, nei suoi carmi latini, nelle rime italiane e in quel graziosissimo epistolario versificato che è costituito dalle sue satire. Biografia trascendentale, abbiamo detto, e però il Croce non ci dà una storia preliminare del « cuore » dell'Ariosto, del suo cuore di figlio, di fratello, di pover'uomo, d'innamorato, che può interessare gli altri più bonarii e meramente eruditi indagatori, i quali portano in tal sorta di indagine il gusto e l'interesse proprio del *paterfamilias*, ma ci dà la storia preliminare di qualcosa che sta più addentro, del « cuore del suo cuore ». Questa vita dello scrittore minore ci aiuta ad intendere la passione febea dell'Ariosto, al di là e al di sopra dei suoi umori quotidiani; è dunque una ricerca storica, di più intimo significato, che prepara e culmina nella formula di Ariosto, come poeta dell'Armonia cosmica. Basti ricordare un qualche periodo di questo primo capitolo. per intendere la spirituale e trascendentale curiosità del critico; per esempio, ciò che egli scrive dell'amore per la donna nel suo poeta, e che intimamente si lega con la caratteristica del poema.

Lo stesso suo bisogno di amore e di femminili blandizie non si configurava per lui in un fine supremo, come nella gente bramosa di comodo e piacere, ma sembrava piuttosto un mezzo: quasi l'ambiente di serena gioia, di sedato tumulto, che egli preparava a se stesso per l'altro e più alto amore. Il Carducci ha ben colto questa situazione psicologica, nel sonetto sul ritratto dell'Ariosto, dove dice che al gran sognatore solo desiato ed accetto « premio ai *canti* era una bocca bella — Che del fronte febeo lenia l'ardore — coi baci... ».

Ariosto, poeta dell'armonia cosmica: che cosa è questa formula, questa definizione, per cui quel saggio va celebre? È poi possibile che l'Ariosto si esaurisca in quella formula, e che la poesia possa essere circonscritta da una definizione? Qui si fa chiara una tendenza definitoria, che è stata sempre nascosta nella storiografia crociana, e che nel saggio ariostesco ha assunto una forma visibile e cospicua. D'Annunzio già nel 1904 è configurato come dilettante di sensazioni, e Carducci, nel 1910, come poeta della storia. Proprio in quello stesso giro di tempo, e precisamente nel 1917, nel saggio sulla *Riforma della storia artistica e letteraria*, il Croce consacrava anche con la teoria questa sua tendenza, propugnando « che la vera forma logica della storiografia letterario-artistica è la caratteristica del singolo artista e dell'opera sua ». Ma si definisce don Abbondio, si definisce l'Innominato, si definisce ser Ciappelletto? L'artista e il poeta dànno una vivace e versatile rappresentazione di quei loro personaggi, e quei personaggi vivono non in questa o quella espressione, ma nell'infinita versatilità dei loro gesti, delle loro azioni, dei loro discorsi. Processo analogo dovrebbe essere quello della critica, che non può contentarsi di una epigrammatica definizione per captare il mistero di una creazione, e crocifiggerla e recluderla in una formula. Con una formula definitoria, e sia pure di assai largo raggio di espansione, non si fa la storia di uno spirito poetico nella sua successione di atti concreti, ma la storia ancora della poesia nel suo limbo, la storia della poesia come di un'astratta idealità. Le definizioni per quanto vaste e lucide non possono mai esaurire tutto il significato di un'opera di poesia, e vanamente esse tenderebbero di rinchiudere in sé la personalità del poeta; la quale non è mai qualcosa di fatto e di determinato, ma qualcosa che si fa perpetuamente e il critico ricrea, unificandosi con essa. Dire che il Boccaccio è il poeta dell' intelligenza, o il poeta della saviezza, è come non avere aperto ancora bocca. La definizione ha valore, se essa vive, disciolta e volubile, in una prosa critica tutta spiegata. Per definire basta l' intelletto; per rappresentare e descrivere criticamente occorre umanità e gusto e stile. Va bene il *philosophus additus artifici*, ma il filosofo deve essere anche lui un po' poeta che mescola le sue alle immaginazioni della poesia. Però è necessario integrare e abbandonarsi a una descrittiva letteraria, fine e piena di sfumature, dei singoli episodi di poesia. A rigore il saggio critico dovrebbe accompagnare il poema ariostesco, canto per canto, come una specie di commento marginale. Il problema critico deve nascere, se è pur necessario che nasca, come un epilogo tacito di questa lunga descrittiva letteraria; chi formula il problema critico, pare che in esso tutto si sazi e si dimentichi della poesia del suo poeta. Ed ecco che, come una tacita integrazione, nascono accanto al saggio crociano i libri sull'*Orlando furioso* del Momigliano, del Raniolo, dell'Ambrosini; ma pur dopo aver letto e ammirato le qualità espositive e chiosative di questi descrittori, più che critici di poesia, ritorniamo al saggio generatore, come a un intenso e raccolto ed espansivo lume.

Abbiamo mescolato a bella posta proposizioni ragionevoli e proposizioni irragionevoli, in queste nostre obbiezioni. Di alcune noi stessi ci confessiamo gli autori primi e non diciamo di quali; ci auguriamo che siano le ragionevoli, e che fossero scritte a scopo esortativo e catartico per noi stessi. Ma dobbiamo affrettarci a dire che la critica problematica, contro cui quelle varie proposizioni vorrebbero sottilmente schermagliare, è almeno superflua nell'aggettivo, perché ogni critica, dal punto di vista denominativo, degna del nome, è sempre problematica. E a che cosa altrimenti essa risponderebbe? Vorremo forse tornare all'*artifex additus artifici* di contiana memoria, che poi non è altro che una riesumazione ammodernata della vecchia critica di seminario, quella sempre cara all'abate Cesari e all'abate Zanella? A noi ci è capitato di scrivere in altre pagine che non accettiamo nemmeno la formula crociana del critico come *philosophus additus artifici* e che la modifichiamo più volentieri in quella del *philosophus additus sibi ipsi.* Perché nella prima permane sempre un equivoco dualistico e come una distinzione fenomenica della poesia da una parte e della critica dall'altra, le quali a un certo momento entrerebbero in relazione. Il critico gira intorno al monumento, ma non si identifica in esso. Mentre in verità il critico entra in relazione solo con se stesso, col mondo poetico vissuto e assorbito dentro, ed egli pensa non già a chiarire l'arte e la poesia altrui, ma a chiarire l'arte e la poesia assimilata dalla sua mente, a chiarire dunque se stesso, a rispondere ai suoi problemi.

I suoi problemi! Ecco una frase che fa fremere gli interiettivi della critica, e anche i seguaci di una critica di tipo conversevole alla Ferdinando Martini o alla Panzacchi! Ma il rapporto tra il critico e il poeta, tra la critica e la poesia non è diverso del rapporto che intercorre tra la poesia e l'esperienza umana, fra la poesia e la vita vissuta: pare che il poeta si faccia a riprodurre una realtà, che il Verga ritragga, mettiamo, i costumi della sua isola e i vari Malavoglia e i Mastro-don Gesualdo conosciuti nella sua fanciullezza, tipi incontrati dunque nel mondo; ed egli invece copia, attinge soltanto dentro di sé, quelli che sono i fantasmi della sua mente. Allo stesso modo il critico piega l'arte e la poesia altrui a semplice materia del suo filosofare e del suo giudicare. E chi dice che bisogna fermarsi alla lettura, lettura tacita ed amorosa dei testi, costui vuole restare all'infanzia della critica. Il solo critico che noi conosciamo per tale è colui che formula nitidamente e coerentemente i suoi problemi; come il solo poeta e artista che noi amiamo è colui che ci riporta non già l'impressione folclorica della sua Sicilia o del suo lago di Como o del corso dell'Adda, ma colui che ci dà la suggestione del fantasma di un'isola o di un lago favoloso o della voce di un fiume che gli risuona indistintamente dentro. I poeti-veristi non sono poeti; e i critici puri-lettori non sono critici, e la loro critica è semplicemente un fatto privato. E troviamo di pessimo gusto che essi ci vogliano ciurmare e stordire intenerendosi su coteste loro faccende di uomini « idioti e senza lettere », cioè senza problemi. Sicché parlare di critici problematici e di critici sensitivi, significa attribuire agli uni il dono della critica, e agli altri soltanto il dono, un dono assai platonico, della possibilità della critica; senza pur trascorrere alla fantasia polemica delle ore impazienti di chi vede nei secondi una immagine di quegli infanti, mai nati, vittime delle ree cicute, penduli e flosci, informi tra la vita e il nulla, che il Pascoli si compiacque di descrivere, in lascivi versi grotteschi, in uno dei suoi poemetti conviviali.

Ma il problematismo critico pur nasconde un pericolo: che esso possa essere arbitrario e relativo, perché staccato dai testi. Il che è falso se si pensa che per quei tali critici problematici la poesia è abolita fuori, ma non è abolita dentro: l'oggetto del nostro giudicare una volta absorto dentro la mente diventa il tiranno del nostro pensare, e ci costringe alla coerenza. La filologia si è consustanziata nella filosofia. Si parla della coerenza interna, e non più della verisimiglianza dell'arte e della poesia; allo stesso modo si parli anche della coerenza interna, e non già dell'adeguazione estrinseca della critica ai testi. Il vero della critica è vero, perché esso ha già assorbito dentro di sé il certo. Il problematismo, solo per una falsa prospettiva falsata dalla piccola polemica, poi può apparire legato alla tendenza definitoria. Definire, definiamo tutti; anche Manzoni definisce i suoi personaggi: « Don Abbondio (il lettore se n'è già avveduto) non era nato con un cuor di leone ». Don Abbondio era « come un vaso di terracotta, costretto a viaggiare in compagnia di molti vasi di ferro ». E alla stessa stregua l'artista definisce fra Cristoforo e la monaca di Monza. Ma bisognerà vedere se il narratore si ferma a quella formula definitoria o non la sciolga piuttosto nel vivo di una rappresentazione, di un dialogo, di una scena, e se quella definizione non circoli in tutto il romanzo come motivo perpetuamente generatore. Orbene, anche il critico definisce; ma qui è uopo che ben si distingua: c'è la definizione sterile, scolastica, arida, meramente didascalica, che a tutti può capitare di scrivere in momenti di stanchezza e di provvisoria composizione di un saggio; e c'è la definizione irrequieta, mobile, succosa, versatile, pregnante, circolare, che rimane soltanto un punto di orientamento e poi si svolge in ricche pagine di illustrazione storica. Però abbiamo fatto intendere che, al di là della definizione, ci deve essere umanità, gusto, stile nel critico, e che non si può fare il processo alla tendenza definitoria della mente, ma soltanto all'aridità di quella mente particolare che pur si arresti alla formula epigrammatica e brillante.

Era pur necessario questa digressione, a proposito di un saggio come questo sull'Ariosto, che è uno dei più rigorosamente filosofici, problematici cioè, che siano mai usciti dalla feconda penna del Croce, e pur nitido e tranquillo come vetro trasparente e terso, e dove la definizione di Ariosto, poeta dell'armonia cosmica, è passata nella memoria di tutti. Ma proprio tanta filosofia era necessaria per chiarire questa poesia ariostesca, che è tutta volubile grazia e leggiadria? Se lo domanda lo stesso Croce: « L'Ariosto era l'opposto del filosofo, e certo, se potesse leggere ciò che andiamo investigando e scoprendo in lui, stupirebbe e poi sorriderebbe, e ci regalerebbe a comento qualche bonaria celia ».

Ma quella che pare una dissertazione filosofica è pur critica letteraria, che approfondisce da una pagina all'altra il significato della famosa formula; e l'approfondisce con una versatilità di chiarimenti sempre incalzanti, di puntuali riferimenti storici e metodologici. Qui abbiamo in maniera più esplicita l' incontro della critica in atto e della metodologia, che è una delle caratteristiche dello storicismo contemporaneo, e alla lettura finita del saggio, noi ci ritroviamo con nella memoria non una formula di più, sterile e arida, ma una copia di osservazioni storiche sulla poesia dell'Ariosto e sull'età del Rinascimento in cui quella poesia s' incentra, e poi ancora rapidi e illuminanti raffronti con altri poeti, con il conseguente dissolvimento del ciclo letterario « poema cavalleresco » e il succedersi di una dinastia di poeti, Pulci, Boiardo, etc.; e infine notazioni dirette sulla poesia dell'Ariosto, che non sono delibazioni di letterato meramente sensitivo e di fra' godente, ma di lettore discreto (nel significato etimologico del termine), di lettore in funzione di critico e di storico. Da ciò la sobrietà di quelle notazioni, ma anche la loro regolata finalità. Il Croce stesso prevedeva le facili ironie degli epicurei della critica, ma forse perché le prevedeva e avendole da se stesso rimosse, non ricordiamo che all'apparire di quel saggio nascessero discussioni di tal genere; anzi il saggio ariostesco, più del saggio goethiano, per la maggiore familiarità col testo del *Furioso*, diede, almeno in Italia, la misura dell'altezza critica a cui il critico era salito in queste sue nuove esperienze. Dichiarava il Croce stesso:

Vi ha alcunché di comico o almeno d'ironico in questa necessità in cui si è presi di aggravare di filosofia il discorso intorno a un così trasparente poeta; ma abbiamo già avvertito in principio che altro è il leggere e ricantare e altro l'intendere, e che ciò che si apprende facilmente, può esser talvolta assai difficile a comprendere.

Il paragone col De Sanctis questa volta si risolve a favore del Croce, per la maggior saldezza scientifica dei concetti adottati dal nuovo critico. Il De Sanctis aveva parlato del *Furioso,* come di un poema in cui l'unico fine era l'arte e la pura forma. Ma era indubbiamente contradditorio affermare che « un artista abbia per suo particolare e proprio fine, ossia per suo contenuto, l'arte stessa, l'arte che è il fine generale di ogni artista ». C'è certamente una poesia della letteratura, una poesia che rifà bellamente i modi del Parnaso greco, latino ed anche italiano, ma già cotesta poesia si chiama « umanistica », e l'aggettivo restringe di colpo l'universale cosmico della poesia, la quale non tollera qualifiche particolari, al di là del sostantivo. La poesia umanistica è sempre una poesia minore, se non altro perché priva di complessità, essendo la reminiscenza letteraria qualcosa già di pietrificato e di troppo definito. Poesia minore è quella di un Vincenzo Monti che ha ricantato in tempi più vicini ai nostri le belle note dell'itala letteratura, simile al musico che si limiti a trascrivere, strumentandola, la musica altrui. E allora poiché l'arte non può essere contenuto dell'arte se non in questo senso più angusto della reminiscenza letteraria, non si può intendere che l'Ariosto ami e persegua nel suo poema la pura arte; chè egli invece ama e celebra il puro universale contenuto dell'arte, cioè l'Armonia, non questa e quella particolare lotta ed armonia (erotica, politica, morale, religiosa e via dicendo), ma quella lotta e armonia in idea ed eterna, che è lo stesso puro ritmo dell'universo.

Ariosto poeta dell'armonia cosmica, una definizione, una formuletta che dovrebbe surrogare la poesia complessa di un così grande poeta! Ma il Croce pronto lì a ribattere, contro la fatua credenza, che è di parecchi critici odierni, che la critica con le sue formule estetiche, con la sua descrittiva letteraria, possa esaurire o surrogare la poesia che viene definendo o descrivendo: impossibile equivalente « che sarebbe non solo arrogante ma inutile, perché la poesia dell'Ariosto è là, e ognuno può direttamente vederla ». Qui si innesta la polemica sottintesa o esplicita che c'è stata sempre tra il Croce e i suoi giovani seguaci o i suoi avversari: polemica oggi esaurita e il cui motivo è ripreso soltanto da alcuni ritardatari, ignari degli umori polemici di vent'anni fa, e ancora in vena di drappeggiarsi, almeno allo sguardo di donne gentili, come critici-poeti o critici-artisti (i Toscanini della critica dicono di volere essere costoro, e parlano difatti sempre di sinfonie, di arie, di sequenze, di cori e di altri solfeggi!) Per il Croce la critica deve limitarsi ad additare dove batte il suo accento principale; ma, si opponeva noi in quegli anni giovanili in cui il Croce veniva scrivendo questi suoi grandi saggi, non basta il dantesco « omai *per me* ti ciba », è pur necessario il commento descrittivo della poesia, l'analisi goditiva di essa, l'applauso letterario al poeta poetante[1]. E si citava l'esempio del De Sanctis, che pur dando la caratteristica centrale di un'opera d'arte, sapeva trascorrere poi e abbandonarsi a una acclamazione eloquente, a una ricostruzione sentimentale, o a una vivace ipotiposi letteraria

[1] Il testo dantesco è *omai per te ti ciba*; ma si tratta di una deformazione intenzionale, perchè ho voluto dare un particolare significato filosofico alla « caratteristica » del Croce. Il Croce, precisamente, vorrebbe dire (secondo l'interpretazione data dagli avversari della sua maniera nel far la critica), che attraverso lui (*per me*), attraverso la sua caratteristica, il lettore è messo in condizione di intendere i particolari dell'arte di un poeta.

della sollevazione interna di lui lettore davanti all'opera di poesia presa in esame.

Ormai siamo tutti convinti che non c'è da teorizzare su questo tema; pena il pericolo di far nascere la teoria e la metodologia da un particolare temperamento, come polloni ai piedi di una pianta di grosso taglio. Non si teorizzano le proprie possibilità o le possibilità di un maestro defunto o vivente. Si tratta per l'appunto della differente possibilità, del *quid individuale*, di due scrittori diversi, De Sanctis e Croce, e direi anche di differente clima e umore storico. Anche nel Croce c'è cotesta che io altre volte ho chiamato oratoria del gusto, ma più frenata, come lo scrittore fosse tutto preso da questo pacato e quasi matematico amore dell'asciuttezza e del rigore dei suoi concetti critici. Cotesta oratoria del gusto è un po' come l'umanità lirica religiosa di ogni critico, ed essa non può mai mancare; e nel Croce possiamo dire che essa circola se non in maniera troppo sensibile per la poesia intesa nelle forme meramente estetiche e grammaticali, per la vita morale che si effonde tacita come prototesto della poesia stessa. E ha avuto poi la sua classica effusione, nelle opere storiche, come la *Storia d'Europa*, dove la religione della libertà, al di là delle stesse parole, ha dato un respiro epico a buona parte dell'esposizione.

L'oratoria del gusto non è certo poesia sulla poesia, ma è una risonanza e assonanza morale con la poesia, ed è come un'esortazione ad altri perché avverta la presenza del nume. Ma non è cosa che si possa avviare e architettare con particolari artifici di stile o di volontà; essa c'è e non c'è, come l'umanità stessa del critico che emerge spontanea. Sulla via dei programmi velleitari è facile la sua degenerazione in una forma di retorica estetizzante; e questa è stata la manifestazione più fastidiosa di tanta apparente critica letteraria degli ultimi cinquant'anni, dal tempo del D'Annunzio e dei dannunziani, a quelli del decadentismo postcrociano, in cui ci si compiace di fabulosi parlari, di monologhi interiori alla Joice, di vaghi ed elusivi e delusori accenni all'incanto della poesia di cui si viene discorrendo, anzi di cui si ha soltanto una preliminare intenzione di discorrere. Si direbbe che l'asciuttezza scientifica del Croce, in questo campo, sia stata incoraggiata in lui da ragioni polemiche; mentre nel campo della storiografia politica, a reazione di un'atmosfera diffusa di cinismo e di brutalità e di una retorica teatrale dell'apparire, egli non ha esitato ad abbandonarsi, ma pur anche lì attraverso il respiro sintattico del periodare più che nella materialità delle parole, grammaticalmente isolabili, a un'ebbrezza di tipo apostolico sull'avvenire eterno della libertà nel mondo.

6. Analiticità del saggio sull'Ariosto.

Ma la formula dell'Ariosto poeta dell'armonia cosmica, se anche si vuol disconoscere il valore scientifico di quella che abbiamo chiamato oratoria del gusto, rimarrebbe una formula astratta e statica, se essa non si svolgesse in un processo di successive caratteristiche. E difatti il Croce viene particolareggiando quella che è la materia di questa armonia ariostesca, e ricorda e largamente esemplifica uno dei motivi sempre immanenti alla fantasia del poeta: il motivo della poesia e della donna, dell'amore per la bella forma corporea, splendente negli occhi luminosi, lusinghiera, vezzosa, « virtuosa anche, ma di una virtù relativa, quanto valga a non mettere troppo tossico nelle annodate relazioni d'amore; e perciò ogni idealizzamento etico o speculativo, alla stilnovistica o alla platonica, ne rimane escluso: *non di teologal donna l'Amore...*, anche qui il Carducci vide e disse bene ». Motivo così insistente nel poema, che ben questo avrebbe potuto dirsi il poema dell'amore, « della casistica dell'amore, a cui la vita bellicosa farebbe da semplice sfondo decorativo ».

Con l'amore c' è anche il motivo dell'amicizia e dell'umana pietà, e « chi cercasse nel poema i moti di commiserazione e di indignazione per la virtù oppressa, per i miseri popoli tiranneggiati, spogliati, straziati e lasciati perire come pecore e zebe, raccoglierebbe altri segni della bontà e generosità che ardeva nel mite Ariosto ». Bontà e generosità per i casi umani, ma ancora bontà e religiosità più di tipo politico per le sventure della patria e il dominio degli oppressori. Ma per questa parte l'Ariosto non va oltre una « superficiale impressionabilità, e finisce con l'accettare i tempi suoi e rispettare i potenti che infine hanno prevalso ». Anche la sua riverenza cortigiana verso gli Estensi non è né orientamento politico né cortigianeria verso gli Estensi, ma soltanto gusto di favolatore che ama adornare fantasticamente i suoi padroni come altri signori d' Italia, le grandi donne, gli artisti, i letterati buoni o mediocri o cattivi che fossero, soltanto per il gusto di farne 'statue radiose'. « Con disposizione, invece, affatto scherzevole egli guarda le credenze religiose; Dio, Cristo, il Paradiso, gli angeli, i santi », ché il nostro poeta era irriverente, o ch' è lo stesso, indifferente, spirito altrettanto areligioso quanto afilosofico, non angosciato da dubbi, non pensoso del destino umano, non curioso del destino umano, non curioso del significato e valore di questo mondo che vedeva e toccava e nel quale amava e dolorava: estraneo del tutto, come ad ogni altra filosofia, a quella del Rinascimento, sia dei Ficini sia dei Pomponazzi. « Per essere un Voltaire della Rinascenza, come alcuni hanno voluto definirlo, gli mancava quella fede religiosa che pur a suo modo l'illuministico poligrafico del Settecento largamente ebbe ».

Ma si obbietterà che questa è ancora critica contenutistica, rassegna dei motivi della poesia ariostesca che ci richiamano all'umanità sempre informe dello scrittore. Noi vogliamo la caratteristica della sua poesia, in quello che fa il proprio della poesia. E allora si veda tutto il capitolo dedicato all'« attuazione dell'armonia », e si avvertirà questo pacato ma sempre sicuro e allargantesi sviluppo della critica crociana. Alcuni amerebbero una confusione o commistione romantica, attraverso balenio di immagini, di questi vari momenti dell' indagare del Croce. Più estro lirico, fumo e luce insieme, metafisiche astrazioni e imagini corpulente e vive, interferenze di osservazioni di tipo estetico e grammaticale su altre di tipo etico-umanistico. Ma si tratta di gusti antiquati per non dire di gusti poco storici: il Croce non è il Vico, almeno non è il Vico quale fu visto dal romantico Tommaseo, e quale si tentò di vedere da un basso romantico dei nostri tempi, un Vico quello che al dire dell' ingegnoso dalmata « raccontando ragiona e ragionando dipinge; e per le cime dei pensieri non passeggia, ma vola ». Il nostro nuovo filosofo invece tiene un passo suo moderato e costante, un po' leggermente trasandato, ma anche confidenzialmente sicuro, e disdegna le prodezze dei volatori. In questo si direbbe che egli sia buon seguace dell'Ariosto, suo poeta prediletto insieme col Goethe, del quale i vecchi critici notavano per l'appunto un'aria confidenziale che è il brio della sua poesia.

Questo progredire metodico e conversevole, brio tranquillo del filosofo Croce, deve avere forse il suo fascino, una sua tenace suggestione mentale. In ogni modo, esso è il segno del suo personalissimo stile, e va interpretato come la caratteristica dello scrittore Croce. Felicissime in questo nuovo capitolo le osservazioni relative al sottomettersi delle dilettose storie cavalleresche e degli scherzi capricciosi all'alto respiro dell'armonia che cantava nel fondo del cuore del loro poeta. Si compie un'opera di svalutazione e distruzione della materia sotto la forza magica dell'espressione (la critica contenutistica sparisce per dar luogo a una critica più propriamente formale), e il Croce ritrova tale tono espressivo «nei proemi dei singoli canti, nelle digressioni ragionanti, nelle osservazioni intercalate, nelle riprese, nei vocaboli adoperati, nel fraseggiare e nel periodare, e soprattutto nei frèquenti paragoni che formano quadri e non rinforzano la commozione ma la divagano, e nelle interruzioni dei racconti talvolta nel punto più drammatico, con gli agili passaggi ad altri racconti di diversa e opposta natura».

Sempre nella serie di queste osservazioni di ordine formale è quella dibattuta sull'ottava ariostesca «che è cosa che vive per sé: un'ottava che non sarebbe sufficientemente qualificata col dirla sorridente, salvo che il sorriso non s'intenda nel senso ideale, appunto come manifestazione di vita libera ed armonica, energica ed equilibrata, battente nelle vene ricche di buon sangue e pacata in questo battito incessante». E se questo metaforeggiare (che poi non è soltanto tale) può apparire ancora un po' estrinseco e generico, si leggano le varie analisi concrete che il Croce viene facendo di questa o quell'ottava ariostesca. Già di per sé la citazione è indizio dell'implicito gusto critico dello scrittore, e il saper citare è una delle arti più raffinate e più discrete del nostro critico.

Di qui il Croce passa a ragionare dell'ironia ariostesca, che è un sorriso indefinibile con cui il poeta accompagna costantemente le sue costruzioni favolose, e che «non colpisce già un ordine di sentimenti, per esempio i cavallereschi o i religiosi, risparmiando altri ma li avvolge tutti, e perciò non è futile scherzo ma qualcosa di assai più alto, qualcosa di schiettamente artistico e poetico, la vittoria del sentimento dominante sugli altri tutti ». Un' ironia dunque che fiacca tutti gli ordini di sentimenti, che li adegua tutti in questo abbassamento, priva gli esseri della loro autonomia, convertendo così il mondo dello spirito in mondo della natura. Ciò che serve a spiegare il particolare naturalismo dell'Ariosto in accordo con tutto il naturalismo del Rinascimento (la critica letteraria non ristagna mai in se stessa, ma si svolge irrequietamente in più complessa storiografia), poiché questo mondo dell'Ariosto appare tutto « superficie disegnata e colorata, splendente ma senza sostanza. Donde anche quel suo vedere gli oggetti in ogni loro tratto, come naturalista che osservi minuzioso e descriva, senza appagarsi del tratto unico che solo rilevano e segnano altri geni di artisti, senza impazienze personali e conseguenti sprezzature ». Questa tendenza naturalizzante della sua arte spiega anche come nel *Furioso*, « non essendovi libera energia di sentimenti passionali, non vi sono caratteri ma figure disegnate bensì e dipinte, ma senza rilievo e rotondità, e con tratti piuttosto generici e tipici che individuali ». Né tale caratteristica induce il Croce a deprimere i personaggi ariosteschi a vantaggio di altri personaggi di poeti altrettanto cosmici, quali Dante, Shakespeare e Goethe, e anzi a questo punto con riferimento al De Sanctis che, trascinato dalla sua poetica di romantico, aveva abbassato le creature femminili dell'Ariosto a paragone di quelle di Dante e dello Shakespeare e del Goethe, il nostro critico osserva:

Paragone impossibile, perché Angelica Olimpia ed Isabella non posseggono certamente l' intensità passionale di Francesca, Desdemona e Margherita, ma nemmeno queste posseggono le armoniose ottave nelle quali le altre si distendono e si cullano ed effettivamente consistono; e quel che val meglio, né le une né le altre soffrono delle correlative mancanze, che sono mancanze a lume di un pregiudizio critico, ma non reali privazioni e contraddizioni poetiche in se stesse.

Sempre contro il De Sanctis, che rilevava il difetto del sentimento della natura nell'Ariosto, il nuovo critico osserva che cotesto senso, ipòstasi dei sensi di conforto, di malinconia e di religioso terrore propri dello spirito umano, non poteva aver luogo in un poeta che ogni passione sommergeva e annullava col suo alto senso dell'armonia cosmica; e però, « se qualche accenno se ne fosse per caso introdotto nel poema, qualche nota sentimentale vi fosse risonata, subito se ne avvertirebbe lo stridore e la sconvenienza ».

Perfino certe prolissità descrittive, come quelle del ritratto della maga Alcina, non sono prolissità, ma la necessità stessa dell'ispirazione del poeta, perché invano si cercherebbero in lui « tratti energici, fisonomie vive ottenute con due pennellate, cose che presuppongono un modo di sentire che egli non possedeva, e, in ogni caso, reprimeva. Gli *occhi ridenti e fuggitivi*, che sono tutta Silvia, *le doux sourire amoureux et souffrant*, che è tutta la spirituale amica della *Maison du Berger*, appartengono non all'Ariosto, ma al Leopardi e al De Vigny ».

Concludendo si può dire che questo saggio ariostesco è forse il più ricco di determinazioni storiche ed estetiche che il Croce ci abbia dato (e ci è piaciuto dare di ciò la dimostrazione analitica, perché la formula dell'armonia cosmica era quella che più facilmente poteva incoraggiare le vociferazioni giornalistiche dei facili gridatori contro le formule e le definizioni), e al tempo stesso è il saggio nascostamente più polemico contro le interpretazioni che dell'Ariosto e del Rinascimento aveva dato il suo maestro e autore De Sanctis. Il che oggi torna opportuno per osservare come tutta la storiografia letteraria del Croce, presentata da lui stesso come un semplice approfondimento e prosecuzione dell'opera dell'altro maestro napoletano, è in molti casi una totale trasfigurazione e spesso un'eversione dei giudizi dell'autore della *Storia della letteratura italiana.* Oggi studiosi spiritualmente defunti ripetono il grido, ma sempre più stracco, « Ritorniamo al De Sanctis »; si tratta di un mediocre espediente polemico, che non può distogliere le menti dalla contemplazione del positivo cammino percorso dalla nostra storiografia letteraria dal 1870 ai nostri giorni. Ritardatari cotesti fautori verbali di un ritorno a De Sanctis, e ritardatari per troppo ipocrite ragioni, e soltanto in qualcuno si avverte l'oscura volontà che il vecchio sociologismo storico dei romantici non va semplicemente respinto, ma va rinnovato e trasfigurato e spremuto nella sua più segreta esigenza storica. Ma ritardatari anche quegli altri, che, quasi a dispetto delle cure di continuità storica che il Croce ha voluto coltivare fra l'opera sua e l'opera del maestro, trascorrono oggi a parlare della « retoricissima » *Storia* del De Sanctis, e fanno delle grandi scoperte sulla interpretazione mancante che il De Sanctis ci diede del Rinascimento.

Ma tutto questo progresso e cotesta integrazione dei criteri difettivi del De Sanctis è stato compiuto dal lavoro assiduo del Croce e degli altri storicisti, i quali non hanno avuto bisogno di rinnegare De Sanctis per far valere le loro nuove interpretazioni. È sempre segno di povertà di ingegno e di meschinità spirituale questa di presentarsi come superatori del maestro che ci ha nutrito e ci ha vestito della sua carne; e di solito cotesti superatori sono tali *in verbis* e non *in rebus.* Il Croce con grande discrezione e direi anche ritegno si è sempre contenuto nel mettere in evidenza il contributo delle sue interpretazioni, spesso in contrasto con quelle del De Sanctis; non si tratta soltanto della pietà dello scolaro, ma quasi di una tranquilla fiducia nell'originalità del proprio pensiero e ancora più di quel senso religioso della continuità che è propria del lavoro dello storico. Il De Sanctis e il Croce finiscono di essere due nomi, due uomini, e costituiscono per l'appunto, oramai, una tradizione storica; e alla tradizione storica ci si ribella soltanto per continuarla, cioè per riconoscerla. Sicché oggi possiamo dire non ci sono né desanctisiani e nemmeno crociani, se non nel senso di continuatori nuovi, diversi e fedeli di quella antica o contemporanea fatica dei due maestri; e bistrattare la *Storia della letteratura italiana* val quando prendersela con la *Storia d'Italia* del Guicciardini, solo perché essa non risponde più alle nostre esigenze e agli ammodernati canoni di interpretazione. L'opera degli storici e dei critici, quando è profonda, trapassa ad essere monumento, classica e autonoma espressione di una personalità e di un periodo storico; e guai dove manca questa classica trasfigurazione. L'augurio migliore che si possa formulare a un grande storico, a un grande filosofo, è quello di essere «storicizzato», «storicizzamento» che è molto analogo alla «distruzione» che un artista compie della materia della propria arte sotto la potenza magica dell'espressione, la distruzione di cui si è parlato a proposito dell'Ariosto, e che invero finisce col costituire l'eternità di quella materia. Anche il grande storico e il grande filosofo patiscono quest'opera di sommersione nel tempo, che è però il loro rivelarsi distante nella nettezza dell'opera classicamente conclusa, la quale va interpretata e giudicata nel circolo della esperienza che fu la loro. Trascorrere prammaticamente a farne oggetto di propaganda o di screditante polemica è segno sempre di decadenza e di goffo provincialismo mentale.

7. La poesia cosmica.

Un saggio critico è sempre in compendio una storia letteraria *in nuce*, una storia letteraria che non disdegna i riferimenti ad altri poeti e non disdegna di convogliare i problemi della precedente storiografia, per dissolverli e rinnovarli. Ecco che l'ironia ariostesca richiama alla memoria del Croce il significato metafisico che tale termine ebbe presso i fichtiani e i romantici, ma col ravvicinamento lo storico distingue il tono e il significato diverso, perché l'ironia in quei filosofi e artisti del romanticismo (Schlegel, Tieck, ecc.) fu spesso « confusa col cosiddetto umorismo e con la bizzarria e stravaganza, ossia con atteggiamenti che turbano e distruggono l'arte ». Nell'Ariosto invece l'ironia non trascorre mai nell'« umorismo e nel bislacco, indizio di debolezza », perché egli ironizzò sempre da artista, « sicuro della propria forza ». Con i riferimenti alla storia letteraria non mancano i riferimenti alla storia delle altre arti, come là dove si tocca della « distruzione » compiuta dall'Ariosto della materia da lui impresa a cantare, e la si ravvicina alla tecnica della pittura, quando i pittori vogliono « velar un colore », intendendo per l'appunto l'ammorzamento, e non già la cancellazione del tono, ciò che fu per l'appunto la precipua qualità stilistica del cinquecentista, come poeta. Il Croce è sempre stato nemico delle trascrizioni e traduzioni nel linguaggio delle altre arti di quello che è più propriamente il linguaggio della critica letteraria: ma è stato nemico, per diffidenza verso le metafore, giacché il metaforeggiare dà l'illusione di progredire, mentre si tratta di una *locupletatio verborum*, di un *piétiner sur place*. Il vero progresso è sempre quello di carattere speculativo; ma, in questo caso particolare, il sobrio accenno alla tecnica di un'arte vicina è un'astuzia didascalica, non un lusso superfluo e una divagazione, solo per rendere più chiaro il proprio pensiero « a chi non gusta le formole filosofiche e le trova troppo difficili ».

Ma particolarmente importanti i riferimenti a poeti come Pulci e come Boiardo, che, per la concezione sociologica e dinastica si vorrebbe dire, o partenogenetica della poesia, propria del romanticismo, sono stati dal De Sanctis e da tutta la storiografia positivisteggiante consacrati come i gloriosi primopili della poesia ariostesca. Niente precorrimenti e niente affinità fantastiche; le relazioni desunte dall'astratta materia sono illusorie, e rispondono di più allo scopo i raffronti che vanno al di là della materia, con poeti e artisti come Ovidio, Petrarca, Poliziano, o architetti come Bramante e Leon Battista Alberti, o pittori come Raffaello, il Correggio, il Tiziano. Però in questo campo il Croce ancora si è adoperato a compiere un'opera di dissociazione storica, là dove gli altri critici avevano lavorato a creare una sociologia letteraria artificiosa da « genere letterario ». Per questo appunto sono da meditarsi i suoi giudizi sul Pulci e sul Boiardo, il primo presentato come un rifacitore simpatico-ironico dei cantari popolareschi e al tempo stesso col gusto picaresco per la destrezza e per la furberia dei suoi personaggi (c' è da lamentare solo il frequente e inavveduto passaggio del poeta fiorentinesco dal romanzo picaresco, dal favolare distaccato, al tono e al compiacimento picaresco, dalla rappresentazione del becerume al becerume in atto); e il secondo, presentato, non come poeta epico, ché al Boiardo mancava « sentimento nazionale o di classe o di religione, e il maraviglioso è in lui tutto immaginario, maraviglioso di fate », ma soltanto come « animo appassionato dell'energico e del primitivo: energia di colpi di lancia e di brando, ma anche energia di volontà superba, di coraggio feroce, di onore intransigente, di astuzie mirabili ». Giudizi assai succosi cacciati lì in un angolo e nell'ultimo capitolo del saggio ariostesco, ma che presuppongono un ricco lavorio mentale e una strenua purificazione di processi critici; però, nonostante la loro brevità e quasi episodicità hanno avuto fortuna di sviluppi in altri libri e note di giovani studiosi. Ché questa è la sorte della buona critica dal seme pregnante, e volutamente povera di oratoria estetizzante, schiudere i germogli di nuove e più diffuse e particolareggiate interpretazioni.

Ma un termine particolarmente ci colpisce, perché ricorre frequente in questo saggio ariostesco, e in quello ancora sullo Shakespeare e nella *Poesia di Dante*; si tratta della parola cosmico. Armonia cosmica, afflato cosmico, poeta cosmico, sono diciture che si accampano con troppa evidenza grammaticale negli scritti di questo periodo. Può trattarsi semplicemente di un nuovo termine fraseologico, o non piuttosto di un termine arricchito di filosofico contenuto? Non bisogna dimenticare che in questo periodo, e proprio nel 1917, il Croce ha elaborato la memoria *Il carattere di totalità dell'espressione artistica*, raccolta poi nei *Nuovi saggi d'estetica*. Come lo studio di uno scrittore-espressivo tipo Capuana, diverso da uno scrittore-poeta tipo Verga, portò il Croce a fare una distinzione radicale tra l'arte-intuizione e la poesia-intuizione lirica, tra la lingua che ha valore sociale ed efficacia oratoria, e il linguaggio che ha valore poetico ed è inconfondibilmente individuale, tra immaginazione, come avrebbe detto il De Sanctis, e fantasia; così la preparazione che il critico veniva facendo per scrittori come Goethe, Ariosto, Shakespeare, Corneille, Dante, lo porta a dar rilievo che in ogni accento di poeta, in ogni creatura della sua fantasia c'è tutto l'umano destino, tutte le speranze, le illusioni, i dolori e le gioie, le grandezze e le miserie umane, il dramma intero del reale, che diviene e cresce in perpetuo su se stesso, soffrendo e gioendo. « Però è intrinsecamente inconcepibile che nella rappresentazione artistica possa mai affermarsi il mero particolare, l'astratto individuale, il finito nella sua finitezza; e quando sembra che ciò accada, e in certo senso accade veramente, la rappresentazione non è artistica, o non è compiutamente artistica »[1]. Da ciò la nuova terminologia di *poesia cosmica*, e l'esemplarità di essa segnata in poeti come Goethe, Ariosto, Shakespeare, Corneille, Dante.

Ancora una volta dunque la critica letteraria del Croce si incentra e si accompagna a una scoperta estetica; il progresso del critico letterario è progresso del filosofo (ed è probabile che questo avvenga in tutti i critici anche se essi non fanno aperta professione di filosofi). Poesia cosmica che non è intesa nel senso schellinghiano, come intuizione di una verità statica e perciò trascendente; e nemmeno nel senso hegeliano o hegelianeggiante, come intuizione coronata da un giudizio logico, perché la poesia non è mai la storia e per quella via si finirebbe in una forma di panlogismo. Ma poesia cosmica, come aurorale immanenza dell'universale nel particolare, nell'individuale, nel finito autobiografico, per cui si viene a distinguere tra l'arte-sfogo, o arte-confessione, e l'arte-poesia, cioè l'arte in cui c'è la fusione del primitivo e del coltivato, dell'immediato e del riflesso, dell'ispirazione e della scuola, del veristico e del sopra-reale.

Poesia cosmica dunque come sinonimo di poesia classica, e però i saggi critici di questo periodo che vanno dal 1917 al 1922, forse il periodo più intenso dell'attività di critico letterario del nostro autore, sono a loro modo anch'essi esempi di critica militante. Il vecchio critico della letteratura contemporanea non è morto in lui, anzi vigoreggia più consapevole; ché la familiarità mentale con questi poeti-cosmici, porta il critico a battere più inclemente contro l'arte-confessione, che, da Rousseau ai nostri giorni, costituisce il tratto dominante

---

[1] Cfr. *Nuovi saggi di estetica*, p. 126.

delle letterature europee, contro l'arte muliebristica, opera di donne e di uomini indonneati; e però ad auspicare una forma di un nuovo classicismo. Un classicismo che si attui non già soltanto attraverso una migliore conoscenza dell'arte rettorica e tecnica (che sarebbe mestiere troppo facile da scaltri e ingegnosi letterati), ma che si determini per una complessa ricchezza interiore della personalità umana, per un sano svolgimento del carattere filosofico-etico-religioso, che c'è sempre nei veri poeti, cioè per uno svolgimento pieno e integrale della loro personalità. Gli artisti veri, concludeva il Croce, attingono e attingeranno pur sempre «la verità integrale e la classicità della forma, come, durante il corso del secolo XIX, nell'imperversare del morbo, hanno saputo i grandi di cui si onora la letteratura moderna, da Goethe e Foscolo e Manzoni e Leopardi, a Tolstoj e Maupassant e Ibsen e Carducci»[1].

8. Dal saggio sul Goethe al libro sulla poesia di Dante.

Però in questi saggi sul Goethe, su Ariosto, Shakespeare, Corneille e Dante, si conferma l'ispirazione pedagogico-polemica di tutta la critica crociana; o se dispiace la parola pedagogica e la parola polemica, diremo la sua genesi tutta umana, e non accademica, dell'accademia delle università e dei cenacoli letterari. Il problema dello stile, che gruppi e gruppetti di letterati in Italia, in Francia e altrove, in quello stesso tempo che il Croce scriveva questi saggi, venivano dibattendo, non era lo stesso problema dello stile quale era dibattuto dal nostro filosofo: non si tratta dello stile-grammatica, ma

[1] *Op. cit.*, p. 138.

dello stile-uomo, che assorbe e trascende sempre lo stile grammatica. « Le style ce n'est pas la femme » è stato detto argutamente, ma bisognerà contro l'arte retorica aggiungere che nemmeno « le style ce n'est pas la grammaire », poiché la grammatica pura o l'arte retorica anch'essa nasce femmina. Dal punto di vista metodologico, poi, il saggio su Shakespeare e quello su Corneille ci interessano, perché in forma esplicita viene introdotta la storia della critica come introduzione o epilogo del saggio critico vero e proprio. Già nel saggio sul Carducci, e ancora in quello sul D'Annunzio, il Croce aveva preso lo spunto da avversari o fautori di quei poeti, per innestare nelle discussioni correnti il suo nuovo pensiero critico: e nel saggio su Goethe sono frequenti le allusioni alle opinioni critiche proverbializzate ormai sul poeta germanico. Ma qui il problema di « critica della critica » è affrontato in maniera più sistematica: due capitoli, su *Persona pratica* e su *Persona poetica*, e l'altro *La critica shakespeariana*, nel primo saggio, un capitolo apertamente intitolato *La critica della critica*, nel saggio su Corneille. La storia della critica diventa un canone fondamentale di tutta la critica letteraria moderna, e, nonostante le facili ironie degli spiriti fatui o napoletanamente « sfaticati », essa diventa una necessaria propedeutica alla critica letteraria in atto e infonde di sé tale critica. Niente impressionismi, niente estri, niente girandole dell'immaginazione: la critica di un poeta è implicitamente o esplicitamente storia del problema critico intorno a quell'autore, a quello stesso modo che nel campo della filologia classica non si affaccia mai alcuna questione che non porti con sé il suo albero genealogico di discussioni, e disdegnare quella tradizione critica è come fare professione imprudente e impudente di dilettantismo.

Invero, anche qui, si tratta di misura e di discrezione: la storia della critica è un capitolo del saggio e non tutto il saggio, l'introduzione del libro e non il suo eterno volume. Sarebbe superfluo avvertire che anche il pittore per dipingere si serve del pennello, e lascia, se mai, la scopa all'imbrattatele, ai vari Calandrino d'ogni tempo che, come il predecessore del '300, dipingono a grandi braccia; e il critico, che è vero critico, sa frenarsi dall'interno, e si crea la sua norma, senza dettami e regole che vengano da un manuale di metodologia. I difetti dell'esecuzione non sono imputabili al metodo. La storia della critica è implicita nella critica e l'ingegno robustamente sintetico dello scrittore può come farla tralucere senza distenderla nella sua materialità pesante.

D'altra parte bisognerà dire che essa è come il riconoscimento della fatica umana, che a parte ogni ragione sentimentale toglie ogni carattere di arbitrio al nostro giudizio di oggi e a quello che fu il giudizio di ieri. Oggi si giudica a un certo modo, perché almeno un poco a quel modo si è sempre giudicato. Non ci sono gli scopritori *ex nihilo*: il riconoscimento della tradizione critica alla fin fine è una forma di umiltà. Ma si deve aggiungere è una forma anche di classica oggettività, che conferisce dignità scientifica al nostro giudicare di oggi, un modo di abbandonare ogni arbitrario individualismo, ogni artistico capriccio e falsa genialità.

Ma il saggio shakespeariano ci interessa anche per il modo come è risolto il problema della biografia contingente e quello della biografia eterna dello scrittore. Teoricamente il Croce ha ragione di distinguere tra persona pratica e persona poetica, ed egli con sapienza ingegnosa dissimula il difetto di conoscenze che non siano soltanto congetturali, sulla persona pratica dello Shakespeare, tessendo uno schema sui vari motivi della poesia shakespeariana: la commedia dell'amore, in *Pene di amore perduto*, la *Bisbetica domata*, la *Commedia degli equivoci*, *Notte d'Epifania*, *Tutto è bene*, *Molto rumore per nulla*,

Come vi piace, e il *Sogno di mezza estate*; il vagheggiamento del romanzesco, in alcune di queste stesse commedie di amore e in altre come il *Cimbelino*, il *Racconto d'inverno*, il *Pericle*, i *Due Gentiluomini di Verona*, il *Mercante di Venezia*, il *Taglione*; l'interesse per il pratico operare, nei vari drammi storici; la tragedia del bene e del male, nei grandi capilavori, il *Macbeth*, *Re Lear*, *Otello*; la tragedia della volontà, in *Antonio e Cleopatra*, e in *Amleto*; la poesia della giustizia e dell'indulgenza, un poco in tutte le opere.

Classificazione si dirà e definizioni, ancora una volta classificazioni e definizioni. Ma per le definizioni, che non sono quelle di un aristotelico, ormai sappiamo che cosa pensare; e per la classificazione l'autore stesso ci avverte che lo svolgimento ideale finisce col postulare una serie cronologica nella varia operosità shakespeariana. Così « le commedie dell'amore e quelle del romanzesco sono come il vago sogno, a cui segue la dura realtà dei drammi storici, e dalle une e dagli altri si passa alle grandi tragedie, che sono sogno e realtà ed altro ancora ». È un esempio di critica vichiana cotesta, e non classificatoria alla maniera dei didascalici di ogni tempo, di quel Vico che scavava la costruzione di un tempo storico e contingente sulla trama di un tempo ideale ed eterno. Può rimanere l'insoddisfazione, per la mancata conoscenza della cronologia di quelle opere, per il fondamento congetturale di tutta la biografia shakespeariana; ma l'importante è che sia riconosciuta l'utilità di quelle congetture e quindi il valore dell'individuo nel suo sviluppo esistenziale, e al tempo stesso che il critico si rifiuti di appropriarsi il romanzesco che è proprio di un po' tutte le costruzioni congetturali. Dal saggio crociano, non si deriva nessun scetticismo storico e nemmeno la presunzione che lo schema esaurisca la storia di una personalità: quello schema è pur un'esaltata e cauta postulazione della necessità della ricerca filologica ed erudita, congiunta al rammarico per le sue lacune. Ma al disopra di questa fatale mutilazione che la incerta biografia dello scrittore porta nel saggio del critico e che egli tenta di superare con gli aiuti della seconda mente e della seconda vista, nel saggio shakespeariano noi dobbiamo rilevare forse le pagine più belle e più romanticamente commosse, che il Croce abbia scritto, specialmente nel capitolo sulle grandi tragedie dove il pathos del poeta si incontra con l'esperienza dell'alta vita morale che è propria del Croce storico e moralista. Qui abbiamo un'aristocratico esempio di quella che è l'oratoria crociana, come consonanza morale ai fantasmi suscitati dal poeta, ed esortazione all'intelligenza di quella sua poesia.

Più schematico è il saggio sul Corneille, ma non potremmo decidere quanto di quello schematismo è dovuto alla stessa meccanicità della tragedia corneilliana e quanto a freddezza del critico. Certo si è che il capitolo sulla « poesia del Corneille » ha la consueta lucidità di giudizio, là dove si determina la poesia dello scrittore come « lirica delle situazioni volitive: dibattiti, propositi, solenni professioni di fede, energiche dichiarazioni di volontà, orgogliose ammirazioni per la propria fermezza incrollabile ». E nel seguito di quelle pagine si chiarisce il metodo del Croce, maturato lentamente nell'esercizio di tutto un ventennio di critica: cioè la distinzione di poesia e non poesia, non più semplicemente come discriminazione di poesia mancata e di poesia felicemente riuscita, ma di poesia come tale e di non poesia come il diverso da essa. Direi che, dal punto di vista della storia e del progresso della metodologia crociana, il primo saggio in cui cotesto canone di poesia e non poesia è sistematicamente esperimentato, è precisamente il saggio sul Corneille. La poesia del Corneille è a luoghi, nei bei versi che si possono citare; il resto è altro dalla poesia, espressione anche questa, ma che può interessare di più lo storico della vita morale e della vita politica, del gusto sociale del Seicento francese, e del teatro come « teatro ».

Non a caso il saggio sul Corneille precede immediatamente quello sulla *Poesia di Dante*: in questo, in forma che ormai è diventata proverbiale per tutti gli studiosi e anche per il volgo dei letterati, il critico giunge a proporre la distinzione tra struttura e poesia nella *Commedia,* tra il romanzo teologico-politico e la lirica che fiorisce su quello schema postulando però l'unità spirituale del poema e la dialettica relazione fra i due momenti. Sono note le polemiche che da vent'anni a questa parte si conducono su cotesto libro e il modo di interpretare crociano e come sia troppo un luogo comune e criticamente infondato quello divulgato dal Borgese e poi passivamente accettato pur da un grande studioso come il Vossler, che in tal modo il poema si riduca a una rapsodia di liriche, a una collana di liriche, a una collana di perle disseminate lungo l' itinerario degli insegnamenti teologici e scientifici. Ma pure a chi in altri tempi ha vivamente discusso, come lo scrivente, cotesto saggio crociano, la distinzione tra poesia e struttura oggi appare inconcutibile e indiscutibile. Sennonché bisogna pur riconoscere che il Croce in questo suo libro dantesco in certe pagine appare filosoficamente un po' stanco (erano gli anni in cui egli partecipava alla politica militante, come ministro dell' istruzione nell'ultimo gabinetto Giolitti) e in cui si faceva più acuta e tormentosa la crisi polemica che doveva condurre all'aspra divergenza non solo etico-politica, ma anche filosofica col Gentile, suo antico compagno di lavoro. Filosoficamente stanco, o per distrazioni di carattere pratico o per quelle distrazioni polemiche che consumano e un po' rinchiudono e illanguidiscono, necessariamente, il nostro spirito, e che, fra l'altro, fanno uscire il Croce scrittore sorvegliatissimo e nemico delle metafore, in quella non felice metafora per cui la *Commedia* si configura « come una fabbrica robusta e massiccia, sulla quale una rigogliosa vegetazione si arrampichi e stenda e s'orni di penduli rami e di festoni e di fiori, rivestendola in modo che solo qua e là qualche pezzo della muratura mostri il suo grezzo o qualche spigolo la sua dura linea ».

E l'immagine non appaga non solo perché estranea allo stile speculativo e poco figurativo del Croce, ma perché essa nasconde implicito il pensiero che lo schema concettuale preesista nella *Commedia* alla poesia. Cotesta preesistenza del disegno concettuale a noi pare che menomi la vitalità dialettica del poeta poetante, e tradisca la realtà dell'opera sua. Non si crea prima una cornice per avere il comodo di innestarvi una pittura ancora da fare; non si costruisce un robusto edificio, per farvi crescere una vegetazione di foglie e di fiori. La poesia non può essere ornamento della teologia e del romanzo politico; la poesia non è un poi, e la struttura non è un prima. La struttura nasce dall'animo poeticamente esaltato e desideroso di innervarsi in una costruzione narrativa e dottrinaria; sicché, se mai, non la poesia cresce sulla struttura, ma la struttura è come generata dall'interno dell'animo poeticamente commosso, il quale a volta a volta prende respiro e riposo in queste stazioni dottrinarie, come il mistico corpo della divinità nei *reposoirs* di certe processioni religiose. Però noi, nel '26, preferimmo parlare della poesia dantesca, intesa non più come liricità sensibilmente distinguibile e grammaticalmente isolabile dalla struttura, ma piuttosto come generazione lirica, come *animus* poetico, che investe di sé tutta la costruzione, tutta la realtà spirituale della *Commedia* dantesca. E ci pareva e ci pare ancora oggi che in tal modo si toglie quell'ombra di meccanicità che fatalmente si introduceva nella distinzione crociana, e non per accontentarci e riposarci in un semplice capovolgimento grammaticale (non struttura e poesia, correggiamo noi, ma poesia e struttura), ma perché l'*animus* della *Commedia* innanzi tutto lo vogliamo sentire come *animus* poetico, in cui la struttura si viene generando quasi come una necessità fisiologica di quella avanzante poesia, la quale si crea le sue vertebre e i suoi nervi, e tutto tenta di animare e di investire col suo profondo accento. Ma poesia e struttura, la distinzione è necessaria, ed ha ragione il Croce; la nostra esigenza si limita a questo, che bisogna pur darsi pensiero che cotesta unità dialettica sia veramente una unità dinamica, e non un'unità statica, come vari luoghi del saggio crociano allora fecero sospettare. In questo rapporto più vivacemente dialettico, la poesia non è soltanto a luoghi, ma percorre come un alito sempre vivificante tutto il poema: ciò che ci stimola a distinguere la poesia dalla struttura, non una volta per tutte, ma nel vivo, e puntualmente, e irrequietamente. È un modo come un altro per non *dormitare* leggendo il poema, riposandosi in una comoda distinzione, per esplorare sempre, perché scorrano più lente sovra i tasti le dita, e suscitare, anche nelle parti apparentemente più sorde e più prosasticamente atteggiate, l'alta armonia che pur discorre in tutta l'opera.

Quella stanchezza filosofica di cui parliamo, stanchezza contingente del dormitante Omero, pausa fisiologica dell'uomo che viene mutando per una più vigorosa ripresa di lavoro (e l'ultimo ventennio dell'attività crociana è lì a farci ammutolire di rispetto anche per questa sua momentanea *desidia*) la cogliamo ancora negli ultimi capitoli della *Poesia di Dante*, dove il Croce si prova a fare un *excursus*, una delibazione della poesia dantesca attraverso le tre cantiche, e dove egli riesce meno felicemente che altrove. Si tratta di una descrittiva letteraria.

che si può far bene solo se vi si crede perdutamente e impegnandovi tutte le forze di scrittore, che pur il Croce possiede a dovizia; ma il Croce, bisognerà riconoscere, è innanzi tutto un critico, e solo a luoghi un paziente descrittore letterario. La descrittiva letteraria presuppone la critica, e prepara la critica, ma essa non è la critica; però esige indugi e ozio dilettantesco e un po' svagato di lettore. Molta critica letteraria dei nostri giorni, e molta critica delle arti figurative è per lo più descrittiva impressionistica, che si lascia ammirare per la finezza musicale degli accordi, per quel trito picchierellare di parolette aeree, che tessono un vaghissimo tremito sul testo della poesia; ma non sono critica vera e propria. Momento giovanile di tutti i critici degni del nome, ma non maturità conclusiva del critico storicista. Descrittori letterari si vorrebbero chiamare costoro e non critici, e, come tali, approvare e apprezzare i loro contrappunti; e della immaturità storica di cotesti descrittori se ne ha un riflesso nei loro giudizi, ben fondati, se si tratta di giudizi mutuati dalla tradizione storiografica, malcerti e spesso sbalestratissimi se di giudizi in proprio su poeti antichi e moderni. La descrittiva letteraria non esaurisce mai il fondo di uno scrittore, ed è piuttosto un lavoro della immaginazione commossa anziché della mente discriminante e dominatrice di cotesta preliminare estetica commozione.

Però ingegni robustamente sintetici e criticamente speculativi aborrono istintivamente dalla diffusa descrittiva letteraria; e se per un pregiudizio diffuso, omaggio ad un estetismo trionfante, vi si provano, decadono al paragone di altri più esperti contrappuntisti e chiosatori testuali. Il Croce di questi ultimi capitoli della *Poesia di Dante* è un po' vittima di questo gusto estetizzante divulgatissimo e acutissimo in quegli anni attorno al 1920; ma la sua forza migliore è nella critica e non nella descrittiva, e al vigore della sua mente giudicante quasi sempre con infallibile sicurezza deve quasi necessariamente congiungersi questa asciuttezza effusiva, per lasciare, se mai, le effusioni, alle donne e ai critici-donne. Naturalmente il vigore critico non nasce sul vuoto, nasce sull'amore assiduo dei testi poetici, e in altre pagine abbiamo già illustrato quanto ozio umanistico, della tenace memoria e dell'attenta lettura, ci sia in questo critico Croce che pare corra rapido da un saggio all'altro e non abbia tempo di godersi e giovarsi dei suoi poeti. Solo che bisogna distinguere tra i critici che amano i loro poeti in privato e quelli che li amano in pubblico; e il Croce è decisamente della prima schiera e pare che questo sia sempre il segno della più vigorosa e procreante virilità.

9. Poesia e non poesia.

Noi parlavamo di stanchezza crociana, ma ecco che dopo la breve parentesi politica il Croce ritorna ai suoi studi prediletti: del 1923 è il volume *Poesia e non poesia*, dove sono raccolti venticinque rapidi saggi sui poeti e gli scrittori dell'Ottocento europeo, scritti prima e dopo il libro sulla *Poesia di Dante*. La prefazione al volume è datata dal 1922. Abbiamo detto altre volte che questo è il libro più affascinante del Croce, e cotesta indicazione non voleva essere una semplice aggettivazione di lusinga. Si tratta invero di un libro, dove la sapienza classica dello scrittore si mescola alla giustezza e sicurezza critica dei giudizi, in ogni punto, e dove non ci sono inciampi di digressioni metodologiche o ingombro di prolegomeni di critica della critica. Vi ritroviamo un Croce alleggerito e snellito, grammaticalmente alieno anche dalla definizione, e con l'occhio sempre alla poesia distinta dalla non poesia. La succosità dell'esposizione, la dirittura dei giudizi, l'alacre prontezza della citazione puntuale, il dissimulato dottrinarismo fanno del libro il suo capolavoro di critico. E il titolo coglie felicemente quella che resterà la caratteristica fondamentale della critica crociana: la discriminazione della poesia dalla non poesia, impiantata in un discreto adombramento dello sviluppo della personalità dello scrittore preso in esame. Sul vecchio criterio romantico dello sviluppo della personalità sempre tenuto presente, ma distanziato e come velato nel fondo del singolo saggio, s'accampa l' intensa ricerca della poesia colta nella sua essenziale realtà e liberata dai frammischiamenti dell'oratoria e della letteratura.

È come il condensarsi cotesto di tutta l'esperienza della critica umanistica che per vari secoli si era compiaciuta a distinguere i pregi e i difetti di un'opera d'arte, le bellezze e le mende: la critica umanistica qui è però trasfigurata, è diventata ricerca della bellezza e non delle bellezze, ed è incentrata su un reticente storicismo, retaggio indelebile, come si è detto, della storiografia romantica. L' imitazione che di cotali saggi hanno fatto alcuni scolari del Croce, l' intelligenza un po' troppo materialistica della poesia distinta dalla non poesia, il goffo e puerile atteggmento giudiziario di cotesti imitatori che mettevano da parte la non-poesia, come qualcosa di incomodo e a cui il critico letterario doveva restare indifferente, hanno creato una certa impazienza in molti lettori e studiosi, e si è venuto proverbializzando tale metodo, come fosse un sistema troppo semplicistico e meccanico. Ma il metodo del Croce non è quello di alcuni suoi scolari, e poco in verità si è badato come il distinguere del maestro è sempre alimentato dalla linfa saliente di un sentire storico. Non basta venir scegliendo i versi belli del laudario jacoponico, o i versi belli del Foscolo o del Leopardi, o del Manzoni; resta sempre vivo il problema del far la storia, storia concreta ed affermativa, del diverso dalla poesia. Non si è badato soverchiamente a questa duplice esigenza storica e discriminativa (che poi era un'unica esigenza), e si è passato alla discriminazione più consequenziaria, facendo astrazione dello sviluppo e circolo storico proprio di ogni espressione letteraria e poetica. Per quella via era facile il ritorno alla vecchia critica umanistica, di seminaristica memoria. Solo nel 1936 il Croce doveva decidersi nel libro della *Poesia* a largamente teorizzare su questa necessità del far la storia positiva della poesia e insieme della letteratura o dell'oratoria o della confessione. *Sat prata biberunt*, o meglio i prati avevano troppo bevuto, la lezione di poesia e non poesia aveva bene fruttato e aveva anche troppo alluvionato alcune menti povere di senso e di pregnante educazione storica. In questi saggi del '23 non è negata la storia della personalità dello scrittore, ma è soltanto adombrata e allontanata nel fondo reticente del saggio.

La formula della « poesia e non-poesia » la troviamo per la prima volta in uno scrittarello del Croce del 1914, dove egli polemizzava con alcuni professori che si affannavano a disconoscere l'importanza della nuova storiografia letteraria da lui inaugurata e avviata. « Per rafforzare questa critica spregiudicata, per promuovere sempre meglio questo discernimento tra la poesia e la non-poesia, tra la spontaneità e l'artificio, tra la scienza e le apparenze della scienza, ho insistito e insisterò in questa penosa polemichetta »[1]. La polemichetta riguardava la poesia del Graf, e così ancora chiosava il Croce: « Ah, se il Graf fosse stato un gran poeta disconosciuto, con quanto gusto l'avrei rivendicato io, proprio io ». È chiaro che la formula allora aveva un'accezione assai diversa: la non-poesia aveva l'aria di essere

[1] Cfr. in *Critica*, XII, 394-400 e ora in *Pagine sparse*, serie prima, p. 387 e sgg.

un termine negativo, era il brutto, la poesia mancata, piuttosto che il diverso dalla poesia. Lì il Croce è ancora alla fase meramente umanistica, ma in seguito il gusto umanistico si è incentrato in un più integrale storicismo. Per molti lettori distratti e superficiali, la poesia e la non poesia, è ancora la formula occasionale del 1914; e cotesto pervertimento o arretramento a una fase più arcaica del pensiero e della disposizione del Croce ha favorito certi equivoci, che non sono rimasti senza peso sull'esercizio critico di qualche scolaro.

Le note comprese in *Poesia e non poesia* non intendono esaurire la letteratura europea più eminente e più significativa del secolo XIX; il Croce stesso dichiara di raccoglervi quelle che si trova a « aver segnate e sparsamente pubblicate su alcuni dei poeti e letterati del secolo XIX, pur senza deporre la speranza di compierle e proseguirle un giorno e fornire un quadro abbastanza pieno di quel secolo di poesia ». Ma il nostro autore non è stato mai un critico sbandato, come non lo è stato mai nessun critico che abbia sempre reticente dentro un problema-guida che lo conduca a organiche e circolari esperienze. Se in una mente meramente filologica è possibile la ricerca in estensione, sicché vediamo il filologo classico trapassare dalla letteratura greca alla letteratura latina e da queste alle stesse letterature romanze, e l'italianista trascorrere dalla storia del teatro a ricerche dei personaggi biografici, mettiamo, della letteratura narrativa russa, e dalla critica dantesca allo studio delle letterature popolari, stupore ammirativo dei lettori piccoli-borghesi, l'indagine e la curiosità di una mente storica hanno invece sempre qualcosa di contratto, di raccolto, di circulato, e di trivellante in profondità. In verità nel caso del mero filologo e dell'erudito extravagante si tratta di una debolezza, analoga, *si licet parva* con quel che segue, a quella di un Napoleone che accendeva nuovi fronti di battaglia, per una forma di disperazione politica, conseguendo dappertutto vittorie e successi e non raggiungendo mai la vittoria conclusiva che determinasse il crollo dell'avversario e la sistemazione del nuovo ordine europeo sotto l'egemonia esclusiva della Francia.

Diversa la sorte dello storico, le cui indagini non si sovrappongono per stratificazioni, ma nascono in circolo e in profondo. Senza che lo storico se ne avveda e se lo proponga, gli argomenti che si offrono alla sua mente speculativa sono tutti coerenti tra di loro. Solo i critici che oscillano tra l'erudizione e la filologia, tra la filologia e la fantasticheria estetica, senza attingere mai in pieno il terreno della storia, possono vagare eternamente in un campo letterario, come si trattasse di una landa sterminata; e però essi vanno in cerca di temi da trattare, perché non sempre trascinati e guidati da un problema interiore, *tamquam leones quaerentes quod devorent*, e invero non leoni ma piuttosto cani randagi. Il lavoro dello storico si svolge sempre come un processo oggettivo e ha le sue tappe necessarie, ed egli passa da un argomento all'altro, in modo naturale e direi irresistibile. Da ciò l'organicità circolare dell'opera sua e la dispersività senza termine invece del lavoro del filologo puro e dell'erudito puro, o dell'estetizzante puro, che restano ancora al di qua della storia e calcolano a decenni i progetti delle loro costruzioni che di solito restano sempre in tronco o le iscrivono solo su per le nuvole. E il compimento, e il mancato compimento, è naturale, che non dipenda da circostanze estrinseche, ma sempre da poco urgenti e pregnanti e troppo fievoli necessità interiori. Il Croce in venti anni avrebbe potuto completare quel quadro della poesia europea, se avesse voluto; gli è che quel quadro era per lui già compiuto. Negli stessi saggi raccolti in *Poesia antica e moderna*, ci sono poche novità su questo tema, e gli assaggi di poeti di tal secolo, salvo una nota su Beaumarchais e un'altra su Victor Hugo, sono un ritorno su vecchie indagini, e sempre sotto la forma nuova di una lettura critica di un episodio e non della discriminazione storica della poesia e non poesia, nel seno di tutta la varia operosità di uno scrittore, che, come si è fatto intendere, è una dissimulata storia concreta della personalità nel suo vario articolarsi.

Però quel quadro della letteratura del secolo XIX, offertoci in *Poesia e non poesia,* è completo nei termini del problema di metodo e di gusto umano dell'indagine, che in quegli anni assediava la mente del Croce. Dei poeti italiani vi sono tutti quelli che in una storia letteraria di quel secolo occuperebbero un posto di primo piano, Alfieri, Foscolo, Leopardi, Manzoni, Carducci, e poeti letterati e poeti popolareschi o poeti prosastici come Monti, Berchet, Giusti, sono accolti in tal parnaso perché tipicamente suscettibili della distinzione cara al critico, tra poesia e letteratura, tra poesia e confessione sentimentale, tra poesia e prosa. Per gli stranieri, in mezzo ai quali ci sarebbero da eligere altri nomi, ricorrono tra i primi, Schiller, Werner, Kleist, il primo pseudo grande poeta e pseudo grande filosofo, e piuttosto riecheggiatore commosso e messianico di motivi poetici e romantici, che erano nell'atmosfera del suo tempo, oratore dunque più che creatore originale. E Werner, uno scrittore che si confessa e che confessa, un sensuale che si fa predicatore di pulpito (il Croce dice addirittura *istrione da pulpito*), uno di quegli scrittori rintronati e compiaciuti del loro peccato, che, con atti esterni di culto e di devozione, si sforzano « di cancellare in sé atti di peccato, essi stessi animaleschi e quasi esterni ». E Kleist, uno scrittore che si propone di essere grande (ciò che è la spia della sua debolezza, perché i grandi diventano tali senza saperlo), i cui drammi in conseguenza si configurano come un *opus oratorium,* amando egli « il colossale, il fragoroso, il rullo di tromba» (si pensi ai nostri Borgese e Papini in un piano inferiore di esperienze), in mezzo al qual frastuono e alle quali violenze verbali, la schietta poesia, dice il Croce, con un'assai amabile immagine, «è soffocata come Cordelia, che aveva sottil voce e poche parole».

Il giudizio del critico è implacabile contro cotesti poeti-oratori, ma perché il volume non sia giudicato un dissacramento di tanti sacrari devoti alla fama di poeti illustri (di critica dello Spegnitoio con la maiuscola ha parlato un professore italiano, celebre per la stupidità delle sue prorompenti battute, che ricordano quelle pronunziate in altri tempi da Giovanni Rosini o da Ferdinando Ranalli su Alessandro Manzoni), si leggano le note su poeti veri come Chamisso e Maupassant, dove il Croce osa caratterizzare il valore trascendentale della fiaba di Pietro Schlemihl, al di qua di tutti i significati allegorici o apologistici di cui un lettore distratto e prepotente potrebbe caricare quel piccolo capolavoro, o scrive delle pagine vibranti quasi di una passione autobiografica nel segnare il motivo dell'amore-agonia, dell'amore-piacere ed angoscia, dell'amore-memoria e nostalgia dell'assurdo, dell'*ei fu* che mai più ritorna, propri dello scrittore francese.

Né vale esprimere le nostre insoddisfazioni per questo o quel saggio come quello su Baudelaire o l'altro sul Foscolo, dove il critico si arresta quasi bruscamente sul limitare della poesia, dopo averla caratterizzata con una fermezza di giudizio difficilmente scuotibile, e abbandona il volume dei versi sublimi e sarcastici dell'uno e i versi religiosi e di amoroso ed estatico lamento dell'altro alla nostra lettura privata. In quei saggi lì si discute e si scardina il giudizio centrale sulla poesia e la nostra insoddisfazione ha un valore platonico ed è mal ragionata, perché si cerca nell' intensa nota dell'autore una lettura critica degli episodi di poesia che egli non ci voleva dare, e la descrittiva oratoria dei motivi di quella poesia, la quale, sempre di dubbia efficacia quando non sia fatta con rara delicatezza di tono, quasi ricamo poetico sulla poesia stessa, resta la virtù propria della critica concepita *uti ancilla poësis*. Per le letture critiche, il Croce ha pur sentito l'insufficienza non teorica ma didascalica di quelle sue note, se ha voluto ritornarvi sopra, dopo venti anni, nel suo recente volume di *Poesia antica e moderna*; oppure egli ha sentito la descrittiva oratoria aliena dal suo temperamento di critico tutto scientifico e sillogistico, e parendogli quell'altro ufficio più degno di critici femminili, e di critici-adolescenti a cui crede di affidarla meglio, senza pur far loro ingiuria: così come il clinico insigne lascia al medico curante o al suo aiuto la cura non già dei particolari che è compresa nella sua diagnosi, ma la parte aneddotica e contingente, per dir così, che pur c'è nella malattia del suo paziente.

Né noi, a questo punto, vorremmo cadere nella critica dei consensi e dissensi, e venir qui rassegnando i nostri consensi a questa o a quella nota critica del Croce, e i dissensi alle altre, ciò che ci sembra letterariamente indiscreto, innanzi tutto, per la stessa economia espositiva dei nostri giudizi, e poi poco scientifico perché l'unica forma per giustificare i dissensi e gli stessi consensi, è quello di scrivere un saggio critico diverso, per incentrare in diverso modo la caratteristica storica di uno scrittore, oppure, nell'accordo con la tesi del critico, venir poggiando l'accento su particolari rimasti un po' in ombra. La critica dei consensi e dissensi è sopravvivente positivisteria, tipica di tutti gli ingegni indifferenti o oziosi, o ancora immaturi e poveri di esperienza storica. Però, per fare qualche caso concreto, nel saggio su Manzoni e in quello che il Croce ha scritto dopo intorno all'oratoria dei *Promessi sposi*, a noi ci è avvenuto di contrastare col suo giudizio, non persuasi della tesi che fa del grande romanzo un'opera di «bellissima oratoria»; mentre ancora nella nota compresa in *Poesia e non poesia*, egli parla di poesia, se la distinzione tra Walter Scott e il suo preteso seguace italiano consiste precisamente in questo che «nel guscio del romanzo storico lo Scott mise di solito il suo poco pensato raccontare per intrattenere gradevolmente le brigate, e Alessandro Manzoni tutta la tragedia e la commedia umana, sentita da una schiva e sottile coscienza morale». E subito prima di tale proposizione il critico aveva pur detto che «il guscio è il guscio, e la poesia è l'essere vivente che vi dimora dentro e che vi si accomoda e lo accomoda e lo trae seco», dove, se non ci inganniamo, la schiva e sottile coscienza morale è vista nel suo atteggiamento poetico, nel suo *animus* poetico e non già oratorio. Sicché a noi, per uscire dalla contraddizione o almeno dall'oscillazione del pensiero crociano, ci è avvenuto di parlare di una poesia prosastica dei *Promessi sposi*, prosastica non nel senso restrittivo e in fondo negativo con cui il Croce adopera questa formula per il Giusti e per tutti gli scrittori di scherzi o di epigrammi, ma prosastica nell'altro senso superiore che la commozione poetica ama a tratti convertirsi in una riflessione, in una osservazione, piena tuttavia sempre di quell'afflato poetico originario. Perché l'*animus* religioso, di chi sente in sé lo sgomento e il dolce delirio del Dio che affanna e suscita, che atterra e che consola, e l'empito poetico di chi innalza una preghiera corale, graduata nei suoi toni, partentesi non dalla chiesa confessionale e docente e politicante, ma da quell'altra chiesa senza colonne, e senza tempii, e tende, che c'è nel cuore di tutti, sparsi per tutti i liti e per selve inospiti, e uni per lei di cor, aleggia sempre unitariamente e con possente e pur calmo respiro in ogni pagina del grande romanzo[1].

---

[1] Cfr. L. Russo, *Alessandro Manzoni, poëta an orator*, in *Romana*, aprile 1942, e ora, insieme con altri, in *Ritratti e disegni storici*, Serie seconda *Dal Manzoni al De Sanctis*, Bari, Laterza, 1946.

E per il saggio esecrato sul Leopardi, esecrato dai lettori sentimentali e retorici, c'è solo da dire che è accentuata troppo la parte polemica a reazione di tutto quell'improvvisato leopardismo, che attorno al 1920, attraverso la reazione classicheggiante di un cenacolo di letterati, pareva dovesse alluvionare la nostra cultura e il nostro gusto, con la presenza di un Leopardi tutto grande come pensatore di vita morale, tutto grande come poeta, tutto grande come filosofo dell'arte. E il Croce animosamente a distinguere tra il pensatore che era soltanto un confessore di dolorose esperienze autobiografiche; l'oratore che si compiaceva di interrogare il mistero dell'universo, rifrazione della sua malata sensibilità più che stimolo di filosofica meditazione sugli eterni veri; il retore che erudiva altrui con i canoni di una poetica inerente alla sua poesia e alla sua prosa, ma che non poteva essere e non saliva ad essere mai una estetica; il grandissimo poeta, dei momenti idillici della *Sera del dì di festa,* della *Vita solitaria,* dell'*Infinito,* del *Sabato del villaggio,* della *Quiete dopo la tempesta,* delle *Ricordanze,* di *Silvia,* e del prosatore che nella sua prosa lavoratissima, ma estrinseca, faceva avvertire l'odore della lucerna più che l'alito della poesia. E non è pure caso che uno dei più spregiudicati letterati di quel cenacolo, di cui dicevamo, abbia recentemente accettato in pieno le distinzioni crociane (e voglio alludere al Cecchi), lasciando guaire il solito amatore spasimoso della poesia e più della prosa e delle virgole e delle dieresi del Leopardi, che non vuole ammettere una gradazione di tono, cioè un'articolazione storica, che pur ci deve essere e guai se non ci fosse, nell'opera del grande recanatese.

È strana la mala fortuna che le prime pagine del Croce sul Pascoli nel 1907, e queste pagine sul Leopardi, le une e le altre le più attente, le più scrupolose criticamente e tra le più curate anche come stile che egli abbia scritte, quasi per la trepidazione di essere inferiore al grande ufficio e pio, abbiano suscitato rimostranze e opposizioni violente e assidue; ma ormai dovrebbe essere a tutti chiaro che in entrambi i casi si è trattato di una polemica sentimentale e non di una polemica di critica della poesia. Il limite del saggio leopardiano è dato dal suo tono negativo e polemico e preventivo; esso ci presenta pagine di preliminare metodologia, più che di contributo amoroso e affabile all' intelligenza più larga della poesia. Difatti in una storia della critica leopardiana, si può e si deve ricordare il De Sanctis, fondatore di una critica intorno a Leopardi e che pone l'antitesi e il contrasto tra mente e cuore nella varia operosità letteraria del suo autore; si ricorderà il Gentile per aver sostenuto il principio della lievitazione interna della poesia attraverso le speculazioni così dette filosofiche, e per cui si sana il dissidio romantico tra mente e cuore aperto dal De Sanctis; si ricorderà il Vossler, per avere illuminato la religiosità che è al fondo dello scetticismo disperato del Leopardi, e si ricorderanno i vari critici biografici e psicologizzanti che fanno valere l' importanza fermentatrice della « storia di un'anima » nel cosmo della poesia leopardiana. Ma non si sa che posto assegnare al saggio del Croce, soltanto perché i suoi giudizi sono più di natura difensiva, che esplorativa: una forma di profilassi critica più che di critica rivelatrice e integratrice. Ma non è detto che la profilassi o, per abbandonare il termine medico, la cautela metodologica non sia utile e pedagogicamente opportuna. Un saggio pedagogico questo del Croce sul Leopardi, e non un saggio critico vero e proprio; ed è il compito più ingrato che si possa addossare un critico, e soltanto il Croce poteva caricarsi di così grossa e invidiosa missione.

VI

IL CROCE
E LA STORIA DELLA LETTERATURA

1. La storia rapsodica della letteratura italiana.

Dante, Alfieri, Monti, Foscolo, Leopardi, Berchet, Giusti, Carducci, una sfilata di nomi, per non dire degli ultimi ottocentisti e dei primi novecentisti fino al Gaeta e al Gozzano, che lasciano intravvedere il nuovo storico della letteratura italiana. E pure il Croce si è rifiutato di scrivere una storia della letteratura italiana, e si rifiuta di scriverla, mentre una storia rapsodica di essa è pur diffusa nelle molte pagine di critica del nostro autore, tanto che sarebbe facile rimanipolare tutti quei suoi saggi, ora che si sono aggiunti anche gli scritti di *Poesia popolare e poesia d'arte* e quelli di *Poesia antica e moderna*, e presentare al lettore di sorpresa una *Storia della letteratura italiana* col nome di Benedetto Croce.

Ma una *Storia*, se non nella forma del manuale scolastico, come lavoro strettamente scientifico appare a tutti gli intendenti una fatica di menti arretrate. Non a caso il Croce ha disdegnato di rimpastare i suoi molti saggi per comporre un'opera col nome di *Storia della letteratura italiana*, che facesse seguito e contrasto a quella del De Sanctis. Tutta la moderna storiografia, quella che conta, ha un indirizzo individualizzante, e una costruzione sociologica della storia letteraria sarebbe stata in contrasto con quella che è la sua aspirazione più segreta. Noi tutti ci rendiamo conto dell'importanza del sociologismo, nella sua reazione, sul finire del Settecento e per tutto il secolo XIX, alla storia meramente erudita degli uomini «claustrali» di cui brontolava il Foscolo: Vico ed Hegel trionfavano in cotesto sociologismo letterario, l'uno vedendo inverati i suoi corsi e ricorsi, l'altro sentendo l'attualità dell'arte come simbolo dell'Idea, l'Idea della germanicità o della latinità, dell'ellenismo e del primitivismo, del guelfismo o del ghibellinismo e via discorrendo, calate nella letteratura. Alla storiografia degli uomini «frateschi» del 700 si opponeva la storiografia degli uomini «speculativi» e «passionali» dell'800, che si giovavano di tali quadri sociologici dell'arte e della poesia per dare sfogo alle loro idealità civili e politiche. Tale concezione storiografica della letteratura era legata difatti al mito della nazionalità e della civiltà intesa nei suoi orientamenti razzistici, e per essa si giungeva a definire il senso, il genio, delle varie letterature. Decaduto oggi questo problema del senso, del genio delle singole letterature, le quali sarebbero quello che sono perché adempirebbero ad una segreta missione della storia a ciascun paese affidata dallo stesso processo delle esperienze scontate nel passato (coteste esperienze avrebbero finito col fare massa e pietrificarsi e irrigidirsi in una tradizione perpetuamente immanente e perpetuamente da rispettare: una reincarnazione laica dell'antico concetto della provvidenza cattolica!); caduto dunque tale problema, viene anche a crollare il concetto di una storia in senso evolutivo, in cui si creano delle false dinastie di poeti e scrittori, tipo la triade Stendhal-Balzac-Flaubert, o la triade Carducci-Pascoli-D'Annunzio, o la triade Pulci-Boiardo-Ariosto, giacché il mito dell'evoluzione è pur strettamente legato a quest'altro mito della stirpe e della nazione. «Non parlatemi dell'evoluzione del romanzo — protestava il Tolstoi —; non mi dite che lo Stendhal spiega il Balzac, e che a sua volta il Balzac spiega il Flaubert. Codeste sono immaginazioni di critici... Mi è impossibile accettare le loro idee sulla successione Stendhal-Balzac-Flaubert. I geni non procedono gli uni dagli altri: i geni sono indipendenti sempre.» E il Tolstoi aveva ragione, con quella sensibilità precorritrice e quel fiuto proprio dei grandi scrittori, che annunziano movimenti di pensiero che giungono a maturità decenni più tardi, e sempre per diverse vie da quelle da loro folgoratamente intuite.

L'ultima reincarnazione di cotesto sociologismo letterario lo si è avuto per influenza dello studio delle arti figurative, dove si è tentato di fare la storia dei procedimenti artistici e degli stili, e i letterati si sono affrettati a scrivere o meglio a tentare di scrivere la storia dei poeti, come storia di ritmi, di modulazioni, di intonazioni, di elevazioni, di arsi e di tesi, di vocaboli poetici, di abbrividenti pause e di luminosi spazi bianchi. Da un sociologismo di contenuto (o storia della vita morale, della vita civile e politica, indagata attraverso le letterature) si è passati a un sociologismo di pura forma, restando sempre sul piano della concezione ottocentesca dell'«evoluzione» della letteratura e dell'arte, del «progresso», dei cicli, dei corsi e ricorsi di vichiana memoria, dell'Idea hegeliana che continua a discendere, per mistica via, sotto l'ombra de' pani mutati. I contenutisti e i calligrafi dei nostri tempi, se ne diano pace se non lo sanno, vivono ancora in un clima di cultura ottocentesca; i formalisti, per non dire dei contenutisti più visibilmente invecchiati e sorpassati, anch'essi vagheggiano un'evoluzione ciclica o periodica o della prosa o del verso o del ritmo o del colore o di altre estetiche quintessenze.

Per il nostro storicismo invece, contenutismo e formalismo sono esperienze storiche unilaterali, poiché quel che conta nella storia letteraria e artistica è la personalità, in cui è sommersa e contratta tutta la storia precedente e nella quale a noi interessa postillare le varie note con cui quella personalità è riemersa nel mondo, beatamente immemore di tutti i succhi morali, civili, politici e tecnici, di cui essa si caricò nella sua gestazione segreta. Perdersi nelle ricerche ataviche del contenuto o dello stile di uno scrittore, è mitologia e non storia, mitologia infantilmente fiabesca, come quell'altra mitologia etnica in cui qualche volta ci compiacciamo, quando, a spiegazione dei nostri vizi e delle nostre virtù, interroghiamo i geroglifici misteriosi del sangue dei nostri antenati e delle regioni in cui siamo nati. Menti profondamente colte aborrono da coteste fantasticherie, fantasticherie di contenuto e fantasticherie di forma, le quali restano privilegio delle menti giovanili (giovanili nel senso di immature), solo perché quelle menti, povere di disciplina e di studi, pur debbono prendersi una rivalsa abbandonandosi agli ozi e ai piaceri dell'immaginazione.

Quando il Croce pubblicò nel 1917 il suo saggio sulla *Riforma della storia artistica e letteraria* (barbaramente scritto, barbaramente pensato, me lo definì in quell'occasione un umbratile e accademico maestro universitario, autore di manuali scolastici), egli non faceva che sanzionare lo spirito nascosto di tutta la sua precedente storiografia letteraria, della *Letteratura della nuova Italia* in cui già si era rifiutato di accedere alle brillanti esercitazioni, allora di moda, sulla triade Carducci-Pascoli-D'Annunzio, e aveva preferito giudicare quei poeti ciascuno nella sua sostanza lirica interiore e non nella loro origine partenogenetica. A parlare dei nessi sopravvisse allora l'arcipassatista Borgese, come a parlare di nessi stilistici e formali oggi rimangono i critici sillabici ed esclamativi, dei quali non si fa alcun nome perché essi hanno l'abitudine di scrivere i loro saggi soltanto col lapis, in troppo labile scrittura, sui marmi dei caffé; anche loro contemporanei ideali di Cesari e di Zanella, come Borgese era contemporaneo o del foscoliano Emiliani-Giudici o del desanctisiano Montefrèdine. La poesia è cosa troppo alta, perché essa si possa figliare da un poeta all'altro. Vedremo in altre pagine in che senso può essere rispettato e trasfigurato il sociologismo nella critica letteraria di oggi. Per ora bisognerà avvertire che un poeta nuovo nasce dalla contaminazione delle esperienze più diverse e più lontane, da un imbastardimento di tutta la storia che si purifica e si incristallina nella sua mente. I poeti che procedono da un poeta-padre riconosciuto sono geniture-incestuose; però devono patire di una qualche tabe nascosta, e del resto essi sono visibilmente malaticci e decadenti in vista. La poesia decadente contemporanea è decadente, perché nasce per l'appunto come esercizio sull'altrui poesia, e non da una larga e varia e diversa esperienza umana: manca quindi il commercio vitale del buon licor doglioso che scorra dalle vene di una varia genealogia umana e non di soli bellettristi.

La riforma propugnata dal Croce naturalmente non batteva contro i manuali di storia letteraria, che continuano ad avere la loro utilità mnemonica e se ne continuano a fare, e taluni anche egregiamente, ma riguardava la storiografia scientifica, la scienza il cui essere consiste tutto nel problema scientifico, e non nel problema didascalico. Ciò che non esclude l' influenza di tale storiografia scientifica sulle stesse manipolazioni scolastiche, se non altro perché la critica individualizzante delle singole personalità può benissimo essere ritagliata nel quadro del preteso movimento generale della storia, così utile alle sinossi della memoria scolastica. E il trionfo di questa nuova teoria crociana, che segna l'atto di sepoltura del vecchio sociologismo romantico e dello stesso sociologismo stilistico, sua pallida e decadente reincarnazione, lo si avverte nella pratica dei molti critici, anche di quelli che non si dicono crociani, i quali preferiscono la forma del « saggio », all'altra della costruzione architettonica. Il « saggio », che ai tempi del De Sanctis era un titolo di modestia (dire *saggista* significava disconoscere lo storico: il De Sanctis è un semplice *essayiste* sentenziava dalla cattedra, davanti ai miei occhi esterrefatti di adolescente, uno degli ultimi epigoni del positivismo erudito o meglio bibliografico!), oggi è diventato un titolo di superbia, e, direi, di sincerità di lavoro. Il carattere individualizzante per monografie, si diceva più innanzi, può essere mantenuto e rispettato anche nel quadro di una storia organica vecchio tipo (gli esempi del Marchesi, del Momigliano, del Flora, del Perrotta, per citare i migliori, stanno lì a provarlo); ma, a parte tutto, ciò che si sacrifica in lavori di tal genere è l'« occasionalità » superiore della costruzione storica, la storiografia di occasione, che, come la poesia di occasione di goethiana memoria, è sempre la più duratura. Altrimenti ci si imbatte in una storia programmatica, che vuol essere ad ogni costo storia anche per quelle parti in cui il critico è meno preparato o meglio, nel momento mentale presente, è meno urgentemente ispirato o premuto.

Tale gusto individualizzante di critica lo si scorge nella conversione di giudizio che si è avuta per il caso del De Sanctis, il cui capolavoro la *Storia* viene passando oggi in seconda linea rispetto ai suoi *Saggi critici*, e io conosco uno studioso, pur convinto desanctisiano, che nel 1924 si adoprò a sciogliere la *Storia* del maestro nei suoi schemi e quadri forzosi, e mescolò pagine di essa e pagine dei saggi critici e delle lezioni, per offrire alla meglio gli scrittori d'Italia nella loro più libera fisonomia, fuori, per quanto possibile, dell'opprimente e deformante costruzione strutturale. Tutti i difetti della *Storia* del De Sanctis risalgono per l'appunto al suo sociologismo romantico, che lo indusse a menomare l'arte del Boccaccio fino all'arte dei cinquecentisti, per rispettare lo schema di origine alfieriana del poeta-uomo che solo lui è veramente poeta rispetto al poeta-artista, che rappresenterebbe la decadenza sempre di ogni letteratura. Tale trionfo del nuovo gusto individualizzante lo si scorge perfino negli ordinamenti scolastici, dove è consigliata la lettura del singolo scrittore ed è passata in seconda linea la cosidetta « cornice storica ». Croce dunque trionfa, mi dispiace dirlo, anche nei provvedimenti della politica scolastica; ma, per non allarmare troppo le coscienze degli ortodossi e dei conformisti, dirò subito che tale gusto individualizzante è del Croce come di altri spiriti moderni, che siano moderni *in re* e non soltanto *in tempore*. I poeti stessi ci hanno dato l'esempio di questo individualizzamento e occasionalità del loro creare; essi, con la sensibilità che li distingue, sono i precursori dell'antiarchitettonico, che trionfa oggi nella stessa storia letteraria. Dove trovare oggi un poeta che pensi di comporre un qualche carme o poema tutto filato, alla maniera del Monti, del Prati, e del Rapisardi, ultimi epigoni del tomismo estetico, costruttori di cattedrali, in un'età in cui il pur giovane dio cristiano ne era esulato? Tutti preferiranno, pur nella modestia delle loro forze, una collana di liriche come quella delle *Grazie* foscoliane, invano ingegnosamente legate dagli editori e dallo stesso autore, nell'originario disegno intenzionale dell'opera, per ambizione del superstite didatticismo settecentesco che pur tentò di alterare la mente di un poeta come il Foscolo. Liriche individuanti, che naturalmente non significano frammenti; e difatti, proprio per il Foscolo delle *Grazie*, si è preferito parlare di episodi lirici, e non di frammenti lirici. Il frammento è l'equivoca traduzione materialistica dell'episodio lirico, e i saggi critici concepiti come frammenti, e non come episodi di storia, sono anch'essi segno di pigrizia e di impotenza. Ora se questo, almeno in poesia, è entrato nel gusto diffuso dell'universale, perché non bisogna adeguarsi a tal gusto anche nel campo della storiografia? Vi sono critici che restano frammentisti e impressionisti anche in una storia formalmente unitaria; e vi sono altri che sono veramente storici anche nei loro saggi più isolati. L'esempio del De Sanctis dei *Saggi critici*, dove c'è già lo *specimen* della *Storia*, e quello del Croce sono riprova di questa nostra affermazione.

His fretus, su questi fondamenti, si intende bene come il Croce si sia limitato a farsi lo storico rapsodico della letteratura italiana, ed abbia lasciato i piccoli-borghesi a sospirare vanamente su questa storia mancata, mentre i laici, che vogliono tenersi aggiornati, si affrettano a riempire il vuoto delle loro librerie con una storia della letteratura qualsiasi, che naturalmente ha la stessa dignità e utilità di una qualche enciclopedia e di un qualche lessico. E a questi desideri pratici nessuno può e deve contrastare; soltanto è da avvertire quei laici che si sentono la coscienza a posto con quella loro storia a portata di mano, che libri di tal genere si consultano, ma non si leggono. Ed essi stessi, se sono sinceri, devono confessare che li consultano, li leggiucchiano, ma non li leggono veramente.

Si leggono invece dagli studiosi due libri del Croce: *Storia dell'età barocca in Italia*, che è una storia della letteratura del Seicento, e *Poesia popolare e poesia d'arte*, che è una storia della letteratura italiana dal '300 al '500. Il Croce stesso nell'*Avvertenza* al primo di questi volumi, preparato nel 1924-25, scrive:

Se mi fosse stato lecito attenermi all'uso tradizionale, questo libro avrebbe da me ricevuto il titolo di *Storia della letteratura italiana nel Seicento*, perché comprende le stesse materie (poesia, eloquenza, trattati, storiografia, origine del cattivo gusto, rapporti con la vita civile e simili), che si accolgono in quelle cosidette « Storie letterarie », sebbene le contenga criticamente rielaborate e assegnate ai loro luoghi.

Ma, benedetto uomo, il nostro critico avrebbe pur potuto accontentare il volgo dei lettori, accogliendo il vecchio titolo nella materia nuova dei giudizi, immettendo il vino nuovo nell'otre vecchio, secondo l'insegnamento del Vangelo! Sicché potrebbe la sua apparire perfino una forma di protervia e una civetteria tutta verbale. Ma invero il titolo mutato è voluto dallo stesso tenore della nuova storia, la quale offre « ben distinta quella che è propriamente storia della poesia e della letteratura da quella che è storia del pensiero e da quella che è storia della vita morale »; però la intitolazione tradizionale sarebbe stata un po' angusta. D'altra parte essa voleva essere ricca di sviluppi e di avvenire. Il Croce stesso difatti così chiosa: « Il nuovo titolo, alquanto largo, lascia intendere che il mio lavoro dovrebbe essere proseguito per le arti figurative e architettoniche, per la musica, per altri aspetti e manifestazioni della vita seicentesca ».

Con quel mutamento di titolo non solo dunque è ampliato l'ambito della storiografia letteraria, ma è spezzato anche il cerchio chiuso di una storia letteraria: non c'è mai nessuna storia letteraria, di un secolo, di un periodo, che non resti libro aperto per le indagini delle arti figurative e architettoniche, per la musica, e per altri aspetti e manifestazioni dello stesso periodo. La storia letteraria moderna è dunque una storia circolare; si può non narrare la storia dell'architettura, della pittura e della musica coeva alla letteratura, ma non si intende più uno storico meramente letterario, che non abbia intelligenza e gusto per quelle altre arti, così come più facilmente s'intende che non si può essere storici delle lettere, senza essere storici della filosofia, della critica, della vita morale, che si accompagna a quelle lettere. I nostri critici puri del Novecento sono arretrati anche in questo (e solo fa eccezione il Gargiulo, che si è impegnato nella storia delle arti figurative e in quelle del pensiero filosofico: tentativi soltanto, ma pur significanti tentativi; e per un altro verso fa eccezione il Cecchi, il più versatile esploratore di letterature straniere e nostrane con i congiunti movimenti di pensiero talvolta, e storico delle arti figurative, sebbene ci lasci sempre perplessi e diffidenti la mobilità inventiva dell'artista che influenza e genera una corrispondente volubilità critica). Una storia delle pure lettere può ben farsi, ma purché si tenga presente la storia del pensiero e della vita morale e delle arti affini contemporanee; solo per tal via la critica del puro impressionismo o edonismo o gusto esclamativo delle contemplazioni estetiche o degli assoporamenti linguistici o sillabici, sale veramente ad essere storia. Allora, senza impedantirsi in estrinseci richiami alle altre arti, il critico fa veramente storia piena della pura letteratura, perché tutta implicitamente piena questa del gusto e delle conquiste delle altre arti e degli altri momenti della vita mentale.

Oggi è assai diffuso, giornalisticamente diffuso, questo gusto della critica letteraria come critica della pura letteratura. Lettura meramente letteraria della poesia, come ideale sommo della critica! Tutto ciò che evade dalla pura lettura letteraria, è moralismo, passionalismo, politicismo, cattiva filosofia, rimasticamento di teoremi di estetica, storicismo, mancanza di sensibilità e di possibilità goditive. A cotesti assertori di una critica pura, che si vogliono presentare come uomini discreti, c'è da ripetere pazientemente le parole del Vangelo. *Iesus autem dicebat: Pater, dimitte illis; non enim sciunt quid faciunt.* Essi non sanno quello che dicono. Soltanto in un punto ci piacerebbe accettare la loro esigenza, in quanto il formalismo si presenta come nemico e antagonista divoratore del contenutismo; ma pur si tratta di due facce di uno stesso fenomeno, quello che si dice estetismo. Anche il formalismo continua ad essere una forma femminile di critica, preambolo di storia, ma non ancora storia che si possieda e sia consapevole di sé. Critica di contenuto sentimentale o biografico o di miti poetici, talvolta ancora al di qua o al disopra del mimo espressivo, era la critica del Momigliano almeno fino alla sua *Storia* e quella del Serra; ma critica femminile è ancora questa dei moderni e presunti formalisti, dei quali nessuno poi è riuscito a darci un'opera dell'importanza di quella del Momigliano e dell'altra, sia pure potenziale e ricca di germinali suggestioni, del Serra. Nemmeno il Gargiulo, che è stato il suggeritore e dittatore di questa critica «formale», di questa critica del mezzo espressivo, perfino nel suo dittatore rimasta un semplice programma.

2. La storia dell'età barocca e il mutamento di prospettiva della letteratura italiana.

In questa *Storia dell'età barocca* il Croce procede risolutamente al di là di ogni estetismo contenutistico o formalistico, per cogliere il finale significato simbolico delle opere letterarie, della cui ispirazione sentimentale o della cui formazione tecnica si tiene storicamente conto, ma soltanto come momenti astratti del processo letterario. In cotesto volume si ha, anche sensibilmente, il superamento di ogni estetismo, che pareva autorizzato da alcuni saggi giovanili della *Letteratura della nuova*

Italia. Pareva e non era, perché non saprei indicare alcun scritto letterario del Croce giovane in cui egli si abbandoni alla critica comunque estetizzante: la sua critica estetica in ogni momento è stata critica storica.

Lo storicismo letterario in quest'opera del Seicento risalta anche più visibile, per il fatto che vi ritroviamo una storia della poesia e della letteratura intrecciata alla storia della vita morale e del pensiero seicentesco: storia dunque circolare, e non semplicemente indirizzata in un solo senso, verso un unico ed esclusivo termine di indagini. La circolarità degli interessi mentali e l'immanenza della curiosità morale e filosofica anche nell'indagine di un mero episodio letterario o poetico, deve pur essere la virtù del critico che aspiri al nome di storico. È l'insegnamento del Foscolo, fautore di una critica piena, filosofica, passionale, che si perpetua, con diversa sapienza di distinzioni e di discriminazioni, in questa critica del Croce; e i formalisti o i reincarnati puristi del criticismo di oggi sono ancora invece i rappresentanti di quella critica degli uomini «claustrali» contro cui batteva ferocemente e insistentemente l'impetuoso autore dell'orazione sull'*Origine e ufficio della letteratura*. Il chiostro è perpetuamente contro il foro, quel foro in cui si incontrano gli interessi umani più diversi e che muovono efficacemente la storia; ma il chiostro pur si presenta sempre sotto la forma speciosa di una più sottile e macerata ascesi, ardore di quintessenza poetica, per il mondo favoloso delle immagini, che, quando non è calcolata ciurmeria, è fremito imbelle di impotenza. Però non sorprenda questa nostra cautela e insistenza polemica contro tale ritorno metafisico di spirito claustrale nei nostri tempi.

Questo libro del Croce sull'età barocca ci riconduce agli interessi dominanti nella fantasia del nostro critico: ben tre grossi volumi erano stati dedicati da lui precedentemente alla letteratura, alla vita e alla politica del Seicento.

Del 1892 e 1894 sono i saggi della *Spagna nella vita italiana durante la Rinascenza*, quasi tutti composti tra il 1890 e il 1900; del 1910 sono i *Saggi sulla letteratura italiana del Seicento*, e del 1931 i *Nuovi saggi sulla letteratura italiana del Seicento*, tutti finiti di scrivere però nel 1929, come paralipomeni e saggi di accompagnamento della *Storia dell'età barocca* che è precisamente del 1929. Senza considerare parecchi capitoli di *Uomini e cose della vecchia Italia* e gli *Aneddoti di varia letteratura*. Il Croce ha esordito come erudito, ed è rimasto nell'erudizione fondamentalmente in cotesto àmbito, quale esploratore di tanta aneddotica e costumistica del Seicento e del Settecento che gli fa seguito. Questa preferenza accordata al secolo più napoletano della nostra letteratura è ovvia: è la stessa tradizione respirata nella città dei suoi studi, dove egli si muove da più di mezzo secolo. Ma non si tratta di semplice inclinazione sentimentale e biografica: essa è il gusto di un nuovo orientamento della storiografia letteraria che conduce il Croce a far luce su quel secolo perché tanto infamato o malfamato. Il Seicento rappresenta l'eversione dell'egemonia letteraria della Toscana; il Seicento, pur nelle sue forme incomposte e barocche, sposta il centro della letteratura e delle varie arti da Firenze a Napoli. Da quel mondo barocco uscirà pur G. B. Vico, fondatore teoretico dei tempi moderni, e annunciatore del romanticismo. Questo *secol novo si rinnova e progenie scende dal ciel nova* è ovvio che abbia sedotto la curiosità scientifica di una mente alacre come quella del Croce, non paga di ripetere le solite battute ammirative sulla grande arte dei trecentisti toscani e sull'arte del Cinquecento, che ha sempre per centro ideale la Toscana, e sui quali argomenti la storiografia letteraria ed artistica era da secoli fin troppo concorde.

Quindi non preferenza di carattere municipale la sua per il secolo del barocco (Napoli anche nelle arti figurative è la città del barocco), ma superiore gusto storico del nuovo, dell'inedito, del poco conosciuto, o del misconosciuto. La preferenza accordata dal nostro critico al secolo del barocco, oltre che nativa, è dunque scientificamente riflessa. E la larga mole delle sue indagini su quel secolo e sul secolo di G. B. Vico ha valso a far spostare il centro della visione storica. Dagli ultimi decenni del secolo XVI, Firenze, Mantova, Urbino, Milano cominciano a decadere come centri di vita intellettuale; resta soltanto Venezia con i Sarpi e i Paruta, ma l'epicentro della vita letteraria, artistica e filosofica si sposta verso Napoli, e vi permane fino all'età del Settecento con la tradizione dei giuristi e degli economisti, con i nomi ancora celebri dei Giannone, dei Genovesi, dei Filangieri. Per la suggestione del Croce, un erudito di cose vichiane, Fausto Nicolini, ha illustrato ampiamente e con minuziosa cura la vita culturale delle librerie che si assiepavano nella via San Biagio dei librai, che conduceva alla vecchia Università, e in cui erano disseminate venti o trenta librerie, delle quali una appartenente al padre stesso di G. B. Vico. Tante librerie in un strada sola! Librerie poi che erano centri di raduno intellettuale dove si discuteva animatamente della nuova fisica, della nuova astronomia, della nuova filosofia. Gassendi, Galileo, Cartesio o come familiarmente dicevano i napoletani, Renato, i tre grandi maestri le cui dottrine erano vivacemente discusse dai giovani, o dai dotti seniori che convenivano in quelle botteghe. Questi spontanei globi librarii e altre manifestazioni affini sono i segni di un risorgimento della cultura napoletana, proprio in quel Seicento che per un cinquantennio almeno aveva lasciato decadere, sotto l' influenza della controriforma, e l'oppressione del giogo spagnuolo, il meglio della cultura rinascimentale.

È questa la pur discussa fortuna dell'Italia, dei diversi centri spirituali che adempiono ciascuno ad una funzione particolare e che si alternano nelle vicende storiche della nostra vita nazionale. Diversa in questo la fisonomia mentale dell'Italia da quella della Francia, dove una più rigida e secolare unità ha portato alla soffocazione dei centri della provincia per una ipertrofica attività della capitale. Parigi riassume ed esaurisce la Francia, nessuna città d'Italia riassume tutta l'Italia; da ciò il perpetuo e incessante trapasso del dominio spirituale da una città all'altra. Sul finire del Seicento, Napoli diventava il centro intellettuale della penisola; la Toscana, dopo Galileo e i suoi scolari, disertava l'arringo e si raccoglieva in una vita lenta, comoda e pacifica. Da ciò quel tanto di arcadico e sonnolento che c'è ancora nelle accademie fiorentine nell'Otto e nel Novecento, la Crusca, la Colombaria, e la maggiore animazione storica invece delle stesse accademie napoletane in questi secoli di rivolta, l'Accademia Reale, la Pontaniana, la Società di Storia patria. Anche l'accademie vivono di rendita di un pensiero. A Napoli lievitava invece la rivoluzione mentale del '700, e di lì doveva passare a Milano, perché non bisogna dimenticare che i primi scolari di Vico furono quelli che lasciarono la vita sul patibolo nella rivoluzione napoletana del '99 e quelli che, superstiti, esularono nella città lombarda. A Milano si trasferì Vincenzo Cuoco, a Milano si trasferì Francesco Lo Monaco e lì questi emigrati napoletani cominciarono a diffondere il verbo del maestro Vico. Foscolo e Manzoni ascoltarono dalle labbra del Cuoco insegnamenti vichiani, e lessero avidamente gli articoli dello scolaro che davano un nuovo orientamento agli studi della storia e della politica.

Questo l'avvio nuovo dato dal Croce alla storiografia letteraria, e non soltanto letteraria, fuori dei vecchi consueti schemi che presentavano il Seicento come un secolo di decadenza, e che mutano radicalmente la prospettiva; e attorno a questo nucleo nuovo di idee hanno lavorato il Croce, e parecchi suoi amici e scolari e anche talvolta gli stessi avversari. Però la *Storia dell'età barocca in Italia* segna una data importante nella nostra storiografia, anche se essa deve considerarsi soltanto come l'epilogo finale di tante precedenti indagini perseguite dall'autore per tutto un quarantennio. A proposito di tale volume fu osservato dal Salvatorelli, che « l'accento è messo non su quel che fu la vita spirituale secentesca, ma sugli elementi migliori, sugli spunti di vita nuova », per modo che « il Seicento del Croce è, per dirla un po' paradossalmente, il Settecento e magari l'Ottocento ». Osservazione che il Croce accolse volentieri, ma scagionandosi al tempo stesso dall'accusa di un soggettivismo arbitrario che larvaticamente poteva essere compresa in questo riconoscimento del suo critico, riconoscimento difatti che suonava come riserva. E nell'*Avvertenza* ai *Nuovi saggi sulla letteratura italiana del Seicento*, così l'autore ribatteva e chiariva il suo pensiero:

> Io credo... che la cosiddetta « media della vita spirituale di un tempo » rappresenti, rispetto agli elementi migliori, in parte il loro riflesso e in parte la forza d'inerzia, la materia che quelli debbono foggiare e l'ostacolo che debbono superare; e che perciò bisogni, senza dubbio, tenerla in conto e in gran conto, ma non in essa consista in subietto o il subietto principale della considerazione storica, sì invece, per l'appunto, negli « elementi migliori », in quelli che pongono nuovi veri, che dicono parole di bellezza, che attuano o preparano forme progressive, coi travagli del pensiero, con l'energia dell'azione, con la risolutezza a combattere, con la disposizione a sacrificarsi.

E già nella *Prefazione* del 1910 agli altri *Saggi sulla letteratura italiana del Seicento* aveva osservato che « anche rispetto a questo periodo storico bisogna farla finita con le accuse e le difese, e mettersi a considerarlo nella sua oggettività, come un periodo della storia umana che, in quanto tale, non potette essere privo di qualche valore positivo. Periodo di decadenza, sia pure; ma importa non dimenticare che il concetto di decadenza è affatto empirico e relativo: se qualcosa decade, qualche altra nasce: una decadenza totale e assoluta è un assurdo logico ». Istruttiva da un punto di vista metodologico la discussione che il Croce fa sul concetto del barocco, e che egli respinge come concetto positivo, a quello stesso modo che oggi si respinge la parola decadente come definizione di poesia. Il barocco « in quanto tale, è nient'altro che una forma di bruttezza, un concetto negativo e non già positivo, come lo hanno travisato e come lo trattano gli odierni critici, sopratutto tedeschi, ma anche non pochi italiani; e che ciò che nella poesia e nella letteratura in genere nell'arte del Seicento ha pregio di arte e di poesia è, per l'appunto, tutto che non è barocco o che esce fuori del barocco »[1]. Il barocco consisterebbe « nel sostituire la verità poetica, e l' incanto che da essa si diffonde, con l'effetto dell' inaspettato e dello stupefacente che eccita, incuriosisce, sbalordisce e diletta mercé la particolare forma di scotimento che procura »[2]. Il barocco, come categoria storica generale, si ritrova in ogni luogo e tempo, sparsamente e più o meno rilevato; ma ad evitare sbandamenti e ricerche del barocco, come è stato praticato per il romanticismo, in epoche che non furono propriamente barocche, ad evitare insomma ogni forma di genericismo storico, il Croce intende per barocco « quella perversione artistica, dominata dal bisogno dello stupefacente, che si osserva in Europa, a un dipresso, dagli ultimi decenni del Cinquecento alla fine del Seicento ». Anche un D'Annunzio può essere conside-

---

[1] *Critica*, 1941, p. 387.

[2] *Storia dell'età barocca*, p. 25.

rato uno scrittore barocco, ma il barocchismo di certa sua arte e «tutte le somiglianze col Marino e con altri secentisti, non cancellano il fatto che un D'Annunzio non poteva sorgere se non dopo il romanticismo, il verismo, il parnassianismo, il nietzschianismo, e altri avvenimenti spirituali che non precessero certamente il Marino, perché si maturarono nel corso del secolo decimonono»[1]. Ma tutto questo non esclude una valutazione positiva dell'età barocca, perché insieme col cattivo gusto l'Italia favorì e diffuse in tutta l'Europa un congiunto addestramento stilistico, come una specie di corso rettorico, che valse a iniziare ai segreti dell'arte moderna Francia, Inghilterra, Spagna, Germania, liberandole da talune pratiche ancora medievali.

Criteri analoghi hanno fatto valere altri critici, per il decadentismo, di cui nessuno disconosce i benefici effetti di allargamento di orizzonti spirituali, di tono europeo, per l'arte italiana della seconda metà dell'Ottocento troppo ancorata all'esperienza spirituale della «provincia», per cui fin dal '22 chi scrive queste pagine presentava il D'Annunzio e altri decadenti come «duci, protagonisti, testimoni e seguaci di questa burrascosa e grandiosa anabasi europea»[2]. Però anche il decadentismo segna un ampliamento dei confini poetici della nostra anima tradizionale; il che non esclude che arte o poesia decadente siano termini contraddittorii. Lo stesso si potrebbe dire del petrarchismo cinquecentesco, che rappresenta il diventare adulto del corso della nostra letteratura, e non è una nota negativa se non quando il petrarchesco si vuol fare valere come una nota esaltante della poesia; e lo stesso ancora si potrebbe ripetere nel campo delle arti figurative, per quel periodo che corre fra il 1520 e il 1590, che gli

---

[1] Ibid., p. 34.

[2] Nella prefazione ai *Narratori*, e ora in *Ritratti e disegni storici*, 2ª serie, *Dal Manzoni al De Sanctis*, Bari, 1946.

storici chiamano del manierismo, e di cui fu rappresentante dottrinario, fra gli altri, lo scultore Vincenzo Danti, l'artefice della statua perugina di Giulio III. Anche per il manierismo, ai tempi in cui esso si svolse, vi furono i critici acerbi, come il Bellori, per esempio, che parlarono di «decadenza»[1], così come oggi si maledice il decadentismo, ma pur se ne giustifica l'espansiva *vis* storica di modernità europeizzante. Il che non deve parere contraddittorio.

Così anche per il barocco, di cui il Croce è critico decisamente negativo; s'intende bene come egli poi vi abbia un'affezione sentimentale, che è poi nient'altro che affezione storica alla poesia che evade dal barocco, e alla poetica barocca che necessariamente l'accompagna e ne spiega e favorisce l'urgenza dell'espressione liberatrice. Di questo suo orientamento affettivo-storico per l'età barocca bisogna tener conto per spiegarsi alcune tipiche manifestazioni della vita intellettuale e culturale del Croce: gli *Scrittori d'Italia* del Laterza, per esempio, da lui voluti nel 1910, sorsero con un programma di rivalutazione della letteratura meridionale. Ciò che lasciava perplesso il giudizio di Renato Serra, che giudicava tutta quella letteratura spostata verso il '600 e il '700 «la più oscura e meno feconda, una letteratura senza piani e senza architettura e senza forma». Ma oggi appar chiaro che non si trattava di una passione municipale capricciosa, del nuovo editore, e di «piccole manie», e di «particolari tendenze dell'uomo», inclinazioni del critico e del filosofo verso una letteratura d'occasione, fatta di scrittori dialettali, critici, pensatori, scienziati, a lui fraterni. Fin d'allora c'era già *in nube* tutta una nuova storiografia letteraria, che spostava il

---

[1] Cfr. W. Weisbach, *Der manierismus*, Zeitschr. f. Bild. Kunst (1919), pp. 161-83; e N. Peisner, *Gegen reformation und Manierismus* (Repert. f. Kunstwis, 1925, pp. 243-62).

centro ideale, per il '600 e per il '700, dalla Toscana verso Napoli. Napoli restava la capitale, per quei secoli, non solo del pensiero ma anche della più viva letteratura italiana, dal Marino al Metastasio. E cotesto riconoscimento storico, fin in un catalogo editoriale, era nascostamente coerente con la visione storica che il Croce andava maturando e che doveva poi far valere attraverso varie e ricche e documentate indagini storiche.

Ma non solo per i classici, ma anche per gli scrittori moderni o contemporanei è visibile questo affetto storico del Croce per il barocco. Le sue rivalutazioni o esaltazioni di scrittori come Vittorio Imbriani o Francesco Gaeta, critica e poesia a parte, risentono di questo amore di lui per la poetica barocca, tradizione genialmente feconda della civiltà napoletana. Estrosamente barocco, con una consapevolezza ironica che lo riscatta, è lo stile della prosa e delle varie esercitazioni dell'Imbriani, e baroccheggiante è certa struttura metrica, e insieme barocche sono certe consonanze e assonanze nasali di rime e certe immagini carnali delle *Poesie* del Gaeta. Come un critico toscano avrebbe potuto amare versi dal disegno correttissimo, pregevoli per una certa concinnità e saporosità linguistica, anche se un po' vacui (si pensa al Redi non mai soverchiamente ricercato dal Croce), così il nostro critico napoletano ha amato invece una pienezza animata di estri, di parole, di consonanti, di vocali, di esercizi, meglio compatibili e intonati alla tradizione letteraria della sua città, termine più consueto delle sue indagini storiche. Ciò che qui si rileva, per scuotere alcuni fraintendimenti polemici per coteste sue inclinazioni e preferenze. Si tratta di una coerenza di gusto storico, che deve essere pure una virtù, e che manca solo nei critici poveri di storia e, in ultima analisi, anche poveri di gusto.

3. Conversione decisamente antiromantica nella storiografia letteraria del Croce.

Se la *Storia dell'età barocca in Italia* rappresenta una modificazione risoluta della prospettiva troppo toscaneggiante di tutta la letteratura italiana, un altro libro, composto tra il 1928 e il 1929, vuole segnare una svolta nell' interpretazione della letteratura dei primi secoli. In *Poesia popolare e poesia d'arte* si ha un' interpretazione sistematicamente antiromantica della nostra civiltà letteraria dalle origini a tutto il cinquecento: il criterio della « letteratura », che doveva essere teorizzato nel libro *La Poesia* del 1936, un libro rivoluzionario e che non si lega alla vecchia *Estetica*, qui campeggia come canone nascosto che sovverte molti miti storiografici del romanticismo. Anche qui l'esperienza diretta della critica letteraria ha preceduto la teoria. Tutta l'estetica del Croce, specialmente la prima *Estetica* del 1903, è noto, è una estetica di tipo e di intonazione vichiana: dove più vigoreggia il senso, ivi è più ingenua e più prorompente la poesia. La riflessione, la cultura, la dottrina sono nemiche della poesia, o almeno sono tali che possono indurre il poeta poetante a un peccato di prevaricazione, a varcare i limiti della sua ispirazione. Non è puro caso che il Croce, nel libro sulla *Poesia di Dante*, per fondare la distinzione, del resto molto legittima, tra poesia e struttura nel poema, si facesse forte dell'osservazione del Vico che aveva per primo distinto tra un Dante poeta e un Dante teologo, riconoscendo, sì, la gran dottrina del fiorentino in divinità, ma ammettendo anche che cotesta sapienza riposta, più che giovamento, gli aveva portato danno. Quel libro del Croce su Dante rappresenta forse l'esasperazione ultima della concezione vichiana della poesia, e come premessa teorica andrebbero bene le parole che il Croce stesso aveva scritto nel 1911 sull'estetica del Vico.

La poesia è la prima operazione della mente umana. L'uomo, prima di essere in grado di formare universali, forma fantasmi; prima di riflettere con mente pura, avverte con animo perturbato e commosso; prima di articolare, canta; prima di parlare in prosa, parla in versi; prima di adoperare termini tecnici, metaforeggia... La poesia, non che essere una maniera di divulgare la metafisica, è distinta e opposta alla metafisica: l'una purga la mente dai sensi, l'altra ve la immerge e rovescia dentro; l'una è tanto più perfetta quanto più si innalza agli universali, l'altra quanto più si appropria ai particolari; l'una infievolisce la fantasia, l'altra la richiede robusta; quella ci ammonisce di non fare dello spirito corpo, questa si diletta di dare corpo allo spirito; le sentenze poetiche sono composte di sensi e passioni, quelle filosofiche di riflessioni, che, usate nella poesia, la rendono falsa e fredda: non mai, in tutta la distesa dei tempi, uno stesso uomo fu insiememente gran metafisico e gran poeta. Poeti e filosofi possono dirsi gli uni il senso, gli altri l'intelletto dell'umanità.

Così schematizzava il Croce il pensiero del Vico nel 1911, trascrivendo nel testo del filosofo del Settecento quelle che erano le sue stesse esigenze di filosofo dell'estetica nel Novecento. Fino alla *Poesia di Dante*, e particolarmente in quel saggio di critica dantesca, il Croce pareva tenesse fermo a questo principio che la poesia è la prima forma della mente, anteriore all'intelletto e libera da riflessione e raziocini, e che i grandi poeti sono « poco ragione e tutti robustissima fantasia », « quasi tutti corpo e quasi niuna riflessione ».

Pure, quando noi crediamo di essere fedeli al verbo di un maestro e sia pure ripensato con originale vigoria e con personale esperienza, proprio allora ci capita di tradire felicemente quel verbo e di esserne già lontani.

Nel libro sulla *Poesia di Dante*, il Croce, pur rivivendo un punto fondamentale dell'estetica vichiana, la oltrepassava intanto per il gusto dialettico della vicenda di poesia e struttura, di poesia e romanzo politico-teologico. Non solo, ma oltrepassava l'insegnamento vichiano, allorché, studiando il *Paradiso*, contro il pregiudizio romantico che scartava i teologumeni come non passibili di poesia, materia sorda al fren dell'arte, veniva a parlare di un'alta poesia didascalica diffusa nella terza cantica, poesia, in quanto « diversamente che nella prosa, il motivo che vi domina non è l'indagare e l'insegnare che la mente opera, ma la rappresentazione dell'atto dell'indagare e insegnare, la virtù di quest'atto, che si compiace e gioisce di se stessa e che delle cose insegnate si vale appunto come di materia per asserire se stessa ». Il dottrinarismo del *Paradiso* è assai diverso dal dottrinarismo prosastico del *De Monarchia*, del *De vulgari eloquentia* e del *Convivio*. Nel *Paradiso*, scrive il Croce, « le dottrine sono il libretto, sul quale il poeta compone la sua musica ». E altrove osserverà che il senso letterale e poetico da un lato e il senso dottrinale dall'altro, ancora in questa terza cantica, sono meno distaccati l'uno dall'altro: « i due sensi se ne stanno assai meno distaccati che nelle due prime, e, di gran lunga più, tendono a entrare l'uno nell'altro ». Orbene queste affermazioni sono l'eversione del principio vichiano, troppo rigido, di un Dante poeta distinto dal Dante teologo e sono già una vivace reazione a tanta critica romantica che si era appoggiata su quel principio.

Comincia a circolare nella critica in atto del Croce quel carattere di totalità dell'espressione artistica, teorizzato nei *Nuovi saggi d'estetica*, e per cui si scoprono nuovi caratteri comuni all'attività logica e all'attività fantastica, che non sarebbero dunque così rigidamente distaccate tra loro. La circolarità della vita spirituale infonde tutta di sé ogni momento, pur distinto dagli altri momenti. Il pensiero, la cultura, la teologia possono imbocciare e potenziare di sé l'immagine poetica. Su questo punto il Croce progredirà sempre più decisamente, sostituendo a una concezione sensuale della poesia (sensuale nel significato vichiano) una concezione simbolica, circolare, cosmica della poesia, e non aggiungiamo riflessiva o speculativa, perché il filosofo delle distinzioni non si aombri. Leopardi non è filosofo, ma tutto il suo meditar filosofico ha pur penetrato la poesia dei suoi *Canti*.

Il libro *Poesia popolare e poesia d'arte* segna per l'appunto l'investimento della letteratura italiana dal '3 al '500 con questo nuovo canone che la poesia e la letteratura nascono dalla riflessione, dalla disciplina, dalla scuola, dal fren dell'arte, da una macerazione di cultura, e non, come volevano i romantici, dalla divina ignoranza di un mitico popolo, che dal suolo plebeo la patria esprime. L'interesse dominante nel volume è l'origine dotta, chiericale della letteratura italiana. Si reagisce contro il popolarismo romantico, centro di tutti gli interessi degli storici e degli eruditi dell'Ottocento e anche dello stesso Croce nei primi anni della sua carriera mentale. Come il Croce sia pervenuto a questa svolta del suo pensiero, forse non è abbastanza agevole il dirlo; si potrebbe pensare a influenza del filosofo Gentile, che dal saggio su Dante del 1908 ai saggi leopardiani ha sempre insistito sul pensiero-poesia o, ciò che è lo stesso, sulla poesia-pensiero; o a suggestione di qualche cenacolo di letterati che, teorizzante Gargiulo, parlava di poesia che nasce da una macerazione di cultura; o a petulanza del Russo, che fin dal 1926 richiamava l'altro principio di Vico per cui l'arte è impeto di liricità, ma sol perché è tutto un filosofare di pensieri diversi. Ma, in coscienza, io credo che una teoria non nasce mai intellettualisticamente per influenza di altre teorie, ma se essa è viva e sugosa ha le sue radici in una larga esperienza storica. Per il Croce, che non è stato mai il filosofo di professione, ma il filoscfo venuto in succo per ricca linfa di indagini e meditazioni storiche, bisogna quindi riferirsi alla sua alacrità di studioso, di scopritore irrequieto, di esploratore di nuovi orientamenti storiografici, anche quando sono nel loro germinale nascere.

Difatti nel primo trentennio del secolo filologi ed eruditi hanno dato opera, con l' incessante studio delle fonti, perché al di sotto della freschezza popolare e ingenua i primissimi documenti o monumenti rivelassero la loro remota ispirazione dottrinaria, aulica, cardinale e cortigiana. La nuova poesia dei trovatori, si era cominciato timidamente a dire, deve probabilmente i suoi maggiori debiti di gratitudine alla cultura classica del chiericato, e non ai fabulosi e innocenti parlari del popolo. Il popolo non esiste, se non come vaga metafora, e la poesia e la letteratura non nasce mai dall' ignoranza. Anche Francesco d'Assisi, sebbene esaltasse gli uomini idioti e senza lettere, fu amantissimo e rispettosissimo delle lettere, ed egli sapeva assimilare i suoi confratelli ai Carlo Magno, agli Orlando, agli Ulivieri, e a tutti i cavalieri della Tavola ritonda, dimostrando in cotesto spregiudicato ravvicinamento l'assidua familiarità con i romanzi di cavalleria, che costituivano il fulcro della cultura mondana e d'avanguardia del tempo. E questo non è un esempio isolato. C'è Iacopone, che non è più presentato come un giullare di Dio, ma come un poeta dottissimo di teologia (cotesto fu uno dei contributi più concreti che il Gentile, al di qua della stessa generica esigenza panlogistica del suo sistema, ha portato, fin dai suoi studi sulla filosofia medievale del 1908, alla formazione del mito di una poesia o di una letteratura di origine e riflessiva e dotta). Ci sono poi gli stilnovisti, per i quali già il De Sanctis, in contraddizione felice con la mitologia popolaresca cara a lui come storico maturatosi nell'atmosfera del romanticismo, aveva sentenziato che la loro poesia nasce dalla scienza, dalla cultura filosofica, dall'amore della disquisizione teoretica sulle facoltà dell'anima, e sugli spiriti e spiritelli che la popolano. Guido Guinicelli, al dire del De Sanctis, avrebbe gittato dentro il parlar materno « l'entusiasmo di una mente educata dalla filosofia alle più alte speculazioni e commossa dai miracoli dell'astronomia e delle scienze naturali. È il mondo nuovo della scienza che si rivela con le sue fresche impressioni nella sua canzone sulla natura dell'amore... L'arte italiana nasceva non in mezzo al popolo ma nelle scuole, fra san Tommaso e Aristotele, tra san Bonaventura e Platone ». C' è poi Dante giovane e ci sono i suoi sodali, presentati già dal Carducci come degli aristocratici reazionari all'andazzo della poesia plebea. Dante parlò sempre rispettosamente di « colori rettorici », chiamò padre suo il Guinicelli, che poi avrebbe applicato « alle nuove rime la dottrina e la tradizione dello stile latino »; Dante prese a maestro e duce Virgilio, « da cui credé aver tolto lo *bello stile* », Dante è « il campione... del volgare *illustre*, *aulico*, *cardinale, curiale* », « il trattatista dell'*ornata eloquenza*, il precettore *della poesia regolata* », così come si riferisce più distesamente in altra parte di questo volume [1]. Sono proposizioni che curiosamente anticipano gli umori della nostra storiografia letteraria del Novecento, e che però in storici come De Sanctis e Carducci rimangono intuizioni isolate contraddette dal gusto loro nativo e dalla loro parzialità per la poetica del popolarismo. Il Carducci difatti, mentre così discorre, presenta « l'elemento popolare o nazionale » come uno dei tre famosi « fattori » del sorgere della nuova civiltà e letteratura volgare, e il De Sanctis poi improvvisamente restringe la sua felice osservazione, con rammarico pedagogico, così chiosando:

---

[1] Vedi *Carducci critico.*

Questo dunque si ricordi bene: che la nostra letteratura fu prima inaridita nel suo germe da un mondo poetico cavalleresco, non potuto penetrare nella vita nazionale e rimasto frivolo e insignificante; e fu poi sviata dalla scienza, che l'allontanò sempre più dalla freschezza e ingenuità del sentimento popolare e creò una nuova poetica, che non fu senza grande influenza sul suo avvenire.

La scienza per il De Sanctis, in piena coerenza con la sua estetica nata sulla linea vichiana, era dunque inaridimento di poesia!

Si leggano i quattro nutriti paragrafi del primo capitolo *Poesia popolare e poesia d'arte* del Croce, che finisce col dare il titolo a tutto il volume. È una storia del sorgere del mito popolare in una con il mito delle nazioni maturato nell'ultimo Settecento, e il senso delle tradizioni particolari di ogni paese, e il suo perseguirsi in tutta la letteratura italiana dalle origini fino a tutto l'Ottocento. L'ultimo fenomeno di popolarismo è stato il fiorentinismo linguistico bandito dal Manzoni e dai manzoniani: il popolo fiorentino favellante messo al centro come maestro di tutto il popolo italiano. E fenomeno di popolarismo, potremmo aggiungere noi, furono anche il verismo e la poesia dialettale, ma solo nelle loro forme inferiori. Il verismo di un Verga e il dialetto di un Pascarella e di un Di Giacomo hanno carattere riflesso e letterario, che li distacca dal popolo: il popolo nella poesia di un Di Giacomo o nell'arte di un Pascarella è passato da soggetto a essere oggetto di rappresentazione, come nei romanzi di Verga. Non c'era più dunque un popolarismo di forma, ma soltanto di contenuto; sicché il più tipico e proverbiale fenomeno di popolarismo resta precisamente il fiorentinismo linguistico. Stenterello, una maschera cara al popolo, sollevato alla cattedra linguistica per tutta Italia (il manzonismo degli Stenterelli, di cui brontolava il Carducci!).

Ma questa ricerca del tono dotto e aulico della nostra letteratura del Duecento non faccia pensare che il Croce voglia incorrere nell'errore opposto a quello dei romantici. La letteratura espressione del popolo per i romantici, la letteratura espressione dei chierici per noi novecentisti. Popolo e chiericato sono due astrazioni; se oggi facessimo risalire tutto al chiericato, cadremmo in un errore opposto ma analogo a quello dei romantici. Per costoro, la letteratura delle origini era tutta ingenuità, tutta freschezza, tutto popolo anonimo e voce collettiva poetante e favellante; per noi, sarebbe tutta cultura, riflessione, *lettoria e sillogismi* come avrebbe detto Iacopone. Il vero è che al posto del popolo e del chiericato tutta la storiografia letteraria contemporanea pone sempre l'individuo poetante e dictante, l'uomo di buona letteratura le cui penne vanno più o meno strette dietro alle norme di una qualche arte retorica. E il Croce non può non essere fedele a questa esigenza che si parte dal suo esempio di teorico e di critico, anche se in questo volume non è particolarmente ricordata. Per lui popolare è sinonimo di elementare, e dotto, riflessivo, aulico è sinonimo di poesia o di letteratura complessa, cioè di umanesimo. Però egli non si preclude l'indagine di una corrente di letteratura popolare, che è come la vita sotterranea di tanta letteratura aulica, cardinale e cortigiana.

Ma quel che importa non è tanto l'attenzione del Croce ai motivi della letteratura popolare, che sono ovvii e nativi in lui, termine ultimo ed eredità sentimentale e di gusto dell'esperienza dell'Ottocento romantico, quando la rivalutazione della nota umanistica, letteraria, di tutta la letteratura italiana. Anche il popolaresco Trecento è il secolo di «una poesia d'arte altissima, e tutt'altro che popolare, carca di scienza, di teologia, di erudizione, d'incipienti studi e concetti e metodi umanistici, quella nientemeno di Dante, del Petrarca e del prosatore-poeta Boccaccio ». E non si dice nulla del Duecento, in cui « il primo piano fu tenuto dalla poesia di corte e provenzaleggiante, e poi dalla dottrinale, e da quella dello stil novo ». Però l'umanesimo non appare al Croce, come avrebbe voluto il Del Lungo, un « morale e civile deviamento, una specie di oppilazione », una « cosa fuor di natura », una specie di disastro nazionale, « un intoppo gravissimo, sopravvenuto nello svolgimento della nostra letteratura, che ne fu interrotto e ritardato ». L'umanesimo rappresenta invece la maturità dello spirito italiano; e guai se esso fosse mancato. Saremmo rimasti sempre giovani, freschi e ingenui, *naïves*, ma giovani, ahimè, perché immaturi. Come giovanile è rimasta la letteratura spagnuola, che si svolse fino all'esaurimento « dalle cronache e dai *romances* alla drammatica del Seicento, e per questo carattere popolaresco riuscì tanto cara ai romantici e venne tanto da essi esaltata: popolaresca e medievale come il suo popolo, che a lungo si tenne in questa disposizione d'animo e in questo fare, e fu un giovane che non giunse mai a diventar maturo. Poesia e letteratura deliziosa di freschezza, ma della quale si avverte il limite nella poca o niuna parte che ha esercitata nella vita culturale dell'Europa moderna, sotto l'aspetto intellettuale ed etico; il suo maggior poeta, e il solo veramente europeo, il Cervantes, non era, del resto, rimasto chiuso alla scuola dell'umanismo, che in Ispagna ebbe taluni rappresentanti, come colà sorsero imitatori della più adulta poesia italiana, e specialmente della poesia artificiosa e letteraria. Ma lo svolgimento della vita italiana, del suo costume, della sua religiosità, della sua filosofia e scienza, della sua poesia è stato assai diverso, e di gran lunga più ricco e più poderoso, che non quello della Spagna ».

Bastino questi accenni perché il volume *Poesia popolare e poesia d'arte* si riveli per quello che esso veramente è, il libro più antivichiano del Croce, non già, s' intende, nel senso fatuo e giornalistico dei rivoltosi da caffé letterario, che fanno le loro confidenze rivoluzionarie perfino al caffeopòla o al dapifero che li serve al tavolo, ma in quel senso comprensivo e storico proprio degli ingegni seri, che rinnegano il maestro soltanto per poterlo inverare più profondamente. Vi reagisce il Croce al generoso empito romantico del filosofo settecentista, che collocava al centro della vita letteraria dei popoli il barbaro, il primitivo, il lampeggiante profeta di una eterna Apocalissi, ispirato, oscuro a se stesso, consapevole e inconsapevole, generato dai misteri bastardi della storia. Anche nell' indagine di natura teorica sul concetto di poesia popolare e sulle ricerche che di tale poesia popolare si fecero nell'Ottocento, il Croce si distingue nell'amore a tali studi, da un filologo come il Barbi studioso di letteratura popolare, in questo voler ricondurre ogni componimento all' individualità creatrice del singolo poeta poetante contro la favola e il mito del poeta anonimo, che sarebbe tutto il popolo che invece domina pur sempre la mente del Barbi. Il Croce, già per questo attaccarsi all' individuo, esce dalla nuvolosa mitologia del romanticismo che fino al D'Ancona e allo stesso Barbi ha raccontato i fasti della poesia popolare come fasti di poesia anonima e collettiva, e sale e si volge a mostrare la sua parzialità per la poesia d'arte. Ogni poesia, se è poesia, è sempre poesia d'arte. In cotesto libro i capitoli che fanno centro, oltre il primo di natura teorico-storica, sono i saggi su Petrarca e su Boccaccio, gli autori per i quali la letteratura popolare del Trecento si fa adulta e prelude e inizia la letteratura umanistica, e infine il capitolo sui *Lirici del Cinquecento* che hanno avuto nel Croce la prima rivalutazione critica, senza le riserve e le polemiche di prammatica contro le cosidette leziosaggini del petrarchismo. Il petrarchismo per il Croce diventa l'ossatura della letteratura italiana, il gusto sociale diffuso delle belle lettere, una scuola di nuova cortesia, non più di tipo medievale e cavalleresco, ma cortesia umanistica e letteraria, dove le buone regole non sono più quelle della borsa e della spada, ma le altre della letteratura, della disciplina, di uno strenuo formalismo. Ciò che spiega gli improvvisi ardori crociani di alcuni letterati puri in questi ultimi anni o mesi o settimane, proprio per le pagine sui lirici del Cinquecento, i quali vedono in tale orientamento del Croce quasi un'approvazione storica ai loro amori per la letteratura pura. Ma le esigenze del Croce, è chiaro, sono più disinteressate, hanno un' interna giustificazione storica, e sono estranee e scevre di quel prammatismo proprio di tanti atteggiamenti e di alcune tipiche mode letterarie del nostro tempo.

Di questo volume vanno ancora rilevate le pagine relative alla commedia del Cinquecento, in cui si corregge quasi radicalmente il giudizio tradizionale, di origine desanctisiana, su Pietro Aretino e su altri scrittori di commedie, come Giordano Bruno, tenuto questo troppo in gran dispitto dal Carducci. È la rivalutazione implicita della letteratura pura del Cinquecento, al di fuori degli interessi civili e della convenzionale vita morale intesa o in senso cattolico o in senso protestantico. Lo stesso De Sanctis, che non era né cattolico né protestante, risentì notevolmente di cotesta polemica moralistica che pesava sul Cinquecento, e finì col censurare troppa letteratura pura di quel secolo. Il capitolo crociano sulla commedia è un riscatto critico dell'arte e della poesia di Aretino, di Machiavelli commediografo, del Bibbiena, di Annibal Caro, autore degli *Straccioni*. È sempre più visibile in queste pagine la tendenza propria della critica contemporanea, celebratrice non tanto della letteratura pura (il Croce non sarà mai un « purista » dell'arte e della critica, e non varranno astuzie e sofisticherie missionarie di letterati che vogliono far globo e chiesuola a farcelo credere), quanto discriminatrice e riconoscitrice di una moralità intrinseca all'opera d'arte, una moralità d'ordine tecnico, la moralità dell'artista tutto aderente alla « realtà effettuale » della sua arte. Una moralità che trascenda l'arte stessa, nel campo della letteratura, è inesistente, è un' immaginazione fittizia: la moralità si commisura alla bontà espressiva e serenatrice dello scrittore. Quindi non letteratura pura, ma letteratura sempre con una sua interna moralità, letteratura umana, e non semplice combinatoria tecnica di ritmi di metafore e di lambiccata sintassi. Cotesti scrittori cinquecenteschi, rivalutati dal Croce, hanno insomma vissuto secondo il costume inerente allo scrittore, ed essi, come Giovanni delle Bande Nere che, professore d'armi, poteva confessarsi in pubblico perché nulla aveva commesso contro quella sua professione, potrebbero ripetere che anche i loro peccati, se sono peccati, sono peccati d'arte e non di vita [1].

4. Ritorno alla letteratura della nuova Italia.

Questo volume *Poesia popolare e poesia d'arte* fu dedicato dal Croce con alcuni versi di Vincenzo Padula agli amici. È una dedica che merita di essere riferita: « Ai miei amici — Questo libro sull'antica poesia ita-

---

[1] Alludo alla battuta da me rilevata e trascritta in un mio articolo sul Rinascimento. L'Aretino riferisce degli ultimi istanti di Giovanni delle Bande Nere: « Venne poi alla confessione cristianamente, e, vedendo il frate, gli disse: — Padre, per esser io professor d'armi, *son visso secondo il costume soldatesco*, come anco sarei vivuto da religioso, se io avessi vestito l'abito che vestite voi, e, se non che non è lecito, mi confessarei in presenza di ciascuno, *perché non feci mai cose indegne di me* ». Cfr. Russo, *Classici italiani*, II, p. x, e ancora prima, la settima postilla al *Decameron* (Sansoni, p. 341). Nelle parole di Giovanni dei Medici è già riconosciuto come un luogo comune questo gusto tecnico della moralità.

liana ». Siamo nel 1933, e i versi acquistano un particolare sapore politico e un pungente riconoscimento per i chierici che non hanno o non avevano ancora tradito la scienza: « Vedralli il mondo, e li dirà simili Ad olivi che han fronde ai mesi algenti, A lampade le cui fiamme gentili Estinguere non può l' ira dei venti » (da una parafrasi dell'*Apocalisse*). Il libro che si informa alla rivalutazione della pura letteratura si apre dunque con un accenno reticente in cui affiora l'ardore etico-politico del « defensor fidei ». Giacché il Croce non è mai un puro letterato, in nessun momento della sua vita mentale. La politica sua è nient'altro che questa difesa della religione delle lettere e degli studi, che non vanno subordinati e umiliati e confusi al trionfante politicismo che investe e doma o almeno vessa la vita totale del mondo.

Uno spirito caustico pure esclamò in quell'occasione, passando a un giudizio letterario sulla struttura del libro: « Il Croce ha dedicato agli amici il suo libro più disorganico ». Invero tale impressione era fondamentalmente errata; l'acutezza, di tipo giornalistico, non regge a un esame approfondito. Il libro apparentemente disorganico, *in disiecta membra*, apriva un nuovo periodo nell' indagine del nostro critico, che non si è ancora concluso. Il suo volume sulla *Poesia* nasce, come si è detto, da quelle sue indagini del '29, e gli studi recentemente iniziati sulla *Critica* su *Scrittori del pieno e del tardo Rinascimento* si riattaccano ancora ad esse. La *Storia dell'età barocca* è un'opera certamente più compatta, ma essa rappresenta l'epilogo d' indagini perseguite per un trentennio, dalla fine dell'Ottocento a dopo, sulla letteratura, il pensiero e il costume del Seicento, e direi che ci interessa meno, anche se è professionalmente più utile e manualisticamente più consultabile. *Poesia popolare e poesia d'arte* è il momento della « letteratura », mito a cui le generazioni letterarie si erano venute preparando fin dai tempi della

Ronda, e sia pure per un esonero egotistico e prudenziale da ogni problemismo politico e morale che interferisce a creare un disagio, in ogni momento, nel lavoro letterario.

Ma il Croce letterato di questi anni della *Critica* che vanno a un dipresso dal 1930 al 1936 non appare invece come uomo sempre più alieno dalla letteratura, e sempre più preso nel giro dei problemi della storiografia politica e della vita morale? Anzi che cosa rappresentava quel ritorno alla letteratura della nuova Italia, che i giovani chiamavano vecchia, se non una specie di riposo nostalgico-erudito sulle immagini di quell'Italia umbertina e giolittiana, definitivamente tramontata con l'avvento del fascismo? Bisogna certamente riconoscere che tra i primi quattro tomi della *Letteratura della nuova Italia*, e il quinto e sesto aggiuntisi in questi anni, c'è una differenza di tono, che ne fa due raccolte assolutamente diverse. Trent'anni di esperienza letteraria intercorrono tra l'una e l'altra, e si potrebbe dire compendiosamente che il quinto volume è una specie di ritorno nostalgico-erudito alla più mediocre letteratura del periodo umbertino, paralipomeni, integrazioni, aggiunte a tanti vecchi saggi del primo decennio della *Critica*, e il sesto volume è invece la singolare autobiografia di un critico. Quelle sono le vere *Memorie di un critico*, assai più che non un fascicolo di lettere di criticati pubblicate con tale titolo.

I primi quattro volumi rappresentano il noviziato del critico; egli viene esplorando e formando le sue virtù e le sue attitudini alla critica. Il Croce è ancora incerto in quel periodo tra la sua vocazione di filosofo dell'Estetica e la sua vocazione vera e propria di grande critico. Esamina la letteratura contemporanea, non soltanto per impulso di uomo vivo in mezzo agli interessi vivi dei suoi tempi, ma anche perché diffida delle sue forze per affrontare la grande letteratura classica italiana e le grandi letterature straniere. Il noviziato degli uomini di vero e fruttuoso ingegno (non sappiamo ricacciare sempre indietro tutte le nostre massime impulsive di pedagoghi militanti) è sempre intonato a modestia e a cautela. Guai ai troppo premurosi e precoci servitori di Lucifero!

Orbene, quando il Croce ritorna dopo trent'anni a riesaminare parecchi scrittori del periodo umbertino trascurati nella prima raccolta o a ripensare il suo giudizio su D'Annunzio, Pascoli, Oriani, Fogazzaro, la Negri, la Vivanti, il suo animo è profondamente mutato: anche lo stile ha qualcosa della rimemorazione lontana, in cui l'inclemenza dei giudizi di una volta si avvolge di una pacata malinconia. «Belacqua, a me non duole Di te, omai; ma, dimmi: perché assiso Quiritta sei, attendi tu iscorta, O pur, lo modo usato t'ha ripriso?». Dante nella poesia ha con divina leggerezza fermato lo stato d'animo dell'uomo antico che, nel riandare ai suoi animosi giudizi di una volta, non vi rinunzia, ma li smorza, li vela, quasi atteggiando le labbra un poco a riso. Tipico, per questo tono, l'articolo sul Fogazzaro. Nel volume quinto si trovano riuniti gli scrittori umbertini, e nel sesto i saggi sugli scrittori più vicini a noi, da Edoardo Scarfoglio a Luigi Pirandello a Guido Gozzano a Francesco Gaeta a Grazia Deledda e a Clarice Tartufari.

Nel volume degli umbertini, che un po' tutti leggevamo qualche volta con stracca attenzione quando apparvero *Note* sparse nella *Critica*, apprezziamo quella specie di rievocazione nostalgica delle «buone cose di pessimo gusto» dei tempi del buon re Umberto, ciò che, senza essere vecchi e senza essere vissuti in quell'età, comincia a toccare la fantasia e la tenerezza un poco di tutti. Un bell'ingegno polemico e motteggevole, che io conosco molto davvicino, mi diceva una volta: «Voglio scrivere un elogio dell'età umbertina!». Ma non ci siamo ancora accorti che serpeggia nel gusto di tutti, anche degli illetterati, uno stato d'animo da «restaurazione»? uno stato d'animo analogo a quello che si generò in Francia e in Europa, tra il 1815 e il 1830. Non è stato notato da nessun cronista teatrale che le compagnie drammatiche vengono rimettendo di moda commedie e drammi del vecchio repertorio ottocentesco, e le folle accorrono e si commuovono come se avessero ritrovato la loro vecchia patria? Si tratta di un ritorno di romanticismo, come vuole Angioletti con altri disputanti, o non si tratta di una tenerezza *sui generis* di gente che non vuol combattere più e che si rifugia volentieri in immagini di vita idillica e sia pure un po' convenzionale? Ho visto accorrere molta gente per vedere *I mariti* di Achille Torelli, teatro e ancora più cinematografo, dove, figurativamente, si dà migliore risalto a certe immagini e usanze di vita sociale, trasferendo la vicenda dal 1867 agli ultimi decenni dell'Ottocento: un processo e un'arringa in tribunale, applausi delle signore con le mani inguantate, caccia alla volpe, ricevimenti in saloni fastosi e barocchi, un duello e tutto il cerimoniale allora di moda. E che brio negli spettatori, un brio mescolato a qualche «furtiva lagrima»!

Bisogna confessare che un po' tutti cominciamo a sentire un certo intenerimento per quell'età tanto dispregiata per il suo cattivo gusto architettonico e per tanti compiaciuti, stilizzati e pedanteschi usi di società. Avviene quello che è avvenuto alle generazioni uscite dalla Rivoluzione francese e dalle guerre napoleoniche le quali, dopo avere violentemente alfiereggiato contro Metastasio e Cimarosa, volentieri riprovavano certe vecchie musiche di danza e, se nessuno vedeva, si esercitavano al passo del minuetto. Ora se questo avviene per l'animo e per la fantasia di uomini ancora validi e polemicamente operanti nell'aringo tumultuoso della vita contemporanea, si può immaginare quale possa essere la tenerezza del Croce per questi scrittori e le loro cose della vecchia Italia, che sono come le memorie della sua adolescenza. Quando vennero fuori sulla *Critica* queste varie note sui « veristi » e i « ribelli » di moda negli ultimi venti anni dell'Ottocento, e su romanzieri dimenticati come Cesare Tronconi, Emma, la Marchesa Colombi, Cesare Donati, Luigia Codemo, e poi gli scrittori degli ultimi « romanzi storici », Giovagnoli e Capranica; e poi i drammaturghi tipo Giacometti della *Morte civile*, con la quale risaliamo al 1861, quella delle scene dipinte nelle scatole dei fiammiferi e che poi servivano a costituire una laboriosa e economica tappezzeria delle vecchie famiglie; e gli scritti di Giovanni Faldella che coloriscono il vecchio mondo prelatizio romano nel nuovo mondo parlamentare, io ascoltai le proteste impazienti di alcuni giovani che non volevano saperne di quelle vecchie storie e di quei vecchi libri. Ci parli di Ungaretti e di Montale, o noi non leggeremo più la *Critica*!

Ma uomini di una generazione più adulta, e pur letterati *emunctae naris*, come oppressi dal nuovo costume imperante, stufi di certe lambiccature degli ultimi ermetici, quasi con giubilo polemico e tripudio fanciullesco si ripetevano quei cari bruttissimi versi, in cui, mettiamo, un Ferdinando Fontana poteva scrivere un'epistola ad uno dei socialisti di allora, Enrico Bignami, per fare la sua professione di fede: *Dammi la mano, Enrico, Son socialista anch' io!* Beati quei tempi in cui si potevano scrivere versi così brutti, e si potevano fare in versi anche le confessioni politiche, e non c'era nessun Carlo Bo o alcun Giansiro Ferrata o Oreste Macrì (nomi della cronaca contemporanea, ma noi vogliamo dare da fare agli eruditi dell'avvenire), che vi scrivessero attorno il loro prezioso geroglifico. Barocchisti dell'ultimo barocchismo novecentesco, rappresentanti della cosidetta critica ermetica, con quei quattro novizietti attorno che a bocca aperta aspettano l'imbeccata per cantare poi le meraviglie dei loro ritrovati. (Si affacciavan fuor del nido Quattro teste e quattro becchi: Eran quattro cardellini Dentro un nido piume e crini. Si vedeva a quelle mosse Quatto bocche rosse rosse!) Orbene si può intendere come al vecchio Croce quelle vecchie stampe dovessero venirgli incontro, immagine della sua stessa lontana giovinezza e compendio del gusto e degli orientamenti di quell'età. Da ciò la pazienza del frugare, del discernere: è un volume cotesto tutto suggerito non da un piacere estetico e critico, ma da un piacere dell'immaginazione. Sono le «stampe dell'Ottocento» del filosofo e critico Croce. Negli anni avvenire, quel volume quinto della *Letteratura della nuova Italia*, che può dirsi una crestomazia, una fenomenologia del brutto umbertino, sarà ricercato anche dai giovani, che gustino, come voleva il Machiavelli, «il savor delle istorie» e sentano il fascino ironico della rievocazione di tempi triti e consunti in casalinga onestà.

Il Croce, nell'*Avvertenza*, dichiara le ragioni scientifiche di queste sue ricerche, ma esse valgono assai più per i primi quattro volumi che per gli ultimi due, e io già citai quelle sue parole a proposito della prima silloge giovanile, quando si parlò del «coraggio» che ci vuole per fare una discriminazione critica della letteratura contemporanea, quando non ci si accontenti dell'articolo giornalistico in cui con facilità si trascorre a parlare di grandi narratori e grandi poeti e con altrettanta facilità si corre il giorno dopo a negarli e a soppiantarli con altri nomi. Le *Note* risentono della responsabilità dello storico, che non scrive articoli di giornale, ma forma i quadri della nuova letteratura, tenta di ordinare quella galleria dove tutto giace in disordine e piuttosto a catasto, e in cui non si sa precisamente quali siano i quadri di valore. Da ciò il coraggio di fare per il primo, « tra le ritrosie, le incertezze e le timidezze altrui », e riconoscimenti, e affermazioni e negazioni. Ma tale caratteristica vale più, si diceva, per la silloge dei primi quattro volumi, che suscitarono vivaci contrasti e polemiche, e furono accompagnati dalla impaziente partecipazione dei lettori, e meno per gli ultimi due. E il Croce ci mette più sulla via del vero, quando accenna alle ragioni nostalgiche ispiratrici delle nuove ricerche.

Se i lettori vorranno vedere in questo mio desiderio, non solo le ragioni di natura scientifica che ho assegnate, ma anche il piacere che si prova nel ritornare col pensiero su uomini e cose del tempo della propria giovinezza, saranno forse nel vero.

Invero, accanto all' interesse nostalgico, anche il gusto erudito: quella passione archivistica, che è una nota del bibliofilo Croce, che vuole indicare materie di ricerche ai curiosi dell'avvenire, il gusto di presentare « una raccolta di cose non inutili a sapersi dagli studiosi di letteratura e di storia ». Diverso invece il tono del sesto volume, dove per una parte ritorniamo alla critica militante, e per l'altra assistiamo ai ripensamenti delle dure sentenze critiche pronunziate in tempi di maggiore ardore polemico e giovanile, su Angelo Conti, su Fogazzaro, su D'Annunzio, su Pascoli, sulla Negri. Quelle dure sentenze sono tutte riconfermate e ribadite, ma per alcune c' è la dolcezza del ricordare la fatale severità a cui era condotto il critico dal suo ministero (non a caso adopero questa parola); e questo è, come si è fatto già intendere, l'articolo sul Fogazzaro in cui il personaggio è contornato da un alone di simpatia e di amicizia per la sua finezza di gentiluomo privato, e in altri, come negli articoli sul D'Annunzio, sul Pascoli, sulla Negri, c' è come un rigurgito di amarezza dell'uomo cassandreo inascoltato, che tra il 1905 e il 1907 parlava della insincerità di questi scrittori e del gusto della menzogna estetica, sensuale, erotica, egotistica, ed umanitaria che essi andavano diffondendo nella civiltà contemporanea e della corruzione prammatistica che vi hanno incoraggiato.

Pacatissimo poi il saggio su *Oriani postumo,* in cui il critico che lo aveva scoperto e difeso nel 1909, rimane come sbalordito dell' iperbolizzamento indistinto che si è fatto del suo giudizio, e della valanga di celebrazioni e di edizioni che si sono condotte dell'opera dello scrittore romagnolo. Allora il Croce interviene per chiarire i limiti impliciti già nella sua vecchia sentenza: simile a qualche personaggio pacifico dei *Promessi Sposi,* che il Manzoni si dimenticò di colorire, il quale, dopo il passaggio dei lanzi, ritorna sui suoi campi e raddrizza un aratro, ricompone un pagliaio, rimette a sesto una redola e sgombra il tutto dai cenci e dai rottami che un esercito in marcia forzata sempre si lascia addietro. A questo tono pacifico sono ispirate le pagine su Oriani, quel tono pacifico che non si scompagna mai di una certa malinconia. E si potrebbe continuare per un pezzo, presentando sempre le sfumature dei vari saggi (perché ognuno ne ha una sua), e ricordare le pagine sulla Tartufari, una scrittrice poco riconosciuta e che ebbe alta stima dal Croce, e le pagine sulla Deledda, a cui si nega decisamente la poesia, e la cui opera appare piuttosto una irradiazione fantastica dei costumi religiosi della sua Sardegna, una specie dunque di folclore ritardato e fermentato letterariamente, anzi che opera di vera e autonoma poesia e nemmeno di buona e aristocratica letteratura; le pagine su Panzini, dove dopo il tono mordace contro le note troppo giullaresche e parassitarie dello scrittore di Senigallia che irritavano il moralismo civile del Croce (e che nello scrittore romagnolo erano più che altro effetto di timidezza e di impaccio di uomo spaesato dei campi e della scuola, venuto a recitare una parte troppo illustre in un teatro assai vasto e nuovo per lui), seguono alcune analisi della poesia finissima che circola nello scrittore della *Lanterna di Diogene*, delle *Fiabe della virtù*, del *Viaggio di un povero letterato*, della *Pulcella senza pulcellaggio*. E infine il saggio assai duro sul Pirandello, in cui con ragioni sillogistiche è combattuto il troppo sillogizzare dello scrittore siciliano; e se quelle ragioni sillogistiche non ci persuadono, pure di rimbalzo esse ci inducono a concludere che il Pirandello, più che un grande poeta, è soltanto un grande martire confessore della sensibilità contemporanea: martire illustre e confessore di una sensibilità malata diffusa dei nostri tempi, di un'agorofobia metafisica, come io la chiamai in altra occasione, alla quale un po' tutti paghiamo il nostro tributo, nevrastenici sgomenti e insonni del troppo cruciato Novecento. Confessore e non poeta il Pirandello, ciò che spiega l'universale successo che ha avuto lo scrittore siciliano in tutto il mondo, successo che di solito non ha la grande poesia. E basti pensare al Leopardi, per intendere il quale gli stranieri fanno di solito pochi e quasi sempre sterili sforzi.

Di questo sesto volume vorrei richiamare l'attenzione anche sulla particolare scrittura, di una classica nitidezza e al tempo stesso di una dominata commozione polemica o affettiva: è la prosa di uno scrittore che parla dalla lontananza di un'altra generazione, che non ha più la baldanza apologetica o antilogetica degli anni giovanili, ma pur tiene fermo al suo giudizio, e quasi rivolge al suo uditorio un po' estraneo il «batti ma ascolta», che di solito i giovani rivolgono ai vecchi. Qui è un vecchio che, senza arie ammonitorie, vuole, in termini misurati, contenuti ma ancora vigorosi, far avvertire la giustezza e il rigore rettilineo della sua posizione critica lungo tutto un trentennio o quarantennio.

5. Croce e la lettura di poesia.

Queste *Note* sulla letteratura dell'Ottocento e del primo Novecento distrassero, come ho accennato, i lettori della *Critica*, che parlarono di uno scrittore ormai tutto volto agli interessi della politica e della storia, e disaffezionantesi sempre più dalla letteratura. Ma il Croce è l'uomo delle sorprese; la sua stessa fede immanentistica di vita non gli permette di riposare. Riposare nei pensieri contemplativi significa morire. Non c'è altro modo di mostrare la validità della sua fede filosofica, che lavorare continuamente: è il nuovo cristianesimo di noi moderni, un cristianesimo interpretato secondo la virtù e non secondo l'ozio. Però del 1941 è la nuova raccolta di saggi di *Poesia antica e moderna*, col sottotitolo di *Interpretazioni*, in cui lo scrittore trascorre da Omero, Terenzio, Lucrezio, Virgilio, Catullo, Properzio, Giovenale, Marziale a Iacopo da Lentini a Antonio da Pistoia, alla *Celestina*, al *Lazarillo de Tormes*, alla *Gerusalemme liberata*, giù giù fino a singole liriche di Foscolo, di Leopardi, di Victor Hugo, Baudelaire, Carducci. Una nuova formidabile rassegna di interpretazioni e di indicazioni critiche e alcuni saggi di letteratura greca e latina, tali da rompere anche l'alto sonno, troppo soddisfatto, di qualche filologo classico.

Ma a noi qui interessa cogliere l'atteggiamento nuovo del Croce. Dirò brevemente che alcuni saggi sono costruiti alla maniera sua solita di discriminazione del bello e del brutto, o di distinzione di poesia e non poesia e sono quelli relativi a Omero e altri antichi; ma alcuni articoli sono semplici impressioni di lettore e assaporatore, per dir così, disinteressatamente goditivo, della bellezza della poesia. Benedetto Croce lettore di poesia! Ma questa ci sembra una sorniona smentita ai sedicenti lettori di poesia, che sussurravano della sordità estetica dello scrittore dei cinquanta volumi, una specie di Priamo letterato, genitore dei cinquanta talami, vigoroso ma poco raffinato, e dell'eccessivo problematismo della sua critica letteraria. Ma dopo la prima sorpresa, i sedicenti lettori di poesia corsero a farsi del Croce un alleato della loro vocazione e della loro gracile attitudine di taciti postillatori di poeti, le cui postille però rimangono sempre inedite o inespresse. Questo sarebbe il vero Croce, e non l'altro Croce problematico e critico che piace tanto ai crociani e in ispecie a Luigi Russo. Ma, *favete linguis*: il Croce lettore di poesia è sempre un critico implicito, indicatore di episodi, di poemi, o di drammi per lo più trascurati e su cui egli vuole richiamare l'attenzione. Il fine didascalico-critico di queste sue letture è troppo evidente perché ci si debba insistere; dietro il lettore di poesia c'è sempre il grande critico e il grande storico, che è il solo modo di giustificare la lettura di poesia, la quale è sempre la forma aurorale, giovanile, prima, della critica, inizio ancora verginale, *introibo ad altare Domini* della poesia e avviamento all'intelligenza critica. In quelli che fanno i «lettori di poesia» di professione, la «lettura di poesia» è una forma di impotenza storica, un arrestarsi nel limbo, perché mancano le grucce per salire per i balzi della storia, foracchiati ed arti. Nel Croce invece è una forma di riposo, un deambulare in un prato di fresca verdura, dopo aver lasciato per un momento le mura del nobile castello. Il suo caso, se mi è lecito il raffronto, è un po' quello di Martin Lutero, che, trent'anni battagliero, negli ultimi anni della sua vita si ridusse a leggere la Bibbia insofferente delle polemiche, delle chiose e delle diatribe dei teologi: la Bibbia per amore della Bibbia. Così queste letture critiche del Croce: la poesia per amore della poesia, dopo cinquant'anni e più di meditazioni teoriche e di rinnovazioni e definizioni critiche sulla poesia, sugli scrittori più diversi. Ma se noi ritroviamo assai utili le sue indicazioni, troviamo meno fecondo anche questo suo impressionismo e lo giustifichiamo soltanto come una forma di riposo. Spesse volte (ed è significativo quello che egli scrive sulle *Grazie*) la sua è un'adesione immediata alla poesia, la sua lettura è una trascrizione, una antologia di passi poetici. Per i lettori edonistici questo è tutto, ma per i lettori non soltanto edonistici, ma ostinatamente problematici, questo è molto ma non è ancora tutto. Il lettore critico vuole risolvere e rispondere a un suo problema, e non già abbandonarsi al puro godimento: è una forma di pudicizia questa del nostro lavoro, il problema è una difesa di quel pudore, e solo a un uomo come il Croce, che da mezzo secolo e più tiene l'arringo della critica letteraria (e non l'abbandona ancora), è permesso questa vacanza e questo abbandono, fuori degli altri sillogismi della sua più alta critica.

E ora che siamo alla fine del nostro *excursus* storico attraverso l'opera crociana, che dura e si svolge da mezzo secolo e più, se volessimo ravvicinarla all'opera di altri critici del passato, dovremmo riconfermare e ridire, se mai, in una maniera più esplicita osservazioni già che in forma reticente o elittica dominano le nostre pagine precedenti. Il De Sanctis, si sa, fa la storia della poesia, ma anche la storia del mondo morale, come una storia unitaria e indiscriminata; egli implicitamente distingue anche fra la duplice indagine, ma letterariamente la sua pagina si presenta fusa e unitaria, sicché il lettore non avveduto può rimanere abbagliato e deviato da quella distinzione letterariamente indistinta. Nel Croce invece la distinzione è sempre grammaticalmente dichiarata, da ciò l'apparente freddezza e una certa scolastica che affiora qua e là nella sua critica. Il De Sanctis prende più potentemente, ma il Croce più durevolmente: l'interesse scientifico in lui è come scavato e ben martellato e definito in ogni sua parte. Il primo conchiude a una forma di esaltante oratoria, il Croce a una forma di pacata didascalica: quella è critica tipicamente romantica, questa è critica classica. L'oratoria del De Sanctis è certamente assai suggestiva; ma la descrittiva didascalica dello scolaro, di stile più pacato e più sobrio, ha anche una pertinacia formatrice, che l'altra dell' irpino, più sprovveduto di studi, non ha. Da ciò il significato politico di tutta l'opera crociana, al di là della sua stessa fede personale di uomo. Si tratta di una critica come azione. Del resto, si è detto altrove, l'oratoria c'è sempre in ogni grande critico. Paradossalmente si potrebbe dire che soltanto i critici puri non fanno oratoria, perché essi non fanno nemmeno della critica. È la critica cotesta, che riconosce soltanto l'arte e nient'altro nel mondo, il che è una mutilazione o impoverimento e rattrappimento dell'arte stessa; o è la critica esclamativa, che si può contrarre in un « bello! » o in un « brutto! », reincarnazione della vecchia critica degli abati che parlavano delle « bellezze » e delle « mende » di un'opera d'arte. La critica romantica del De Sanctis e poi quella classica del Croce segnano una diversione brusca da cotesta vecchia critica umanistica, abile nel cogliere il particolare, ma incapace di coglierne l'ultimo significato perché il particolare deve saper rivivere nel circolo dell'universale. Però la vecchia critica umanistica, nelle reincarnazioni che si son tentate nei nostri tempi, è frigida, agnostica, e anche leziosa nello stile. La critica umanistica, la più genuina, quella che ebbe la sua ragione di essere, dal '5 al '700, avviò il gusto del particolare, che la critica romantica di un De Sanctis e di un Carducci (anch'esso, in ultima analisi, romantico) inverarono in una dottrina e in un sentimento dell'arte di più universale significato. La specializzazione in senso tecnico, per le singole arti, anzi per le singole lingue degli artisti (ogni poeta, sia della parola, sia del colore o del suono, scrive una sua lingua che non è differente nel mezzo espressivo, ma è differente soltanto perché è un'altra, individualissima lingua, sicché la lingua del tal pittore si distingue da quella di un suo vicino come potrebbe distinguersi dalla lingua di un poeta), si parte da tutto l'insegnamento e l'esempio crociano. La sua critica letteraria o delle arti figurative vuole essere sempre critica dell'*arte*, sicché chi disse che l'estetica del Croce è un'estetica «senza arte» mostrò di non aver capito nulla degli insegnamenti del suo maestro.

Si fa il nome del Sainte-Beuve: ma la ricerca e l'interesse del Sainte-Beuve è per l'uomo, accompagnato ed esplorato con una finezza psicologica rara e con una versatilità di scrittore degna di un romanziere o di un novellista. Ma l'insegnamento vivo del Sainte-Beuve oggi non è nel suo malioso psicologismo, ma nel suo gusto dell'arte, intesa come tradizione rettorica. Il suo migliore saggio, o almeno il più significativo, è ancora quello che più piaceva a Carducci: *Ronsard e i poeti del secolo decimosesto*. Esso è il manifesto di quella scuola eterna, che dal suo maestro più raffinato e più inclito possiamo chiamare petrarchesca. Però il Carducci si sentì amico del Sainte-Beuve, sebbene nel nostro poeta, per la stessa prepotenza dei suoi ideali di rimatore, si scorga un ideale un po' angusto del «linguaggio poetico», inteso come linguaggio-genere letterario.

Nel Carducci, il Croce riconosce un suo iniziatore e maestro, per questo suo pervicace gusto della «poesia», ma la ricerca in lui è dilatata: la poesia non è soltanto nelle ottave, ma anche nella prosa «ottaveggiante» del *Decameron*. La critica del Sainte-Beuve può dare appiglio a una critica «romanzata», a una critica «inventiva», mentre la tendenza di tutta la nostra critica contemporanea, anche di quella che si sperde in semplici programmi verbali, tende a una obbiettività, che è meglio incoraggiata dalla critica di un Croce, in cui il gusto umanistico è sostenuto e suffragato dalla dottrina dell'erudito, del filologo, dell'indagatore del certo insomma che in ogni momento vuole vedere calata e circoscritta la vaghezza misteriosa di una parola poetica nell'esattezza filologica del testo.

C'è poi da dire qualcosa ancora dello scrittore Croce, di cui si è toccato qua e là: scrittore limpido, pacato, come un chiaro e largo fiume, che ora dilata e ora restringe il suo corso, che ama interrompersi con una citazione dantesca o ariostesca o con il racconto di un qualche motto o aneddoto dialettale. Cotesto scrittore era già definito fin dai primi quattro volumi della *Letteratura della nuova Italia* e di altri libri a quelli contemporanei, ma allora la sollecitudine didascalica del teorico, del chiaritore di problemi, lasciava in seconda linea il prosatore, mentre nelle opere successive lo scrittore, sentendosi come a suo agio nel mondo dell'alta cultura, da lui stesso avviato, illuminato e temperato, si è abbandonato, senza più impaccianti preoccupazioni didascaliche, al fluire della sua prosa, che ha acquistato di snellezza, di finezza, di malizia, di indugi artistici. Poiché se ogni scrittura è arte per le cure che il poeta o il pensatore vi pone, essa tocca un tono più alto, dove corre senza intoppi e distrazioni o concentrazione retrospettiva di pensieri ancora in travaglio, ma quasi si assiste, presa da un moderato e discreto orgoglio di se medesima, da un gusto di signorilità, nella sua stessa naturalezza e semplicità.

VII

LO SVOLGIMENTO DELL'ESTETICA CROCIANA

1. La prima e la seconda estetica del Croce.

Il volume del Croce dei *Nuovi saggi di estetica* (Bari, 1920) non è una semplice raccolta che, come i vecchi *Problemi d'estetica*, raduni scritti di varia importanza e spesse volte occasionali; ma, nella composizione e disposizione delle varie parti, rivela chiaro il disegno predeterminato di un libro, così che l'opera ci si presenta come uno sviluppo organico del nuovo modo di filosofare del Croce nelle cose dell'arte. Il *Breviario d' Estetica* che vi è inserito in principio ci dà, in una forma più nuova, ordinata e stringente, le principali conquiste della ormai giovanile *Estetica*; e gli altri saggi sono un approfondimento della teoria dell' intuizione, e al tempo stesso un più ardito e felice atteggiarsi della concezione spiritualistica del Croce.

La vecchia *Estetica* ebbe valore di superamento delle estetiche naturalistiche, intellettualistiche, sensualistiche, moralistiche, psicologiche, fisiologiche; questi *Nuovi saggi* invece ci danno la determinazione più piena del concetto dell'arte e della storia dell'arte. E mentre in quella il Croce procedeva facendo la storia del pensiero estetico ed esponendo dialetticamente tutto il processo di liberazione dalle concezioni erronee dell'arte, dalle più povere salendo su su alle più ricche; e però in essa la trattazione riteneva un carattere eminentemente polemico e, in un certo senso, negativo; — in questi, il *Breviario* si limita all'affermazione che l'arte è intuizione e a esplicare le negazioni, implicite in essa, mentre un breve schizzo di storia dell' Estetica tempera alcune crudezze della *Storia* del pensiero estetico così come era stata originariamente tratteggiata. Pel resto, non si vuol dire che il processo seguito in questi nuovi saggi non sia anch'esso polemico; se è vero che ogni opera di pensiero è sempre polemica e se l'affermazione della verità è sempre una vicenda di lotte con se stessi e con altrui. E polemicamente difatti sono condotti i successivi saggi, dove si dimostra il valore universale dell'espressione artistica, e si chiarisce e si svolge il concetto dell'arte come creazione di verità e si espone un progetto di riforma letteraria ed artistica; e a queste, che sono le trattazioni centrali del libro, altre discussioni si intrecciano di metodica storica e di teoria.

Ma si può affermare altresì che la discussione in cotesti nuovi saggi è più interna, nel senso che si rivolge contro tendenze di pensiero non più positivistiche, ma spiritualistiche. Non vi è tanto impegnata la lotta tra l'estetica della pura intuizione o intuizione lirica contro i concetti psicologici e naturalistici, quanto quella della pura intuizione nel suo valore cosmico e nella sua attualità creatrice contro i più tenaci e duri pregiudizi che provengono dalla metafisica. La vecchia *Estetica* doveva necessariamente essere antipositivistica, e battere sulla spontaneità e autonomia dell'attività artistica; il più prossimo nemico allora per il Croce, che si avviava a dare l'idea di una nuova filosofia, era il naturalismo e il psicologismo che, sul finire dell'Ottocento, per reazione contro la metafisica, aveva propugnato il ritorno a una considerazione positivistica e meccanica dell'arte. Ma, come avviene combattendo gli avversari, il Croce ereditò da esso un istintivo aborrimento d'ogni metafisica. E fin d'allora la sua *Estetica* ebbe questo carattere dinamico e critico e fieramente antimetafisico: e si può dire che l'autore fosse andato anche fin troppo oltre, fino al punto di aprire un abisso tra l'attività estetica e la logica; mentre, se queste erano due momenti dello spirito, non si poteva non pensare che in quella forma che dicesi intuizione non tralucesse un raggio del carattere universale che è nel concetto. Riconoscimento di universalità che il Croce di questi nuovi saggi fa all' intuizione artistica, mantenendo sempre la distinzione dialettica delle due forme, ma riconoscendo all'arte la qualità di tendere all'universale, come la filosofia, e affermando che essa possa essere tanto più bella quanto più idealizzi la vita e la investa nella sua totalità.

Cosicché, possiamo dire che come l'atteggiamento antipositivistico della giovinezza valse per contraccolpo al Croce una istintiva sanità contro le astrazioni di alcune metafisiche; così il suo atteggiamento antimetafisico degli anni maturi è stato sprone perché egli acquistasse più profonda consapevolezza delle esigenze malamente teorizzate dalla metafisica, e, dal contatto con un nemico, derivasse il bisogno di scorgere nuovi aspetti dell'arte. Esempio cospicuo può essere appunto questo riconoscimento del valore cosmico dell'arte fuori dell'ambito del vecchio pregiudizio panlogistico.

In questo processo di lotta contro il positivismo e contro la metafisica, si è venuto sempre più delineando il carattere dell'estetica crociana, che tende e ne' suoi sviluppi ulteriori, che non sono mancati, tenderà sempre più ad instaurare una filosofia dell'arte di tipo classico, che rappresenta già fin d'ora il decisivo superamento dell'estetica romantica. Se ripensiamo alla formula originaria dell'arte-intuizione, noi rimaniamo come sorpresi per la ricchezza contenuta in essa che, ripetuta quotidianamente, ci risuona facile all'orecchio e quasi triviale e ovvia. Ma quella conquista, ci piace ripetere un' immagine del Croce, « è come il metter piede sopra una collinetta lungamente contrastata in battaglia; e perciò ha tutt'altro valore dell'agile salita di essa compiuta in tempo di pace dal passeggiatore spensierato ».

Dal concetto aristotelico della mimesi, sorto in opposizione alla condanna platonica della poesia, al tentativo di distinzione fatto dallo stesso filosofo stagirita tra la poesia e la storia; dalla coscienza del divario tra giudizio e gusto, tra intelletto e genio, sorto nel corso del Seicento, al contrasto tra poesia e metafisica che prese forma solenne nella *Scienza nuova* del Vico; dal tentativo scolastico del Baumgarten di distinguere un' Estetica da una Logica, al Kant che combatté il Baumgarten e tutti i leibniziani e wolfiani mettendo in chiaro come l' intuizione sia intuizione e non già « concetto confuso », di contro agli imbrogli intellettualistici nei quali quelli si erano impigliati nella concezione dell'arte; dal romanticismo, che con l'opera dei critici, meglio forse che con i sistemi dei filosofi, svolse la nuova idea dell'arte, alla critica di Francesco de Sanctis che con l'estetica della pura forma liberò l'arte da ogni sovrapposizione utilitaristica; è stata tutta una lenta e secolare maturazione del concetto dell'arte come intuizione. In questo senso, ma solo in questo senso, il Croce può dirsi l'erede dell'estetica romantica e comunque moderna.

Ma in quanto erede, se il suo primo ufficio è stato quello di dare una sistemazione dialettica della scoperta e di svolgere il contenuto storico critico e polemico della formula dell'arte-intuizione; il suo secondo impegno era quello di sviluppare ulteriormente il problema, che non è più di contrapporre la concezione idealistica contro ogni tendenza meccanicistica, edonistica, moralistica e intellettualistica, ma l'altro di stabilire la genesi ideale dell'arte e il suo posto e valore nella vita dello spirito. Non c'è una filosofia dell'arte che non debba svolgersi in tutta una filosofia dello spirito. Da una parte abbiamo nel Croce lo scolaro del De Sanctis, che con maggiore vigoria sistematica del suo predecessore e con più agile dialettica di teorico stringe in un fascio tutti i quesiti storicamente esistenti della filosofia, anche quelli formatisi dopo il De Sanctis, e determina quello che in lui era rimasto indeterminato; dall'altra, abbiamo il maestro che esce fuori dall'ambito dell'estetica romantica, procedendo alla conciliazione della secolare disputa fra classici e romantici e, nella sintesi del dibattito, riaffermando un nuovo e più integrale classicismo.

2. La scoperta del carattere lirico dell'intuizione.

Questo è il significato della scoperta del carattere lirico dell'intuizione. La quale, nel suo originario significato, nella prima *Estetica,* conteneva implicite in sé importanti negazioni, ma che *in nube* o chiaramente erano state intraviste anche dal De Sanctis. Con essa, si veniva a negare che l'arte potesse essere un fatto fisico, perché i fatti fisici non hanno realtà, mentre l'arte, travaglio gioioso degli uomini, è sommamente reale; si veniva a negare che potesse essere un atto utilitario, per il fatto stesso che essa è contemplazione, e la contemplazione è sempre disinteressata (l'*Interesselosigkeit* di cui parlava Kant); si veniva a distinguere l'arte, per il suo carattere alogico, dalla conoscenza intellettuale, dal mito, dalla religione, dalle scienze positive e dalle naturali, le quali hanno anche esse forma concettuale, sebbene prive di carattere realistico.

E con ciò il Croce, da una parte, superava la concezione tainiana che confondeva l'arte con le scienze naturali, la concezione dei veristi molto fortunata nella seconda metà del secolo XIX, per cui si confondeva l'arte con la osservazione storica e documentaria, e il formalismo herbartiano che abbracciava l'arte alle matematiche; dall'altra, si distaccava da alcune correnti dell'estetica romantica, che in Schelling e in Hegel offriva esempi di confusione dell'arte con la religione e con la filosofia. Ma una più decisiva e diretta vittoria sull'estetica romantica il Croce doveva riportare, stabilendo e teorizzando il carattere lirico dell'arte: quale ufficio poteva avere nello spirito dell'uomo un mondo di mere immagini, prive di valore filosofico, storico, religioso, o scientifico, prive perfino di valore morale o edonistico? Questo era il problema, nella cui soluzione si sarebbe misurata la forza del nuovo indagatore: se il Croce avesse giustificata l'immagine artistica, in quanto il sensibile dell'arte è espressione dell'intelligibile, dell'idea, egli sarebbe caduto nella deprecata confusione tra la fantasia e la logica; e per di più avrebbe fatto rinascere il dualismo allegoristico, che predica l'intuizione come veste di un'idea. Se poi, per superare tale dualismo, avesse immaginato l'idea presente sì, ma tutta fusa e sciolta nella rappresentazione, non avrebbe fatto progredire di un passo il problema, perché l'idea che non è più idea è soltanto il segno che ancora non è stato rinvenuto il principio dell'unità che giustifichi la coerenza dell'immagine artistica. Se infine avesse adottato le soluzioni variamente proposte o dai classici o dai romantici lungo il secolo XIX, ogni soluzione sarebbe stata parziale e astratta.

Difatti i classicisti guardavano alla sapienza del disegno, all'equilibrio, all'architettura delle parti, alla chiarezza della rappresentazione; mentre i romantici non disdegnavano le immagini vaporose e indeterminate, lo stile rotto e per accenni, le vaghe suggestioni, le frasi approssimative, gli abbozzi possenti e torbidi. Ma entrambi, classici e romantici, davano una giustificazione astratta dell'arte: i romantici, con l'astratto sentimento che non si è fatto contemplazione, tentavano di travolgere gli animi e illuderli sulla deficienza delle immagini; i classicisti, con la chiarezza superficiale, col disegno falsamente corretto, con la parola falsamente precisa, cercavano di illudere sulla deficienza del sentimento ispiratore. E gli uni peccavano di naturalismo sentimentale, gli altri di naturalismo retorico.

Ora il Croce ha conciliato la grande disputa fra classici e romantici, affermando che l'immagine è un sentimento gagliardo che si è fatto rappresentazione nitidissima. Da ciò il ritrovamento del principio che giustifica l'immagine artistica e la sua genesi nella vita dello spirito: ciò che dà coerenza e unità all'intuizione è il sentimento: l'intuizione è veramente tale perché rappresenta uno stato d'animo, e solo da esso e sopra di esso può sorgere. In tal modo, vien superata ogni estetica concettualisticamente simbolica dell'arte, perché non l'idea, ma il sentimento è quel che conferisce all'arte l'aerea leggerezza del simbolo; viene superata ogni estetica romantica, poiché si ammette una aspirazione dell'animo solo quando sia chiusa nel giro di una rappresentazione.

Ci si sorprendeva ieri quando da qualche attardato e ingegnoso giornalista si veniva sentenziando che l'estetica del Croce aveva un carattere ultraromantico (e c'è ancora qualcuno che ciò ripete nei nostri giorni); e si poteva sorridere dell'ingenuo fraintendimento ed abuso che i moderni scapigliati facevano, al tempo della «Voce», della parola «lirismo», illusi in cuor loro, magari, di procedere idealmente dalla filosofia crociana; e degli sgangherati paragoni e delle affinità rinvenute tra le teorie crociane e le teorie pascoliane o anche dannunziane, e perfino futuristiche. È chiaro che l'estetica dei decadenti è un miscuglio di elementi naturalistici e di elementi romantici: i decadenti odierni sono i grami raccoglitori delle briciole del romanticismo e del verismo, che è stata una vigorosa fase di esso; e la loro estetica, non che di avanguardisti, è di spedatissimi dispersi del grande movimento romantico-naturalistico del secolo XIX. Anche le ultime poetiche degli ermetici non sono che una esasperazione di irrazionalismo, in cui si tenta di spossare ed esaurire il vecchio isterismo romantico, con il congiunto caldeggiamento della divina ignoranza, genitrice, a quanto pare, di idee nuove o almeno di spropositi nuovi. La poetica degli oscuri e suggestivi spropositi, come può essere chiamata, cotesta dell'ultima critica ermetica o ermetizzante, in cui la poesia è critica, e la critica essa stessa è poesia.

3. Il classicismo integrale del Croce.

L'estetica del Croce dunque, entrata in questa fase di classicismo integrale, non poteva non sfociare in una più profonda concezione, che non ammettesse giustificazione di sorta dell'arte del frammento: negata con la teoria della liricità ogni effusione naturalistica degli affetti, bisogna dare opera perché fosse negata dignità di arte a tentativi oratorii per i quali si ha più la rappresentazione del finito, che non la visione universale e l'idealizzamento della vita. Così, con la memoria *Il carattere di totalità della espressione artistica*, il Croce è venuto ad affermare il carattere di totalità della poesia: « ogni schietta rappresentazione artistica è se stessa e l'universo, l'universo in quella forma individuale, e quella forma individuale come l'universo. In ogni accento di poeta, in ogni creatura della sua fantasia, c'è tutto l'umano destino, tutte le speranze, le illusioni, i dolori e le gioie, le grandezze e le miserie umane, il dramma intero del reale, che diviene e cresce in perpetuo su se stesso, soffrendo e gioiendo ».

Nell'affermare tale carattere di universalità, è bene rilevare che il Croce si è distanziato dal metodo della vecchia estetica, che usava raccostare l'arte alla religione e alla filosofia, con le quali si pensava che ella avesse comune il fine, la conoscenza della realtà ultima; e si è allontanato per nuovo verso da quell'altra filosofia che vedrebbe nell'arte non semplicemente una rappresentazione, ma una rappresentazione giudicante, e pertanto una perpetua formazione di giudizio, coincidente con la storia e con la filosofia. Il Croce non si è scordato di essere l'estetico dell'intuizione; e però ha avvertito il pericolo di entrambi i metodi, che insieme finirebbero col negare quello che è il carattere originale dell'attività artistica, mentre l'un metodo darebbe di capo in una concezione gnoseologica di una verità statica, e perciò trascendente; e l'altro, sebbene animato dall'irresistibile impulso dell'immanenza, eviterebbe, sì, il vizio dell'immobilità e della trascendenza, ma non scanserebbe l'altro del semplicismo gnoseologico, per il quale l'arte assume un carattere logico e non più fantastico. Il Croce, quindi, nell'affermare questo carattere di totalità dell'espressione artistica, non si distacca dalla sua teoria dell'arte come intuizione, anzi ad essa si tiene vincolato con sempre più profonda e tenace consapevolezza della sua saldezza e comprensività.

Ma si potrebbe avanzare l'obiezione che l'autore, con questo suo nuovo modo di filosofare, abbia aperto un *hiatus* tra la sua concezione intuizionistica dell'arte e cotest'altra concezione cosmica, e che abbia dedotto non dialetticamente ma solo empiricamente questo nuovo carattere di essa. Ci sia lecito che noi qui ci si limiti ad appuntare la storia dello svolgimento del pensiero crociano, raccontando le cose così come sono andate; e di pretermettere le obiezioni di natura speculativa che sono state fatte a questo proposito. E questo non per ragione di evasiva prudenza, ma per esigenza di discrezione storica. Non si fa la storia di una filosofia sopraffacendola con altra, diversa, filosofia, così come non si giudica Alfieri contrapponendogli Foscolo, e non si giudica Foscolo contrapponendogli Manzoni e via discorrendo: ciò che è una forma di puerile e deteriore storicismo. Quello è il pensiero del Croce, e su quel pensiero, così come è, è stata pur incardinata una vasta opera di critico e di storico.

Solo osserveremo che si può discutere tutto il modo di filosofare tenuto dal Croce, ma non si può affermare che alcune sue più recenti teorie siano un deviamento, e sia pure un felice deviamento, da quelle che sono state per il passato le rotaie della sua speculazione. Sia un bene o sia un male, il Croce rimane sempre fedele a se stesso. Egli svolge con gelosa coerenza il suo pensiero, e continua a scavare per quel filone da lui rinvenuto; e come il carattere lirico, anche il carattere cosmico è un nuovo approfondimento della sua vecchia formula. L'arte per lui è sempre intuizione, e perché tale, la forma aurorale del conoscere; e questo carattere conoscitivo ingenuo, fa sì che essa ripugni intimamente, con tutto l'essere suo, dalle astrazioni della filosofia. Anzi l'arte resta al di qua e al di là dell'astrazione, e per essa solo è possibile che l' individuo e il cosmo, il finito e l' infinito non abbiano realtà l'uno lungi dall'altro, l'uno fuori dell'altro. Ecco perché nel singolo palpita la vita del tutto, e il tutto è nella vita del singolo; e ogni schietta rappresentazione è se stessa e l'universo. In conclusione, l'arte è universalità, sì, ma sempre *sub specie intuitionis*.

Che l'estetica intuizionistica sia sempre in continuo travaglio nella mente del Croce, è per via indiretta riprovato dal fatto che anche quest'ultimo approfondimento della vecchia formula, se risponde ad alcune esigenze della metafisica da lui aborrita, proviene ancora una volta dalla sua diretta esperienza di critico e di storico della letteratura. Per il carattere lirico dell'arte, sappiamo, egli fu mosso a questa scoperta dall'esame dell'opera di alcuni scrittori contemporanei, i quali, pur essendo perfettamente espressivi (possiamo pensare, per un momento, al Capuana), mancavano lo stesso di un accento di poesia fortemente genuino. Allora il Croce si accorse del pericolo della sua formula della intuizione che avrebbe potuto giustificare scrittori, diciamo così, documentari o letterari e non poetici, e pensò infine che ciò che giustifica e potenzia l'espressione è sempre uno stato d'animo, il sentimento.

Dunque per questo suo più recente chiarimento sul carattere di totalità dell'opera d'arte, bisogna rivolgere la mente a quella che è stata l'esperienza del Croce critico letterario attorno al 1920. Egli in quegli anni, e lo sappiamo da altri capitoli di quest'opera, tralasciando l'esame della mediocre letteratura italiana contemporanea, cominciò a vivere come critico, in comunione con poeti dal respiro assai vasto e creatori di opere classiche; e diventò in lui più profonda la consapevolezza che un afflato cosmico riscaldi l'opera di quei grandi, mentre un senso di angustia e di finito si prova davanti all'arte equivoca degli scrittori di più basso ordine. La vecchia tesi del Croce che poteva generare l'equivoco che sullo stesso piano stessero artisti di prima grandezza con scrittori «minores», sol perché ogni espressione era intuizione, ha avuto una tacita e profonda correzione, o meglio un rischiaramento dalla scoperta del carattere lirico dell'intuizione, e ancora più del valore di totalità che per essa si postula. Perciò, possiamo oggi spiegarci nelle sue ragioni intime l'intolleranza del Croce per ogni arte di origine cerebrale (non unificata e aereata da un originale sentimento) e per l'arte squisita, sì, ma frammentaria di parecchi artisti contemporanei.

Forse l'antipatia del Croce per il Pascoli resta spiegata meglio, più che per conflitto di ideali, come è stato asserito dal Donadoni (conflitto tra l'ideale francescano del poeta e l'ideale energetico del filosofo), per la deficienza di armonia classica, per l'incerto idealizzamento della vita che è nell'opera del Pascoli. Il Pascoli atassico nei suoi movimenti, senza un centro lirico fisso e tenace, può essere l'esempio più cospicuo di certa moderna letteratura, rotta, esclamativa, enfatica, finita, angusta, anche se sorprendente e grande in qualche suo frammento o immagine spersa: spersa come la terra, vista errare, stella tra le stelle, in uno dei più possenti scorci lirici del Pascoli stesso.

L'estetica della intuizione pareva fatta per giustificare il frammento e l'opera d'arte complessa, l'epigramma e il poema, il romanzo d'ironia e il romanzo alla Manzoni, la novella psicologica e documentaria e il *Decamerone*; il Croce ora fornisce un criterio soddisfacente di discernimento tra l'arte dei veri poeti e quella dei letterati, dei non artisti e dei mestieranti o dei mezzi artisti, tra la poesia in una parola, e quella che egli consiglia di chiamare letteratura o oratoria. Quest'ultima, lasciando largo adito al particolare, all'individuale, al biografico, al finito, al passionale, è fatta più per muovere gli affetti che per rasserenarli; è più una confessione, che una contemplazione; è muliebremente effusiva e manca di stile e di armonia architettonica.

Questo atteggiamento speculativo del Croce si ricollega opportunamente alle condizioni storiche generali del pensiero europeo. Ogni età ha i suoi problemi particolari. Così nel Rinascimento, per reagire contro la popolaresca rozzezza medievale, la dottrina estetica ricostruì, sul modello degli antichi, la disciplina formale, e richiese regolarità, simmetria, disegno nelle opere degli scrittori; e dopo tre secoli, quando questa disciplina s'impedantì e mortificò la virtù artistica del sentimento e della fantasia, il romanticismo promosse ed eccitò i problemi della fantasia, del genio, dell'entusiasmo e abbatté e sconvolse regole.

Oggi, dopo un secolo e mezzo di romanticismo, per reagire a quelle forme di arte agitate dal sentimento e dalla passione nella loro rozzezza pratica, a quella «sensibilità» che è semplice spasimo grandioso per le proprie piccinerie autobiografiche, si viene a dare maggior risalto alla dottrina del carattere cosmico e integrale della verità poetica. E di questa reazione, annota il Croce, abbiamo segno in alcune voci di cenacoli di artisti francesi, che predicano il ritorno al classico; e possiamo aggiungere noi, di qualche cenacolo di letterati italiani, che anch'essi, a modo loro, hanno propugnato questa nuova esigenza dello spirito umano (e mi riferisco ad alcuni scrittori della *Ronda*), sebbene gli uni e parzialmente gli altri (quelli in cui sopravvivono motivi vociani e lacerbiani) siano conturbati da poesia passionale peggio ancora degli avversari e combattano il decadentismo con anima di decadenti. Ciò che del resto è funzione degli uomini che hanno un contenuto prevalentemente retorico-pedagogico, di testimoni e confessori della storia, voci del tempo e non voci della poesia.

Il Croce, teorizzando sul carattere di totalità dell'opera d'arte, ha mostrato di avere ancora una volta la sensibilità che i grandi pensatori ed artisti hanno per i problemi in oscura agitazione nel loro mondo contemporaneo. E anche con queste nuove meditazioni egli ha riaffermato il carattere antiromantico della sua Estetica, facendoci ancora riflettere che tutta la moderna speculazione idealistica che fa capo in Europa a lui e al Gentile (anche se nel Gentile si accede volentieri, per paura del troppo intellettualismo, a un tale quale irrazionalismo romantico), più che un episodio finale ed epilogico del moto degli spiriti nel secolo XIX, è un nuovo periodo di più integrale classicismo che si inizia, antipositivistico per una parte e antiromantico per l'altra. Periodo che avrà lunga vicenda di discussioni, di meditazioni, di esperienze storiche, di sconfitte e di vittorie, che non potranno non dare un nuovo tono alla vita spirituale della nostra letteratura, vista non più nel suo isolamento provinciale ma nella comunione della vita europea.

4. L'estetica del Croce e l'idealismo attuale.

Questo carattere di totalità dell'espressione artistica, così teorizzato dal Croce, ha grande importanza speculativa perché scopre nuovi caratteri comuni all'attività logica e all'attività fantastica, e accenna a regolarne il rapporto in modo sempre più elastico. Necessariamente dovrà scaturire da ciò un nuovo concetto della storia letteraria, non più intesa sociologicamente ma neanche atomisticamente, dove il problema particolare del singolo artista sia visto nell'idea di quel tutto, che è uno per tutti, ancorché variamente colorato e sentito. Intanto, con la memoria *L'Arte come creazione e la creazione come fare*, il Croce aderisce alla teoria che corre attraverso tutta la filosofia moderna della verità come fare, in opposizione all'idea della verità come impressione, copia, imitazione sia del mondo sia del sopramondo, che era della filosofia trascendente e in vario modo teologica. Per essa si postula un carattere comune tanto all'attività logica, quanto a quella fantastica: entrambe attività creatrici. L'arte è creazione perché produce sempre alcunché di nuovo, forma una situazione spirituale, pone e risolve un problema; così anch'esso il pensiero è creazione, perché esso non consiste in altro che in posizione e risoluzione di problemi logici o filosofici o speculativi che si dicano, astraendo dall'arte, dalla vita morale, dalla politica che ne sono la materia informante ma non formante.

Con tale tesi, il Croce vuole sfuggire all'accusa di dualismo che era stata rivolta alla sua filosofia. Il dualismo era mantenuto nella teoria aristotelica dell'arte come mimesi, ossia come imitazione di una realtà e s t e r n a; ma per l'idealismo crociano un mondo esterno non esiste di contro o di sopra lo spirito, cosicché contenuto dell'arte non sono le cose esterne, ma i sentimenti dell'uomo che l'arte esprime nelle sue immagini. Ma è stato obbiettato all'autore che per questa via si ottiene bensì un concetto più fine dell'arte, ma non però del tutto esente da ogni taccia di ricettività e imitazione, perché esterni par che rimangano in esso i sentimenti umani rispetto alla fantasia che li rappresenta. Ad una esternità più remota si sarebbe sostituita una esternità più vicina. Ribatte ancora il Croce che l'espressione artistica non deve intendersi come manifestazione o rispecchiamento del sentire (l'espressione che estrinseca le nostre affezioni pratiche ha carattere naturalistico e non poetico), e nemmeno rimodellamento del sentire sopra un concetto, ma posizione e risoluzione di un problema: di un problema, che il mero sentimento, la vita immediata, non risolve e nemmeno pone. Tutto ciò che è sentimento, volizione, azione, allo stato naturalistico, in quanto tale, non ha verità, e verità acquista solo col tramutarsi in problema di visione artistica, che si risolve con mentali costruzioni quali sono per l'appunto i fantasmi estetici.

« Quel che è vita e sentimento », aggiunge il Croce,

«deve farsi mercé l'espressione artistica, verità; e verità vuol dire superamento della immediatezza della vita nella mediazione della fantasia, creazione di un fantasma che è quel sentimento collocato nelle sue relazioni, quella vita particolare collocata nella vita universale, e così innalzata a nuova vita, non più passionale ma teoretica, non più finita ma infinita». L'arte quindi va considerata nella sua attualità creatrice, nel qual caso essa sarebbe anche pensiero; ma poiché queste espressioni ci richiamano alla filosofia dell'atto, come è teorizzata dal Gentile, e dalla quale senza dubbio il Croce ha avuto lo stimolo per questo nuovo atteggiarsi della concezione dell'arte come fare, egli si affretta a dichiarare che il conoscere come fare non è per lui l'identità del conoscere col fare, del pensiero con la volontà (unità da lui chiamata *mistica*), ma è il conoscere concepito come teoretico, eterno antecedente ed eterno conseguente del fare pratico; dal quale così, idealmente, si distingue.

Si potrebbe avere l'impressione che il Croce non abbia escluso con ciò ogni vizio di naturalismo dalla sua estetica; ma non bisogna spaventarsi della parola *naturalismo*. Certo persistente realismo crociano che non si vuol fare estremo idealismo ha pur la funzione storica di salvare il frutto di una esperienza millenaria, che si liquiderebbe troppo facilmente con gli schemi di un troppo rigoroso e conseguente idealismo, tanto rigoroso quanto angusto però. Il naturalismo crociano è soltanto larghezza e versatilità e concretezza di esperienze; e in questo eterno *esperire* è vero e autentico spiritualismo.

Del resto, il Croce ha debellato il dualismo, sin da quando ha fatto valere il concetto che contenuto e forma non possono separatamente qualificarsi, perché ha *qualità* solamente la loro relazione, che è precisamente l'unità concreta e viva della *sintesi a priori*. E l'arte invero è sintesi a priori estetica, di sentimento e immagine nell'intuizione, e il sentimento senza l'immagine è cieco, e l'immagine senza il sentimento è vuota. E designando, come usa il Croce, come contenuto dell'arte il sentimento, lo stato d'animo, egli non intende pensare quel contenuto fuori dell'intuizione, ma il sentimento e lo stato d'animo non sono per lui che l'universo tutto guardato *sub specie intuitionis,* sono il travaglio stesso, interno e dialetticamente generatore, di quella intuizione. Distrutto così ogni particolare contenuto, l'arte risolverebbe in sé tutto l'universo, aprioristicamente; e non si potrebbe parlare più di una esternità, sia pure larvata, di fronte all'espressione artistica.

5. La riforma della storia letteraria.

Un altro scritto assai importante di questa raccolta è la *Riforma della storia artistica e letteraria* a cui abbiamo varie volte accennato. Scritto a prima lettura assai sconcertante, e che anche dopo, a mente pacata, continua a suscitare dubbi e ribellioni e contrasti nel lettore.

Non bisogna per altro dimenticare d'intenderlo nel suo motivo occasionale (parlo di superiore occasionalità storica), per poterne apprezzare in maniera adeguata le esigenze positive che esso postula; e d'altra parte magari se ne potranno limitare alcune conclusioni, che possono essere sistemazioni provvisorie dettate nella sicurezza e nell'impeto di una conquista fondamentale. Tale conquista fondamentale e inconcutibile è la postulazione vigorosa che il Croce vi fa, di una storia che abbia il massimo rispetto della individualità degli scrittori, onde il progresso nella storia dell'arte vada inteso come progresso di personalità, e non già di forme, e naturalmente meno che mai di generi; progresso, cioè, che è quello generale che si riflette nell'arte, e non già progresso di arte da un poeta all'altro. Ma il Croce sente il bisogno di trarre conseguenze storiografiche da tali premesse estetiche; le quali conseguenze riflettono alcuni modi da lui prediletti nella trattazione della critica letteraria, ed hanno perciò qualcosa di estrinsecamente normativo. Egli propugna che la vera forma logica della storiografia letterario-artistica è la caratteristica del singolo artista e dell'opera sua; e la corrispondente forma didascalica, il saggio e la monografia. Sennonché, ad accogliere il suo invito, e a non lasciarsi vincere, come, per felicità del suo ingegno, avviene spesso a lui, dalla necessità non già di caratterizzare semplicemente un artista e le sue opere, ma d'illuminarne tutto lo svolgimento ideale, « la personalità nel suo farsi », e vederne con ciò il carattere universale nelle sue successive attuazioni inserite nella storia generale dello spirito umano, si correrebbe pericolo di ottenere per tale via non più una storia individualizzante di contro alla storia per concetti generali dei romantici e dei vecchi idealisti (che è giusta esigenza), ma addirittura una storia atomistica: non storia di personalità, ma storia di frammenti di cosmi poetici.

Il Croce osserva giustamente che « come in ogni opera d'arte è tutto l'universo e tutta la storia in una forma singola, così il critico, che la pensa, pensa sempre in lei tutto l'universo, e tutta la storia in quella singola forma. Contemporanei, affini, opposti del poeta, suoi precursori più o meno parziali e remoti, la vita morale e intellettuale del suo tempo, e quella su su dei tempi che la precessero e la prepararono, queste e le altre cose tutte sono presenti (ora espresse ora sottintese) al nostro spirito, quando rifacciamo la dialettica di una determinata personalità artistica ». Ma quando ci si propone di dare la caratteristica di ogni singolo artista, e di questo la caratteristica delle singole opere, non ci avverrà di sfuggire al compito di storici, quale è lumeggiato da quelle parole che abbiamo citato, e non ci avverrà di cadere piuttosto in una forma di critica intellettualistica ed astratta? Le caratteristiche si risolverebbero, in questo caso, in formule definitorie, e sia pure vaste, e si avrebbe la storia non di uno spirito poetico nella sua successione di atti concreti, ma la storia di un'arte, volta per volta determinata nei suoi valori poetici, e scartati gli episodi e le parti che non siano poesia. Mentre per noi, come si vedrà in capitoli successivi e come già si è fatto intendere in altre pagine, la storia della poesia è storia della poesia e insieme della poetica, considerate nel loro dialettico intreccio: per tal via si giungerebbe, o io mi inganno, a rispettare ed attuare una nuova forma, immanentistica, di sociologismo.

Le definizioni, si è detto altrove, per quanto vaste e lucide, non possono mai esaurire tutto il significato di un'opera d'arte, e vanamente esse tenterebbero di rinchiudere in sé la personalità del poeta; la quale non è mai qualche cosa di fatto e di determinato, ma qualche cosa che si fa perpetuamente e il critico ricrea, unificandosi con essa. A dare tali caratteristiche, si ha l'impressione che sia mantenuto il dualismo tra il critico e il poeta, che manchi cioè quell'adesione all'opera d'arte per la quale si può riuscire a una critica piena, concreta, e a rivivere la «personalità» dinamicamente, nella celebrazione diversa del suo diverso valore cosmico. Da una parte ci sarebbe l'opera d'arte come natura, in cui conviene distinguere ciò che è bello da ciò che bello non è; e dall'altra ci sarebbe il critico, non più come creatore (la poesia, autocoscienza fantastica nell'artista deve diventare autocoscienza logica nel critico), ma in veste paludata di giudice.

A noi in ogni tempo è parso che non ci si possa limitare a indicare in un artista il capolavoro e poscia invitare il lettore a farne la conoscenza, solo munito di un nostro canone d'interpretazione; ma che nostro compito sia quello di ricostruire la logica interna di quel capolavoro, rifarne l'intima storia; e che in questo caso la critica, in conclusione, sia quella che deve essere: storia, cioè, della personalità concreta del poeta nel suo farsi, che è quanto dire storia dello spirito universale nel suo perpetuo individuarsi. Resterebbe con ciò spiegato anche il valore, per esempio, delle analisi di cui si giovò il De Sanctis, non come di un lavoro di scuola di valore meramente didascalico, ma di una ricostruzione di particolari in cui si rifletteva volta per volta il cosmo del poeta.

S'intende bene, che noi non propugniamo le analisi nelle quali si compiacciono accademici e «lectores Dantis», intesi a far risaltare finezze che si colgono agevolmente da ogni uomo di gusto discreto, e nelle quali si procede con monotono semplicismo, spezzando, mettiamo, una terzina dantesca, per celebrare l'espressività di un accento o di una parola piana o sdrucciola; né propugniamo quelle altre analisi spasmodiche, nelle quali si compiacciono i nuovi retori della «sensibilità», bramosi di scoprire i misteri della tecnica artistica, al di qua della gestante poesia. Gli uni e gli altri infatti compiono opera di astrazione, in quanto naturalizzano parole e accenti e posizioni verbali, e i secondi, ancora più fastidiosi, perché più saputi dei primi, rompono l'unità dell'opera d'arte, celebrando una tecnica fuori del concretarsi in atto dell'anima dell'artista, e son perfin capaci di trascegliere un verso solo da tutto un poema (*l'odorosa maremma e il ricco mare*, mettiamo, per tutta la *Gerusalemme liberata*) per farne lo *specimen* miracoloso di tutta la poesia di un poeta. Ma, per ritornare alle analisi desanctisiane, esse a noi appaiono come una storia della personalità dell'artista nella sua sempre nuova attuazione; sicché l'opera di bellezza si risolve nell'opera del critico, come vita spirituale nel suo fluire, che risplende in una parte più e meno altrove in una vicenda armoniosa di luci e di ombre. Del resto, nei capitoli dedicati alla critica letteraria del Croce, abbiamo mostrato come in atto egli abbia corretto queste che potrebbero parere crudeli astrazioni della sua teoria.

E dobbiamo ancora soggiungere che, se è vero quel che dice il Croce *(Alcune massime critiche)* che la personalità biografica spesse volte non coincide con la personalità poetica, ed essa non può servire che di sussidio assai secondario per intendere la seconda che è quella che veramente ci interessa; e se è vero, aggiungiamo noi, che la biografia è troppo piccola cosa, è cosa troppo «finita», per spiegare il «mondo» dell'artista, che è universalità, e non questa o quella meschina vicenda, certo, può essere il suo precedente, perché precedente è tutto l'universo; è vero altresì che c'è una biografia interiore, la quale volgarmente può apparire intessuta di casi estrinseci di vita, ma essa stessa confluisce nella «storia di uno spirito», anzi è la personalità poetica in formazione, nel suo sviluppo. Il Croce stesso ci ha offerto un esempio dottrinalmente cospicuo di questo interiorizzarsi della biografia nella dialettica di una personalità mentale nel suo svolgersi, nel *Contributo alla critica di me stesso,* dove il suo sviluppo intellettuale è assai giustamente e mirabilmente unificato col formarsi del suo spirito, attraverso casi di vita che solo ai grossolani intenditori possono apparire elementi naturalistici ed estrinseci di storia. Per questo lato quindi, noi respingiamo con lui la biografia nel suo procedere naturalistico; ma, aggiungiamo, che, se la critica è storia di una personalità nel suo divenire, essa non può non assorbire l'elemento spirituale di quella che fu la «vita» del poeta nel mondo storico, da cui quella sua personalità fu pur condizionata, improntata e come aereata.

Se non m' inganno, questo procedere dinamico nel tracciare la storia di una personalità poetica come vita artistica che si fa e che non può mai considerarsi definitivamente costituita e dissoggettivata, esclude più energicamente quella tendenza classificatoria che s' insinua nell'opera del critico, quando egli voglia caratterizzare e graduare, nelle opere di un artista, quelli che sono i suoi capolavori, e quello che fra questi è il capolavoro dei capolavori, e poi le opere minori, le opere di rieccheggiamento, e così via di seguito. Il Croce giustamente non ammette classificazione di sorta delle opere d'arte, fra artisti e artisti: ciascuna di esse è un mondo incomparabile con altri, e il parlare di più piccola o di più grande poesia è soltanto innocuo, perché ci s' intende che tale linguaggio ha valore metaforico. Le opere d'arte, essendo intuizioni individuali, originali, sono anche inclassificabili. S' intende però, che esse sfuggono alle astratte classificazioni, non già a quella genetica e concreta classificazione, che non è poi classificazione, e che si chiama la storia. Se una piccola poesia è esteticamente pari a un poema; nella storia ciascuna opera d'arte prende il posto che le spetta, da sé, quello e non altro, e la ballatetta di Guido Cavalcanti e la *Divina Commedia* si disporranno idealmente nella storia, nel loro grado e tono: se l'una è il sorriso breve di un'anima, e l'altra è il compendio lirico-politico-teologico, della vita di un millennio dello spirito umano.

Tale procedimento classificatorio, giustamente rifiutato nel discorrere di un poeta o di un altro, non è difficile che permanga però nell' interno della critica del singolo scrittore, quando si è tratti a caratterizzare le sue singole opere, ritenendo la caratteristica sempre qualcosa del fare naturalistico. Mentre che nella storia della personalità poetica, così come noi l'abbiamo brevemente adombrato, si sfugge al pericolo di stabilire una scala di opere d'arte, poiché solo allora s' intende a quella forma genetica di storia, nella quale gli *Inni sacri*, le tragedie manzoniane, e i *Promessi Sposi* prendono il loro posto, fuori di ogni giudizio di graduazione, sol perché esse parlano da sé nel valore ideale che le muove ed afflata.

6. Storiografia romantica e storiografia crociana.

Ma noi ci lasciamo distrarre da tutte coteste riflessioni e osservazioni, che in vario modo hanno circolato e circolano in questo nostro libro, mentre altro in questo momento è il nostro compito; ed è tempo piuttosto che io illustri quella che è la conquista effettiva nella riforma proposta dal Croce. E per tale impresa, sarà bene ricordare quello che è stato l' insegnamento del De Sanctis, che nel concepimento della storia letteraria è il più immediato e cospicuo predecessore del Croce. Il De Sanctis, con la sua *Storia della letteratura,* ci diede una dottrina implicita sul metodo di sviluppare la storia delle opere d'arte, mirando a una storia in cui le personalità dei singoli poeti s' inquadrassero e si giustificassero nella generale storia dello spirito umano e, particolarmente, dello spirito italiano. Così la sua storia letteraria fu al tempo stesso la storia morale del popolo italiano. E in verità quell'opera si colloca nella serie dei capolavori, perché fu intelligenza dell'arte nella sua pienezza, nella sua totalità, poiché ogni opera d'arte è un mondo, e come tale essa esprime l'unità della vita e non si può fare uno stacco in essa, e non si può eseguire la storia del suo valore puramente estetico, senza cadere nell'astrattezza.

Questo intese il De Sanctis; ma poiché non sempre ebbe una rigida e lucidissima coscienza riflessa della sua metodologia, egli fu tratto ad attribuire il progresso alle forme artistiche (mentre non si dà progresso nelle forme individuali): quel progresso che c'è, in verità, solo se si considera l'astratto contenuto delle opere. Così il De Sanctis immaginò progresso dalla forma dantesca alla forma shakesperiana, e poté giudicare la *Divina Commedia* nel suo valore artistico, come progressivamente discendente, perché il contenuto umano dell'*Inferno* decade in quello meno appassionato del *Purgatorio*, e poi in quello etereo del *Paradiso*.

E fu errore; temperato solo in lui dal suo vivo senso della poesia, che gli fece ammirare anche le bellezze disseminate a piene mani nel *Paradiso*, senza che pur giungesse a cogliere l'unitaria bellezza della cantica, nella piena intelligenza della quale il critico avrebbe riportato veramente una radicale vittoria sul proprio preconcetto. Errore questo che fu spinto all'estremo limite da uno scolaro del De Sanctis, il Vossler, che liquidò due o tre quarti della *Divina Commedia*, poiché vide il progresso o regresso artistico (che non ha luogo), a seconda che ci fosse progresso o regresso dell'astratto contenuto. Ancora nel 1924 un allora giovane filosofo, Augusto Guzzo, mentre imputava questa maniera hegeliana al De Sanctis, peccava egli stesso di hegelismo (e di un più sistematico hegelismo), quando, rovesciando la tesi desanctisiana, vedeva maggior poesia non più nel carnale e nel passionale dell'*Inferno* ma nell'aereo e nel musicale delle rappresentazioni del *Paradiso*[1].

Questo grave pericolo si nascondeva nell'insegnamento del De Sanctis; e il merito del Croce è stato quello di avere energicamente affermato l'autoctonia e l'assoluta improgredibilità delle forme artistiche, e la sua *Ri-*

---

[1] Cfr. i *Problemi di metodo critico*, una lunga nota sul Guzzo, a questo proposito.

forma ritiene questo merito positivo, di aver richiamato energicamente l'attenzione sul carattere assolutamente individuale e autoctono (adopero la parola autoctono nel significato di autogenetico) delle opere d'arte, e di aver propugnato una rigorosa critica d'arte affatto libera da ogni interferenza di giudizi circa il valore logico o morale dell'astratto contenuto.

Se l'arte è sintesi apriori estetica, come non si può fare la storia dello «stile» o della «prosa», che sarebbe storia di una chimerica possibilità, — e la tesi è postulata da alcuni critici d'arte contemporanei, i quali vorrebbero intendere la storia dell'arte come storia non di personalità, ma di procedimenti artistici, di stili cioè, della trama «retorica» che si tramanda da uno scrittore all'altro, ciò che equivale a fare astrazione dalle singole e concrete opere d'arte; — così non è possibile una storia dell'arte dove interferiscano giudizi sul carattere intellettivo e pratico delle opere poetiche. Ora la storia per concetti generali, propria del periodo romantico, ebbe questo vizio, di astrarre i caratteri generali delle opere d'arte: caratteri generali non inerenti alla «forma», alla «intuizione», che, come abbiamo detto, è sintesi, individualità, e però non ha caratteri generali, ma relativi alla materia pensata fuori dell' intuizione. Così, gli ultimi critici, i formalisti, tenderebbero astrarre, non più il contenuto, ma la intelaiatura retorica di un'opera, parole, giri sintattici, modi di distribuire il colore e via discorrendo. Opera anche questa di ingegnosa e sia pure suggestiva astrazione, ma l'atto dell'astrarre, si sa, dissipa e distrugge l'arte in quanto arte. E i moderni «stilisti» riescono a una storia di astrazioni, così come i romantici, per l'altro lato, quando sacrificavano la personalità dell'artista agli schemi generici, anch'essi riuscivano a una storia di astrazioni. Contro questo doppio pericolo ha voluto reagire il Croce, e due sono i suoi nemici: il sociologismo romantico e il sociologismo formalista, che sono anche i nemici dell'autore di questa storia di cui egli si è fatto volenteroso e tribolato scriba. È la storia individualizzante crociana, quando sia intesa dinamicamente, rappresenta una sicura conquista di contro a cotesto sociologismo intellettualistico-moralisteggiante e stilistico che preme sulla storiografia contemporanea; però questa *Riforma*, — che va meditata con l'altra memoria *La Storia delle arti figurative*, perché se la prima colpisce l'astrazione « contenutistica », la seconda colpisce l'astrazione « calligrafica », — tende a instaurare, nella sua più profonda finalità, una storia letteraria ed artistica, dove vivano e si muovano le personalità dei poeti, nella unità e nel dialettico svolgimento della loro lirica spiritualità. Quale passo bisognerebbe compiere innanzi per salvare, dove è salvabile, l'esigenza sociologica, si vedrà nel secondo volume, dove discorreremo di proposito dei rapporti di poesia e poetica.

Parecchi degli studiosi dell'opera del Croce ci sono ancora che si meravigliano come egli sia potuto pervenire al concetto di questa riforma; e la loro meraviglia è giustificata, se si ha riguardo alle conclusioni metodologiche che il Croce ha cavato dalla sua giusta premessa e che, al momento della loro cruda enunciazione, parvero inferiori alla premessa stessa. Ma del resto, fin da quando egli aveva affermato che ogni opera d'arte si lievita di uno stato di animo, essendo lo stato d'animo individuale e sempre nuovo, l'intuizione implicava infinite intuizioni, e si doveva sospettare la più tardiva concezione che la storia dell'arte dovesse essere storia di singole personalità poetiche. Pel carattere individuale dell'intuizione, il Croce negava valore alla classificazione dei generi letterari; per la stessa ragione, concludeva che una pittura si distingue da un'altra pittura non meno che da una poesia, se pittura e poesia valgono non pei suoni che battono l'aria e per i colori che si rifrangono nella luce, ma per ciò che esse sanno dire allo spirito in quanto si interiorizzano, e però non ammetteva divisione alcuna delle arti. Per la stessissima premessa, egli già nel '17 doveva sostenere che una storia dell'arte non potesse essere che storia d' individualità poetiche, le quali si inseriscono, da sé, nella storia generale dello spirito umano, ma sempre come individualità autonome, con caratteri inconfondibili, senza che sia lecita una deduzione dialettica di un artista da un altro. Questi tre corollari diversi di una stessa premessa sono le facce di uno stesso problema; e il Croce non poteva non respingere da sé ogni ostacolo perché in tutti e tre i casi la risposta avesse una rigorosa coerenza. Solo per il caso della storia letteraria, il Croce per lunghi anni, si era dibattuto nel dubbio della soluzione.

È noto che egli nella prima *Estetica*, se fin d'allora sosteneva che l'arte è individualità e l' individualità non si ripete, pur ammetteva che una linea del progresso nella storia letteraria ci fosse, non linea unica ma molteplice. Se la scienza è come una sola opera d'arte, alla quale tutta l'umanità collabora da secoli e perciò forma un solo ciclo progressivo (e anche questo oggi è un concetto ormai sorpassato, perché Galilei, Keplero, Newton ci interessano ciascuno per quello che la loro opera esprime e conchiude, e non già per il lascito dei problemi che l'uno tramanda all'altro; e lo stesso si dica dei filosofi); le opere d'arte invece avrebbero, ciascuna, il loro problema e il loro ciclo. Cosicché per il Croce allora la storia dei prodotti artistici presentava cicli progressivi, ma ciascuno col proprio problema, e progressivo solo rispetto a quel problema, e in ciò egli accoglieva il concetto desanctisiano che si potesse studiare il progresso nella trattazione di un particolare tema, come quello, per esempio, della materia cavalleresca, da un poeta all'altro. Tale teoria oggi è ritornata, ma trasmutata dal suo primo concetto. Noi facciamo la storia di un genere letterario, mettiamo della novella boccaccesca che va fino alla novellistica e al teatro del Cinquecento, ma in quel caso si tratta di tener di conto una formazione storica concreta, e non un astratto genere letterario. Così, la storia della lirica del Cinquecento fatta dallo stesso Croce in *Poesia popolare e poesia d'arte*; così la storia dell'arte narrativa dal Manzoni ai nostri giorni, tentata o avviata da vari critici.

Dopo circa un quindicennio di esperimenti, meditazioni, discussioni, il Croce così si mise risolutamente per la via che il rigore della sua premessa gli comandava; ma, ad onor suo, dobbiamo ricordare che anche giovanissimo egli diffidava delle astratte e pericolose dialettizzazioni di una forma d'arte da quella di un artista precedente. Con la *Riforma* egli non ammette i «nessi» sociologici, né intellettivi-morali, né stilistici, fra l'una e l'altra personalità poetica, poiché invero una storia concreta e dinamica di ciascuna personalità è di già un tacito collocamento nella storia generale dello spirito umano: appunto perché storia di una concreta individualità, essa è anche storia concreta dell'universalità. E quale corrispondenza tale riforma abbia col gusto dell'antiarchitettonico oggi diffuso nella poesia moderna e contemporanea, si è detto già nei capitoli dedicati al Croce storico della letteratura.

7. La terza estetica del Croce.

Questo problema della storiografia letteraria è certo ancora il punto vivo e dolente delle discussioni che si conducono intorno all'estetica del Croce; ma noi tutte le volte che ne abbiamo toccato, abbiamo preferito insistere sull' importanza positiva della *Riforma* crociana anzi che sollevare obiezioni e scontenti. Abbiamo già fatto intendere che è troppo facile ed è inclinazione troppo triviale sopraffare la teoria di un pensatore con altri nostri pensamenti, obiezioni e integramenti. Non solo una necessità didascalica e vorrei dire una forma di storico galateo inducono ad astenersi da petulanti riserve, ma il processo stesso del pensiero scientifico esige che si esaurisca prima tutto il succo di una teoria per procedere ad altre nuove sistemazioni, quali che esse possano essere. La *Riforma* del Croce deve ancora fruttificare nelle menti, perché ci si liberi dal persistente sociologismo storiografico di tipo romantico che abbia un carattere trascendente. Giacché di nessi è troppo facile e tutti abbiamo la tentazione di parlare, nessi di stile o nessi di contenuto, quando invece le opere d'arte devono interessare a noi tutti non in relazione alla storia sociale o alla dinastia degli stili, ma ciascuna come un mondo a sé, « in cui confluisce di volta in volta tutta la storia, trasfigurata e sorpassata, per virtù della fantasia, nell' individualità dell'opera poetica, la quale è una creazione e non un riflesso, un monumento e non un documento ». Questa inconfondibilità dell'accento di ogni poeta è l'esigenza che più deve rodere la mente del critico, nel suo lavorio storiografico; ma se si possa addivenire ad una forma di nuovo sociologismo, di tipo immanentistico, non è questo il momento di dire. Ora come ora noi dobbiamo delineare lo sviluppo del pensiero estetico del Croce, fissando e chiarendo le sue varie posizioni mentali e l' importanza positiva e il fatale conglobarsi di coteste posizioni.

Un altro punto ci preme anche chiarire: nel fare la storia di queste idee estetiche, parrebbe che tutta la nostra attenzione sia stata rivolta alle definizioni che il Croce ha dato dell'arte, l'arte intuizione, l'arte intuizione lirica, l'arte liricità cosmica. Ma questo problema centrale della definizione dell'arte sarebbe rimasto un po' sterile nella filosofia crociana, se esso non si fosse irrequietamente concretato in una serie molteplice di problemi particolari. La definizione di Platone, l'arte come copia della copia dell'Idea; la definizione di Aristotile, l'arte mimesi della realtà fenomenica, se interessano per lo sviluppo della generale gnoseologia filosofica, fruttificano nelle menti particolarmente per quel compendio di problemi speciali che esse convogliano seco. Più feconda la definizione di Aristotile, perché più ricca di questi problemi speciali e perché intonata a un accento positivo e apologetico della poesia; però essa fece testo e rimase materia di discussioni e di martirio per molti secoli fino alle poetiche del Rinascimento. Meno feconda la definizione negativa di Platone, e perché negativa, e perché punto particolareggiata e infoltita di puntuali problemi per questa sua stessa negatività.

Rilievi analoghi si potrebbero fare oggi, *si licet*, sull'estetica del Gentile in confronto con l'estetica del Croce; perché, se per la concezione unilineare del Gentile «non poteva reggere una gnoseologia che giustaponesse una conoscenza intuitiva a una conoscenza logica», e se la definizione gentiliana dell'arte come momento soggettivo dello spirito ed eternamente annegante nella religione e confluente nella sintesi del giudizio filosofico, avrebbe, secondo l'opinione di Guido Calogero, una «solidità senza paragone superiore» per i suoi generali presupposti filosofici[1], è pur vero anche che l'impostazione dell'estetica del Gentile poggia su un concetto negativo o meglio inattuale dell'arte, se l'arte è intesa come un'astratta possibilità ma non mai come una realtà, e nello stesso concetto negativo e inattuale di essa non si trova però lo stimolo a una problematica particolare su questo tema della poesia

[1] Cfr. la voce *Estetica* nell'*Enciclopedia Treccani*, p. 407, col. 2ª.

che a noi storici urgentemente e quasi esclusivamente interessa. Da ciò la diversa e trasmutabile ricchezza dell'estetica del Croce, e la ragione del suo grande e sempre rinnovato successo nelle menti da quarant'anni a questa parte, che non è successo dovuto al rigore gnoseologico di una definizione (e conosciamo le riserve che i tecnici della filosola hanno fatto e continuano a fare ad essa), ma ai problemi particolari in cui quella definizione si è venuta irrequietamente incarnando e sempre trasfigurando.

La definizione dell'arte è un problema esauribile quando questa definizione sia stata o sarà raggiunta; la definizione del Gentile invece ci chiude vigorosamente in un sistema, ma dal quale desideriamo volta a volta bruscamente uscire, se vogliamo fare della critica di poesia in concreto. Se per la nostra cultura etica, noi cerchiamo libri ascetici e religiosi, e per la nostra cultura politica, cerchiamo non testi di dottrinari, ma di storici, o di filosofi-artisti tipo Machiavelli, in cui la dottrina gnoseologica non è sistematica ed è come diffusa o dissimulata; altrettanto c'è da dire che per la nostra esperienza di storici e di critici ci giova assai di più una filosofia come quella del Croce, che non è una filosofia chiusa, ma liberale ed aperta, e non è per noi un sistema, ma un indirizzo che ciascuno di noi, a seconda della capacità delle sue forze, può sempre allargare e arricchire. Poiché nella coincidenza di estetica e di metodologia letteraria, noi, tutte le volte che impostiamo un nuovo problema storico della letteratura e della poesia, usciamo dai termini della filosofia crociana, serbando di essa solo la remota ispirazione, come fosse una civiltà di pensiero ormai tutta espansa e assorbita nel tempo presente, che è di uno come di tutti. Si potrebbe dire in forma paradossale che ci possono essere gentiliani nella filosofia dell'arte e nella pratica della storiografia, ma non ci possono essere crociani. Crociano non è nemmeno lo stesso Croce che dal 1900 a oggi ha elaborato almeno quattro estetiche diverse, non perché l'autore si sia mai distaccato dalle sue tesi fondamentali del 1900 (ché sarebbe stata questa una forma di debolezza aberrante), ma perché nell'assidua indagine storica egli è venuto sempre arricchendo e trasfigurando il suo pensiero primitivo e creando una sempre nuova problematica particolare dell'arte.

Prima, seconda, terza, quarta estetica, sono partizioni scolastiche e sarebbero espressioni equivoche, se si intendessero materialisticamente come quattro fasi successive e diverse della speculazione crociana, e attesterebbero in quel caso una deficienza costituzionale del pensiero dell'autore che egli si industrierebbe di emendare e integrare con aggiunte e paralipomeni. Mentre queste estetiche vanno soltanto intese come epitomi storico-filosofiche dei gruppi di problemi che si sono presentati di volta in volta alla sua meditazione (se si vuole tradurre tale esperienza in termini cronologici, in quattro successivi decenni di ricerche particolari). La prima Estetica è quella del 1900, delle *Tesi fondamentali d'estetica*, la seconda quella del *Breviario d' Estetica* del 1912 a cui si aggiungono i *Nuovi saggi d' Estetica* del 1920, la terza è l'*Aesthetica in nuce* scritta nel 1928, a cui si legano varie ricerche di storia dell'estetica tutte raccolte negli *Ultimi saggi* (1935), e la quarta è quella che ha come volume di centro *La Poesia* (1936), e a cui è probabile che si aggreghino saggi particolari di questi ultimi anni e degli anni venturi. Quattro estetiche e avrebbe potuto aspettare a farne una sola e definitiva quel grand'uomo, mi disse una volta un filologo positivo, e fece un punto esclamativo nell'aria, così discorrendo; ed io di rimando a lui: « Già, è come se tu chiedessi che il Manzoni, perché aspettasse a scrivere i suoi *Promessi Sposi*, compendio della sua alta moralità e della sua alta poesia, rinunziasse intanto agli *Inni sacri*, alle *Tragedie* e agli *Sposi Promessi* ». E il mio filologo positivo, a questo mio brusco argomentare, e con tanto cacofonica *consecutio* di congiuntivi, rispose come qualcosa che rassomigliava all'*Issa vegg' io* di dantesca memoria, e quasi contentato si tacette.

Ma il vero è che queste quattro successive estetiche crociane sono dominate ciascuna da un problema centrale, e se il Croce ha sentito il bisogno di ricapitolare ogni volta le sue varie conquiste, questo è avvenuto non per stracco e compiaciuto indugio su idee a lui care, ma perché al lume di un nuovo problema centrale tutti gli scolii e i corollari e le applicazioni precedenti acquistavano nuova luce e riapparivano come trasmutate e trascolorate. Se si va a vedere, la prima estetica è dominata dalla preoccupazione dell'espressività dell'arte, la quale non è mai vaga aspirazione, tumulto incerto e romantico di passioni, cognizione confusa, ma è sempre espressione. Tu tanto esprimi, quanto possiedi di veramente determinato dentro di te. La catarsi aristotelica, ricondotta a un nuovo significato, come purgazione delle passioni, è il motivo dominante di cotesta prima estetica; ma già nel *Breviario d'estetica* e poi nei *Nuovi saggi d'estetica*, non è più in giuoco la semplice espressività dell'arte, ma una particolare espressività impregnata, lievitata, di sentimento e che giunge a una visione della vita tutta universalità, armonia, equilibrio, classicità. Non più il sentimento come pura passività, da cui bisogni liberarsi, ma il sentimento come attività che non è mai di là dalla forma e che fermenta e feconda di sé le varie espressioni poetiche. La poesia non è trasfigurazione di un momento pratico dello spirito, ma è la stessa prassi spirituale che viene creando a se stessa la possibilità del suo poetare: il poetare come un fare dello spirito, in cui il sentimento non è una realtà fenomenica, un di qua dalla poesia, ma è realtà trascendentale, informante e formante e ragione stessa del creare poetico.

Nella terza estetica, poi, quella dell'*Aesthetica in nuce* e dei saggi annessi, la nota dominante invece è l'altra della moralità dell'arte, in una strenua difesa della poesia non nel senso shelleyano o schilleriano, come medicina degli animi in momenti di aberrazioni politiche e sociali, ma come principio fecondo sol perché principio circolare della vita spirituale. Allora la poesia non è soltanto rifugio egoistico in un iperuranio, in una Atlantide che sia, come per il Foscolo delle *Grazie*, una specie di dolente paradiso di quell'armonia disconosciuta nel mondo, un sospiroso eliso, un immemore olimpo, ma è innanzi tutto perenne alimento di sé perché ritemprata tutte le volte nella vita totale dello spirito, e però solo allora veramente forza corroborante di cotesta stessa vita totale. Difendere la poesia dunque non per dilatarla a totalità, poiché in cotesto ampliamento o inflazione la poesia perderebbe il carattere suo proprio e distintivo e l'educazione estetica alla Schiller degenererebbe in un generico e quindi fastidioso apostolato, ma difendere la poesia in quanto risucchia in sé stessa tutta la linfa che circola nella vita del nostro spirito, come nell'organismo fisiologico avviene della circolazione sanguigna. Niente dunque poesia pura, intesa come pura immagine e come puro suono (quasi sia possibile il mero e astratto suono, che non sia esso stesso suono animato), ma poesia purificatrice perché questa ammazza in sé stessa tutti gli scopi allotri e tutti gli impeti oratorii, e però la critica deve venir distinguendo le parti poetiche dalle parti oratorie, non perché queste non abbiano il loro pregio ma perché le azioni politiche, morali e religiose, le grandi verità della filosofia e della scienza, agitate nella forma di solenni poemi e di decorose canzoni, o nella forma più agile e conversevole delle satire e degli scherzi, dei madrigali, della cosidetta «poesia di società», sono altro dalla poesia.

È precisamente la polemica contro il decadentismo contemporaneo, contro il futurismo, l'antistoricismo imperversante, l'irrazionalismo sfrenato dei nostri tempi, quella che domina negli *Ultimi saggi*. Gli scritti sulle *Due scienze mondane, l'Estetica e l'Economica*, il saggio sulla «Difesa della Poesia» dello Shelley e gli scritti sull'educazione estetica dello Schiller, la disputa intorno all'arte pura e lo stesso scritto, famoso, intitolato *Antistoricismo*, sono questa difesa della poesia pura (pura come si è detto, perché la vita totale dello spirito in essa circola come animazione interna e però non bisognosa di un estrinseco apostolato), che al tempo stesso vale come polemica contro l'arte decadente, lussuria del proprio egoismo e impotente desiderio di una vita dimidiata nel puro suono, o nella vuota e suggestiva scenografia e nelle chiassose figurazioni, e delusoria promessa di nuove e strane sensazioni.

Anche la stessa *Aesthetica in nuce*, che fa da prologo agli *Ultimi saggi*, va dunque letta non quale un semplice succoso compendio delle conquiste precedenti, ma con l'occhio a questa polemica antidecadente che circola nella nuova sistemazione del pensiero dell'autore. Il romanticismo, la «poesia da ospedale» come era stata battezzata dal Goethe, viene perseguitata dal Croce nelle nuove forme in cui essa si è venuta incarnando, nel verismo, nel simbolismo, nella «scrittura artistica», nell'impressionismo, nel sensualismo, nell'immaginismo, e nelle sue forme estreme, che si dicono «espressionismo» e «futurismo».

I legami di questo movimento — scrive il Croce — nella sua guisa odierna, con l'industrialismo e con la psicologia che esso favorisce e promuove, sono evidenti: il diverso dell'arte è la vita pratica, quale modernamente si vive; e l'arte non vuol essere già l'espressione e perciò il superamento di cotesta vita nell' infinito e universale della contemplazione, ma anzi la parte gridante e gesticolante e sprizzante colori della vita medesima (*Aesthetica in nuce*, p. 27).

Di questo accento morale della terza estetica del Croce, sono riprova anche alcuni accenni polemici contro la Grammatica e contro la Retorica, quando queste siano considerate non nella loro formazione empirica e storica, sempre rispettabile e proficua, ma quando esse si travestono e tentano di ripresentarsi ai nostri tempi come Grammatica e Retorica filosofate. Per il trasferimento tentato della Grammatica e della Retorica nel seno dell' Estetica, si è assistito e si assiste a uno sdoppiamento di «espressione» e dei «mezzi» dell'espressione (si pensi al Gargiulo, giù giù fino ai nostri più ammodernati, ma non altrettanto filosoficamente cauti, linguisti), che è una specie di reduplicamento, «perché i mezzi dell'espressione sono l'espressione stessa, frantumata dai grammatici», mentre l'opera d'arte, per parafrasare un detto del Goethe, non ha come la natura né nocciolo né corteccia, ma è tutta di un getto. Questo errore è tipicamente decadente, poiché ancora si giuoca su una forma nuda contrapposta ad una forma ornata, mentre pur la filosofia del linguaggio fa tutt'uno con la filosofia della poesia e dell'arte, la quale abbraccia «il linguaggio nella sua intera estensione», comprendendo anche «il linguaggio fonico e articolato».

Qui è implicita una riserva a ogni forma di critica linguistica, che si voglia far passare come critica letteraria. La critica linguistica è soltanto un mito, per sfuggire alle voragini segrete del contenutismo: la lingua di Verga, la lingua di Machiavelli, la lingua di Jacopone, noi le indaghiamo soltanto per assistere a un processo di conversione in atto di quella che è la lingua intesa come ergon nella lingua intesa come energeia. Studiamo la molteplicità lessicale di uno scrittore, ma con la preoccupazione di condurre tutto all'unità del sentire di quello scrittore, non già per compiacerci di una mera descrittiva di forme grammaticali e di forme espressive. La lingua dialettale di Sicilia, esemplare platonico della prosa singolarissima di Verga; la lingua popolaresco-fiorentina e la lingua degli scrittori che vestono panni aulici e cardinali, intreccio minutissimo e pur distante e freddo della prosa di Machiavelli: il todino riportato in Jacopone alla selva complessa e complicata di un dotto e scolastico latino, espressione di un temperamento violentemente popolaresco e al tempo stesso di una mente coltissima e foltissima e ferace di analogie di cultura e di vita (se non di sensazioni, come si potrebbe dire soltanto di qualcuno dei nostri poeti modernissimi). Quando la critica linguistica non è sentita dallo storico soltanto come balenante e surruscante mito, come quei lampi che rompono di sera dal sotto in su il cielo estivo ma non sono la luce diurna, allora per essa si ricade in una descrittiva grammaticale delle forme espressive, come si è accennato: quella cara a tutte le laureande di filologia classica che fanno la rassegna dei tempi e dei modi dei verbi nella prosa di Tito Livio o del digamma in Omero; o si risolve in un compiacimento interiettivo, in un applauso ammirativo a questo o a quel modo di dire, che è la consuetudine critica dei nipoti e pronipoti della *main gauche* di Antonio Cesari e di Basilio Puoti.

8. Il volume «La Poesia» e l'ultima fase del pensiero estetico crociano.

Ma, perché questa insofferenza di ogni estetica e di ogni critica dei «mezzi espressivi» non faccia sospettare tiepidezza e insensibilità del Croce verso le belle forme letterarie, ecco nel 1936 venir fuori il volume *La Poesia*, che rappresenta la giustificazione teorica della «letteratura», dell'«ars dictandi», del linguaggio inteso come tradizione espressiva, della cultura che si macera in arte e costituisce la trama di tante prose o versi che non sono poesia, ma sono pure «bella letteratura» o, se la parola non fosse stata troppo usata in significato sinonimo di poesia, sono pure l'arte. Già accenni di questa giustificazione storica e di questo pedagogico compiacimento c'erano nell'*Aesthetica in nuce*. Ritorna la vecchia distinzione desanctisiana tra poeta e artista, tra scrittore lirico e scrittore letterato, tra i poeti di fantasia e i poeti di immaginazione; e se la poesia è la lingua materna del genere umano, la letteratura ne è come l'istitutrice nella civiltà. La poesia è trascendentale barbarie, come la poesia della *Commedia*, e la letteratura è trascendentale galateo e cortesia, come la poesia e letteratura del canzoniere petrarchesco e della lunga tratta dei petrarchisti che seguirono fino a tutto il Cinquecento, e l'altra poesia e letteratura del *Decameron* boccaccesco e dei novellisti fino al Bandello.

Quest'ultimo volume del Croce è una riabilitazione delle *Institutiones* di Quintiliano, liberate dalla loro forma normativa, e riconosciute nella loro legittimità storica quando trapassino in succo e in sangue nello scrivere corrente. Tra il 1910 e il 1914 il Serra, nelle confidenze epistolari con gli amici, andava progettando lui di scrivere una stilistica che fosse l'armonizzamento delle vecchie istituzioni quintilianee con l'estetica del Croce: il disegno dello scrittore romagnolo è stato attuato a distanza di più di un ventennio dallo stesso Croce, e con quel rigore e quella cautela filosofica che a un letterato puro sarebbero forse mancati. Il Croce, in questo volume sulla *Poesia*, ha una nuova elasticità speculativa, perché, pur tenendo fermo alle distinzioni categoriali proprie di tutta la sua filosofia, indulge e accede a distinzioni non più categoriali ma di carattere più duttilmente storico: da ciò il carattere eversivo del volume, in cui il pensiero par si disimpegni dalla camicia di Nesso della vita quadri-partita dello spirito, e si volga più docile verso le molteplici apparenze dell'espressione. C'è, in verità, un'espressione poetica, e c'è un'espressione letteraria che pur nella sua vaghezza e graziosità non può dirsi poesia, e c'è poi un'espressione prosastica, quella degli scienziati e dei filosofi espositori dei loro sistemi, e un'espressione oratoria, propria degli scrittori che sotto l'astuzia di una sedicente poesia o della bella letteratura svolgono un loro particolare apostolato, e infine c'è l'espressione sentimentale o immediata, quella che si potrebbe chiamare l'espressione naturale, « che esce dal petto e dall'ugola di chi è in preda alla meraviglia, alla gioia, al dolore, al fastidio, al terrore: affetti e sentimenti che, tutto scotendolo, trapassano in voce articolata ».

Parrebbe questa la dissoluzione della *Filosofia dello Spirito*, e di crisi di un'estetica parlò un poco accorto e troppo umoroso scolaro del Croce, quasi tristemente felice di accogliere e di attrarre tra le ombre del suo segreto Ade degli inconclusi anche il vigoroso e fin troppo concludente maestro, che ancora, vedi protervia, si ostina a sedere sereno « dove è più luce, più beltà, più Dio »[1].

---

[1] Si veda Alfredo Gargiulo, *Crisi di un' Estetica*, in « Nuova Antologia », 1° maggio 1936.

La forse sospettata pentarchia estetica che si introduce nel quadrivio della filosofia crociana non è una pentarchia, perché potrebbe essere postulazione di infinite espressioni, tante quanti sono gli scrittori dell'universo. Si tratta di una distinzione storica, che non può e non vuole avere un carattere categoriale; pure se si vogliono riportare alla antica distinzione della *Filosofia dello Spirito*, le varie espressioni di cui parla il Croce, soltanto la poetica, l'oratoria, e la prosastica e la sentimentale potrebbero avere una corrispondenza nelle quattro forme dello spirito. Ma l'espressione letteraria è espressione vagante, perché tale deve essere: l'espressione letteraria è immanente alla poesia, e quando vive a sé, allora si dovrebbe parlare come dell'oratoria, di un fatto pratico, e risolverla nell'oratoria stessa. Dante poeta barbaro è pure il campione del volgare illustre, aulico, cardinale, curiale, il trattatista dell'*ornata eloquenza*, il precettore della poesia regolata, il teorico dell'abitudine delle stanze: però anche la grande poesia barbarica è cortesia e letteratura anch'essa. E allora grandi letterati sono tutti i grandi poeti; e la letteratura pura dove la si metterà? L'espressione letteraria è immanente ancora all'espressione prosastica, del filosofo e dello scienziato (e la prosa di un Machiavelli, di un Galileo e di uno stesso Croce ne stanno lì a testimonianza); è immanente all'oratoria (e i *Promessi Sposi*, opera oratoria — qualunque cosa si pensi di questo giudizio critico del Croce — sono intessuti di finissima letteratura), ed essa è ancora lambente nell'effusione sentimentale quotidiana, anche se in una maniera rudimentalissima, poiché letterato a suo modo è anche il casiere della villa in cui io abito, e che vedendomi almanaccare tutto solitario sulle mie carte e in cerca di luoghi eminenti ed arieggiati per il mio lavoro, mi dice nel suo forzosamente addottrinato toscano: « Già, si era sentito dire che Lei fusse una persona tutta solatia ed ariosa ». Anche certi spropositi lessicali (strambottoli li chiamano qui in Toscana), sono ambizione di letteratura e pur segno di cortesia letteraria. Ma l'espressione letteraria, quando non si può ridurre alla forma oratoria, o a quella prosastica, o all'altra sentimentale, è evidente che allora è essa stessa poesia, e sia pure poesia più elementare e germinale o più riflessa. Poesia d' immaginazione la chiamava il De Sanctis, per distinguerla dalla fantasia creatrice vera e propria, e per mettere una distanza ma anche una vicinanza tra Boiardo, poeta d' immaginazione, e Ariosto, poeta di fantasia.

Ma è chiaro che queste distinzioni di carattere storico possono essere particolareggiate in infinite e assai diverse sfumature. Ed esse sono molto giovevoli ai critici, perché sono già un principio di critica letteraria in atto: e questo libro sulla *Poesia* è il libro che meno si contiene nei termini della speculazione teorica e che continuamente trabocca nella freschezza degli esempli. Questo è il significato delle numerose *Postille* accodate in fondo al volume (e che piacciono anche al nostro Gargiulo), le quali costituiscono una parte vitale dell'opera, e che indicano a chiare note che l' interesse dello scrittore non è quello del filosofo puro, ma del filosofo che si fa a ogni momento critico di poesia e di letteratura o storico della critica. Crisi di un'estetica? Ma allora è crisi di un'estetica tutta la *Letteratura della nuova Italia*, e i saggi sul Goethe, Ariosto, Shakespeare, e quelli di *Poesia e non poesia*, e via discorrendo. Il Gargiulo che non può contrapporre alla crociana *Filosofia dello Spirito* nemmeno la *Filosofia dell'atto puro* (da cui egli aborre), non si spaventi di questo moltiplicarsi delle espressioni, e si tranquillizzi che la casa grande, in cui egli è stato allevato, non è in pericolo. L'opera filosofica del Croce, nel campo dell'estetica, continua nella sua via, in cui ogni teoresi si trasvaluta in dictante metodologia, e però si travasa in implicita critica letteraria.

In questo riconoscimento storico della « letteratura », io vedo una riprova della sensibilità sempre vigile del Croce. Dalla rivista « La Ronda » alla rivista « Letteratura » (*nomina numina*, per quest'ultima rivista) è tutto un discorrere di poesia come « mestiere », di poesia come « stile », e anche la troppo abusata parola « scrittura » che si legge in tutte le rivistine dei giovani, indica che il termine della civiltà contemporanea tutto si volge attorno al valore della « letteratura ». E dopo aver gridato contro Croce, che si apparta e fa l'acrimonioso contro gli ultimi contemporanei, ce la vogliamo prendere con lui appunto perché coglie quello che di legittimo c' è nelle varie poetiche giovanili oggi correnti? O allora siamo proprio gelosi, di questo grosso capitalista che investe e compra tutto, e allarga all' infinito i feudi della sua estetica? Ci deve essere al fondo di questo duplice stato d'animo, di ira e al tempo stesso di sospettosa cura dei propri possessetti verso l' incurante feudatario e pur sempre ostinato a far nuova e composta masserizia, quella che gli storici della politica chiamano « l' invidia democratica », e per la quale si è egualitaristi nella parte negativa, ma antiegualitaristi per la positiva. *Dal tuo al mio* di Giovanni Verga. Abbasso il Croce, perché disdegna di occuparsi degli ultimi contemporanei; ma « fuori il barbaro Croce », quando mostra di occuparsene, e sia pure per trasferire sul piano elevato della sua speculazione filosofica le disperse intuizioni ed esigenze altrui. Insomma questi miei letterati alla Gargiulo e compagni a me ricordano i fiorentini di trecentesca e quattrocentesca memoria, di cui discorreva il Machiavelli, i quali la libertà mantenere non sapevano e la servitù patire non potevano, e congiuravano e facevano piccoli impeti, riuscendo solo ad un fine, ad innaffiare la pianta del loro potente e obiurgato avversario.

Ma l'opposizione del Gargiulo (cito sempre il Gargiulo, per rendergli onore, perché egli è il più colto dei nostri critici nella storia dei problemi di estetica ed è tra i più gentiluomini) è fondata su quell'estetica dei mezzi espressivi, che è il suo pio ma non realizzato programma. Egli, pur tenendosi fedele all'estetica del Croce come indirizzo generale, ha insistito sempre e in maniera perentoria, almeno dal 1927, sulla necessità di una critica « sensibile » della poesia, della scultura e della pittura (sensibile non nel vago significato mistico alla Serra, ma con il particolare significato che la parola ha, mettiamo, nel linguaggio dantesco: *a immortale secolo andò e fu sensibilmente*), cioè di una critica che desse valore e rilievo alle particolari espressioni delle varie arti, pure postulando un'unità di principio per tutte le arti: massa, colore, parola, suono sono gli idoli della sua ricerca. E in vero su questo punto tutti ci affretteremmo a dargli ragione. L'esigenza del Gargiulo è quella stessa degli altri critici postcrociani, che alternano la filologia con l'esercizio della critica vera e propria come per derivare dalla pratica filologica un più aderente amore alla «parola», ai «testi», o di quegli studiosi che scrivono attenti commenti a classici italiani e stranieri per cogliere e accarezzare i particolari del « corpo » della poesia; o dei critici d'arte che vengono sceverando i valori decorativi da quelli meramente illustrativi di un quadro o di una scultura; o degli altri di educazione romanza che fanno della critica linguistica, non come descrittiva grammaticale e lessicale, ma come storia della lingua poetica di uno scrittore (vedi Contini). La teoria dei mezzi espressivi non è altro che il gusto vissuto dei problemi particolari; uscire dal genericismo filosofico, questa la fatica di un po' tutti i critici postcrociani, e del Croce stesso. Ma questa non è una teoria, ma soltanto uno stimolo pedagogico a se stesso e agli altri; ed è strano che il Gargiulo, che ha tanto predicato questa critica del « mezzo espressivo », poi quasi se ne sia astenuto per la sua parte, data l'eccessiva avarizia dell'opera sua.

La critica formale di quelle arti figurative, che gli sta tanto a cuore, è venuta dai Longhi, dai Cecchi, dai Venturi (Lionello), dai Marangoni, dai Ragghianti, ma non proprio da lui, che è rimasto soltanto a polemizzare con una certa stizza perché il Croce non ha assorbito questa sua teoria nella sua estetica. Ma non c'era da assorbire teorie. Gli avvertimenti pedagogici non hanno bisogno di una sistemazione filosofica, ché allora il Croce dovrebbe tener conto (e lo potrebbe soltanto se fosse in comunicazione radiofonica) di tutte le prediche e discussioni che in parecchi oggi facciamo nelle scuole, raccomandando e inculcando il gusto dei problemi particolari, con tutte le varie esercitazioni di seminario, sempre impiantate su questo particolarismo espressivo o degli scrittori o dei pittori o di altri artisti.

Il Gargiulo avrebbe potuto dar corpo a questa sua « pedagogia », se si fosse impegnato in un attento e insaziabile lavoro storiografico; ma tutti sappiamo, e ce ne rammarichiamo sinceramente, come egli si sia contentato soltanto di analizzare i mezzi espressivi di alcuni scrittori contemporanei, e anche allora nella forma più pigra (aristocratica, crede lui) che fantasia polemica di avversario non avrebbe potuto mai immaginare e proverbializzare. Il Gargiulo è un « formalista » vagheggiato ma non attuato; di questa sua mancata attuazione, pare che la colpa sia tutta del Croce. Il quale, nel suo rigore filosofico, non può rinunziare e non rinunzierà mai alla idealità e interiorità dell'espressione poetica, o pittorica, o plastica, o musicale, perché in quell'anima interiore dell'espressione è già implicito per lui il suono della parola, il colore di una tela, e la massa di una scultura, non vorrà mai piegarsi a introdurre surrettiziamente un realismo per dir così filologico nella trama del suo spiritualismo assoluto.

Questa estetica del duplicamento dell'espressione, lasciamola teorizzare al Valéry, che è un artista il quale come tutti gli artisti crede illusoriamente al corpo sensibile dell' immagine e del ritmo e della melodia, mentre queste sono rifrazione di ciò che vive e suona dentro (Beethoven era sordo, ed egli coglieva e regolava internamente pur la dolcezza straziata o la tempesta sopramondana delle sue musiche), e perché Valéry si riattacca alla tradizione dell'estetica e della critica francese, che, come è pacificamente noto, è poverissima e arretrata in confronto degli studi italiani, in questo campo. O lasciamola teorizzare ad Adriano Tilgher, che accatta sofismi, osservazioni e detriti di teorie da tutte le parti, pur di aver l'aria di manganeggiare e di sbastigliare, a ogni sua pagina, l'estetica crociana. Ma un ingegno onesto come il Gargiulo non si può contentare di questa *blague* di inventore di una teoria estetica, quando questa è inesistente come teoria. Egli ha sulla coscienza anche l' infantile e ingenuo vanto che parecchi fanticelli delle terze pagine fanno tutti i giorni quando si affrettano a comunicarci di essere aggiornatissimi sulla estetica dei « mezzi espressivi ». *Voi gite molto arditi a far la mostra Con elmi e con cimiere inargentate E par che lo leon prender vogliate*, scriveva Pietro de' Faitinelli da Lucca, rimatore del Trecento caro al Carducci della *Faida*. *Or non valete in arme tre fiorini. Se non a ben ferir per la quintana.* E la quintana, esplicano i vocabolari, è quel passatempo, che fanno i ragazzi, infilando una zucca fresca in una corda, quando, postala in aria attraverso a una strada, corrono con aste in mano a dare in essa.

Per ritornare al Croce, c'è da aggiungere che questo riconoscimento che egli ha fatto della «letteratura» non è un riecheggiamento, come per un momento volevamo far credere, di alcuni spunti delle poetiche correnti. I movimenti di idee non vanno mai dal basso in alto, ma, se mai, dall'alto verso il basso. Il Croce non è il vespertilio, che vola al crepuscolo[1]. Poiché dalle pagine della «Critica» di quegli anni '28 e '29 è venuto il tacito incitamento a farci tutti «cortegiani» della letteratura, esortazione indiretta che ha trovato il terreno propizio nei giovani, perché largamente nutriti di scrittori francesi: di quella Francia, che dopo l'Italia del Rinascimento, è stata ed è e tornerà forse ad essere domani la terra promessa della «letteratura» (e sia pure con quel tanto di antipatico e di decadente che hanno le nazioni tutte letterate, e l'Italia del tardo Rinascimento e del Seicento insegni). Non era mancata anni innanzi la suggestione degli scrittori della «Ronda», ma colui che faceva il dittatore di quella rivista era troppo sprovveduto di studi perché le sue esortazioni non degenerassero in un triviale didatticismo retorico, atto a favorire le inclinazioni dello scrivere «da lucerna», con una certa enfasi a vuoto, di dannunziani travestiti e depressi, mal domata quell'enfasi dall'esattezza fredda e dalla lucidità dei vocaboli.

Già in altre pagine, discorrendo del volume crociano *Poesia popolare e poesia d'arte*, che è del 1928 e del 1929, abbiamo mostrato come questo criterio della «letteratura» abbia servito al critico per giudicare positivamente di tanta storia letteraria nostra dal Trecento al Cinquecento, compreso il petrarchismo su cui gli storici

---

[1] Istruttivo a questo proposito è un discorsetto del Croce sulla prosa moderna, intitolato *Disciplina e spontaneità* e raccolto nei *Nuovi saggi d'estetica* (1920).

professionali, fino ai primi decenni del secolo, erano usi a fare i loro piati e i loro mortorii. Il Rinascimento riesce rivalutato positivamente nelle pagine del Croce, dopo le scomuniche dei risorgimentali, proprio per questo senso storico e questa legittimità della letteratura. Come sempre, le teorie del Croce nascono dalla viva esperienza storiografica, che non è limitata alla storia degli ultimi vent'anni e di questa breve provincia dell' Europa che è l' Italia; nascono dal gusto «particolare» dei problemi individuati, che in lui è stato sempre assiduo da cinquant'anni a questa parte. Giacché le sue origini di filologo e di erudito lo hanno sempre salvato dalle espansive generalità.

Gli altri saggi della *Poesia*, quello in particolare sulla *Critica e la storia della Poesia*, che urta il Gargiulo, perché esso sarebbe costituito «da quella automatica prosa insistentemente esplicativa» di note teorie, «che ci sta nell'orecchio da anni», è una ricapitolazione del pensiero crociano su questo argomento, che non ha un mero valore didattico e di compiacimento ripetitorio, ma, come si diceva innanzi, è una risistemazione che si genera ineluttabilmente nel pensiero di ognuno, quando un qualche nuovo problema dominante si affaccia alla nostra mente: ciò che trasfigura e rinsalda le precedenti conquiste e scoperte. A leggere con pazienza e con amoroso abbandono (come pur si deve fare, anche nella lettura di scrittori per i quali si ha una psicologica avversione), vi si possono ritrovare preziosi suggerimenti per il nostro esercizio di critici e di storici, e *chicaner* su certe battute isolate significa ritornare alla maniera del peggiore Borgese delle polemiche anticrociane della *Vita e il Libro*.

Insomma questo libro sulla *Poesia* va giudicato non come un volume della *Filosofia dello Spirito*, ma come metodologia dictante mescolata a critica letteraria in atto; e giudicando di un libro di un critico, è cattiva pedanteria richiamarsi alle sue premesse rigorosamente speculative, e trovare che le applicazioni, nella loro più esterna apparenza, ci vengano incontro come *proles sine matre creata*. È sempre necessaria un' interpretazione generosa del pensatore che veniamo meditando e postillando; e quando essa manca, si rattrappisce il pensiero altrui, perché è già rattrappito il nostro. Il Gargiulo conclude quel suo umoroso ma non storico articolo, intitolato *Crisi di un'estetica*, così scrivendo:

> Il titolo di questa nota non vuol certo significare che la «crisi» dell'estetica crociana sia un fatto determinatosi oggi: le sue condizioni erano immanenti nella teoria, già tutte fin da principio; poi si accentuarono attraverso le varie fasi della teoria stessa... Sussiste il fatto che il Croce ha creduto di potervisi «conciliare», una volta per sempre, proprio coi maggiori problemi che la sua teoria addirittura nega; ma sbrigativamente e senza abbandonare un momento quel piano negativo. Donde le paradossali conseguenze che bisognava mostrare.

Sono queste le famose aporie del pensiero crociano, di cui abbiamo sentito mormorare almeno da trent'anni a questa parte, dalla nostra nascita alla vita letteraria. Neanche noi vogliamo chiudere gli occhi su codeste aporie, ma ce ne ricorderemo e ce ne ricordiamo, quando, più che indagare e concludere sulla sostanza vitale del pensiero crociano, ci serviamo di quel pensiero come frammenti e materiale di costruzione del nostro nuovo pensiero, come leva del nostro nuovo lavoro, acume della nostra nuova visione, quale che essa possa mai essere. Oggi come oggi, allo storico importa mettere in evidenza il principio vitale di quel concetto dell'arte nei suoi successivi sviluppi, che ha pur giovato al Croce per la prodigiosa costruzione dell'opera sua e che ha messo in movimento tanta parte della speculazione contemporanea sul problema dell'arte e della storiografia letteraria.

Ma forse il Gargiulo ripete poco felicemente e molto tardivamente l'esperienza del Croce stesso del volume del 1906 di *Ciò che è vivo e ciò che è morto della filosofia di Hegel* (abbiamo sempre pensato e scritto che il Gargiulo è un crociano ortodosso, ma, dal punto di vista metodologico, del più rigido e antiquato crocianesimo). Giustificabile quella giacobina ricerca nel Croce, perché fu pur quella polemica e tentata dissoluzione del sistema hegeliano la leva atta a lui per procedere dalla dialettica degli opposti alla dialettica dei distinti. Ma quale nuova dialettica della vita spirituale ci propone il Gargiulo? Nessuna. Egli continua a vivere sotto l'oppressivo cielo della filosofia crociana, e non in una di quelle dodici case del cielo di cui favoleggiavano gli astrologi alla don Ferrante, ma in una capannetta pur lasciata a mezzo nella sua costruzione. E allora egli cade in una forma di basso crocianesimo (quel basso crocianesimo che egli ha creduto sempre di battere negli altri): la formula di *Ciò che è vivo e ciò che è morto* è una formula polemica, ma non è una formula storicamente valida e storicamente conclusiva, buona soltanto per i radicali che si avviano ad essere costruttori e poi conservatori di un loro sistema. Il Croce stesso ha voluto farla sparire dal titolo di quel suo giovanile libello, ribattezzandolo con maggiore clemenza storica, almeno nella forma esteriore, *Saggio sullo Hegel*. Esaminando la dottrina di un pensatore, noi abbiamo l'obbligo (direi morale obbligo) di comprenderlo in tutta la sua compagine, e di giustificarne il circolo e lo sviluppo dei vari pensieri. Altrimenti è lavoro troppo comodo e troppo sbrigativo (di quella sbrigatività che dà tanta noia, a parole, al Gargiulo), venir dissolvendo, mettiamo, l'opera del De Sanctis, solo perché essa accede a un sociologismo storiografico di tipo trascendente oggi da noi inaccettabile, e potremmo polverizzare l'opera di un Machiavelli fondatore della scienza politica (come facevano di fatto gli antimachiavellici della seconda metà del Cinquecento e del Seicento, che appunto perché atomistici critici ne erano poi servili e ipocriti riecheggiatori), solo perché il concetto centauresco della forza propugnato dal fiorentino non è ancora il concetto umano della forza, avviato dal Vico e da altri rappresentanti del pensiero moderno.

È questo un antistoricismo (basso crocianesimo, torniamo a ripetere), oggi appena perdonabile nei ragazzi; ma non in un uomo adulto e più che maturo scrittore come il Gargiulo, il quale non sa scorgere il motivo perpetuamente vitale che c'è nell'opera del suo vecchio maestro, nonostante alcune sue paradossali interne divergenze e alcuni suoi interni urti; di quel pensiero di cui egli si è nutrito e vissuto, e pare malamente nutrito e vissuto, se può ritornare nel 1936 alle forme primitive e deteriori della metodologia crociana del 1906, quando quella metodologia aveva pure una finalità creatrice che nel suo ripetitore non può più avere.

Per noi l'ultimo volume sulla *Poesia* resta importante e vitale, proprio per questo concetto positivo della letteratura, che ne costituisce il centro (io l'avrei intitolato: *La letteratura*): l'estetica dell'intuizione, la seconda estetica dell'intuizione lirica, la terza estetica della cosmica vita circolare della poesia in cui la poesia è tutto lo spirito e però innanzi tutto è moralità in succo, e questa quarta estetica in cui si riconosce storica dignità e la necessaria presenza del lavoro letterario, del mestiere, in ogni forma di espressione, o lirica, o oratoria, o prosastica, e in quella stessa sentimentale, sono le fasi di un progressivo arricchimento di una concezione moderna dell'arte e che è la concezione dominante del nostro Novecento. Accento sempre nuovo e diverso, questo del Croce. Ciò che è pure la duttile ricchezza della sua estetica. Lasciamo agli scolastici e agli ingegni curialeschi della filosofia e agli accidiosi e scettici contemplatori del lavoro altrui, le loro sterili esercitazioni su questa o quella contraddizione del pensiero crociano nelle sue varie fasi; prendiamo anche noi conoscenza di queste loro inquisizioni, e di questa loro scepsi, ma come stimolo di riflessioni organiche creative, per quel tanto, cioè, che ciascuno di noi potrà costruire domani. Ma ne rigettiamo la inconcludenza e la non validità nel campo storiografico quando siamo intesi a rappresentare lo sviluppo e l'importanza storica di quel pensiero, che è quello che è, e che bisogna pur rappresentare e giustificare nel suo animato essere.

Tutta la filosofia crociana è la sublimazione teorica di un'altissima esperienza autobiografica, che può non avere il rigore gnoseologico dei filosofi più propriamente sistematici e professionali; può essa presentare qua e là qualche jato o frattura, come fossero episodi di vita di cui non si sappia scorgere la successione ideale, solo perché l'autobiografo è più inteso a scavare la ricchezza di quegli episodi di vita che a legarli nel loro sistematico sviluppo. Ma la troppa sistematicità può portare ad una forma di genericità e di strettezza; e il Croce preferisce peccare, in qualche tratto, di asistematicità anzi che di genericità e di stretto *visus*. La fecondità rinnovantesi nel suo pensiero sta precisamente in questo: che esso, particolarizzandosi in sempre nuove esperienze, affascina le menti e gli animi, e li stimola all'indagine concreta, a cogliere il motivo dell'Ita e non semplicemente quello del Non, e non del tutto Ita che sarebbe una specie di magnanima ma fastidiosa e meccanica retorica, e nemmeno del tutto Non, che sarebbe una forma di irrigidimento del pensiero, di statica negazione e di morte. Constatazione di un'esperienza quella del Croce, riportata sempre ad essere speculazione *sub specie aeterni.*

Da ciò il realismo occasionale della sua estetica, ma anche la sua irrequieta e trasparente trascendentalità.

9. Il Croce e la storia dell' Estetica.

Il Croce si è sempre doluto che la sua *Estetica* abbia stimolato meditazioni, consensi e dissensi, e una fin troppo rigogliosa fioritura di critica letteraria, ma non abbia mai avuto analoga fortuna per gli studi di storia dell' Estetica. Qui bisogna dire che la colpa è del Croce stesso, per la maniera radicale e giacobina con cui sistemò fin da principio la storia di questi problemi estetici, dall'antichità fino ai nostri giorni. Ha ragione il Gargiulo (vogliamo rimedicarlo in qualche modo della nostra petulanza motteggiatrice, a cui siamo stati costretti finora), quando già nel 1927 scriveva che nella parte storica dell' *Estetica* « c' è più polemica che storia; spesso un a tu per tu, una mancanza di riguardo verso il protagonista di ogni storia, il tempo. Solo più tardi, quando l'urgenza polemica si andava in parte placando, e il Croce riprese a trattare da capo questo o quel momento della storia dell' Estetica, vedemmo cominciare a delinearsi alcune delle prospettive temporali mancanti nel libro assolutamente » [1]. Ed è questo, giudizio esattissimo e veritiero, che a dire il vero risponde all'opinione comune e a quella dello stesso Croce, che volle allora rafforzare le sue scoperte teoriche con metodo giacobino. In tale radicalismo ossidionale, per dir così, dello storico, noi vediamo la ragione della minore influenza crociana nel campo della storia dell' Estetica.

Fece eccezione solo il Gargiulo, che esordì nel 1905

---

[1] *Croce e la critica figurativa* (in « Vita artistica », a. II, p. 2, 1927).

con una « Storia dei criteri coi quali è stata trattata la storia delle arti figurative » (opera rimasta inedita) e scrivendo saggi e recensioni che non abbiamo dimenticato nella *Critica* dal 1904 al 1910, particolarmente su estetici tedeschi, e nei tempi recenti alcuni altri in *Letteratura.* Ma è vero anche che in questi ultimi anni si sono vivificati gli studi di storia della critica, e vi sono scuole universitarie dove si esercita l'insegnamento dell'Estetica (mi dicono) in senso storico, come divulgativa e illustrativa conoscenza di estetici stranieri (Banfi), e qualche altra in cui, per lo zelo crociano del solito Russo, i giovani sono addestrati a tracciare la storia particolare del problema critico degli scrittori nostri di tutti i secoli, nel suo lento formarsi dai contemporanei ai tempi presenti, e a prendere conoscenza con la critica straniera. Del resto il Croce stesso ha dato atto e riconoscimento fin dalla quinta edizione dell'*Estetica,* che la trattazione storica gli pareva troppo polemica e negativa, e troppo esclusivamente indirizzata a considerare unicamente i principii delle varie estetiche conformi o difformi dal principio da lui propugnato della intuizione od espressione. E recentemente ha sentito il bisogno di raccogliere in un volume della « Biblioteca di cultura moderna » una *Storia dell'Estetica per saggi,* che coordina soltanto una parte dei saggi speciali sparsi nei suoi volumi filosofici e letterari o nella rivista *La Critica.* Per tali saggi speciali c'è da dire che fino al 1911, ancora col libro su *Giambattista Vico,* perdurava nel nostro filosofo questo abito a una storia programmatica e prammatica, intesa a illuminare e a rafforzare la sua estetica del Novecento; ma già nei *Problemi d'estetica* che sono del 1910 (l'edizione del 1923 è più ampia) c'è qualche studio più clemente, mettiamo quelli sulla poetica e critica del Cinquecento e del Settecento. Nei *Nuovi saggi d'Estetica* poi è raccolto un lungo saggio del 1916 su *Inizio, periodi e carattere della storia della Estetica,* dove pur confermandosi la vecchia sentenza che l' Estetica sia scienza affatto moderna, sorta tra il Sei e il Settecento e cresciuta rigogliosa negli ultimi due secoli, si aggiungono alcune considerazioni, che valgono ad approfondirla e a determinarla, e insieme a renderla più persuasiva. E pagine assai significative ricorrono nella *Storia dell'età barocca,* dove l'autore indaga le teorie dell'arte in quell'età.

Ma una serie di studi storici, nello stesso volume originario del '20, sono quelli che riguardano la *Teoria dell'arte come pura visibilità* e *La critica e storia delle arti figurative e le sue condizioni presenti,* mentre poi la vena dello storico si è notevolmente allargata negli *Ultimi saggi,* in quella cioè che si è convenuto di chiamare la terza estetica. Un saggio storico è lo stesso scritto *Le due scienze mondane, l' Estetica e l' Economica,* e l'altro sulla *Difesa della poesia* dello Shelley e il terzo sulla *Iniziazione all' Estetica del Settecento.* Storici e non soltanto clementamente e storicamente riguardosi, anche in un senso illustrativo-filologico, sono gli scritti su l'« *Aesthetica* » *del Baumgarten,* su un *Estetico ungherese del Settecento (Giorgio Szerdahely),* sulla « *Fine dell'arte* » *nel sistema hegeliano,* sull'*Estetica di F. Schleiermacher,* sull' *Estetica della* « *Einfühlung* » (la cosiddetta estetica edonistica o del Simpatico), su *Roberto Vischer e la contemplazione estetica della Natura,* sulla *Disputa intorno all'* « *Arte pura* ». Scritti speciali, le cui conclusioni non è nostra intenzione qui di riassumere, paghi di indicare questo filone di ricerche che nel campo della storia dell'estetica il Croce è venuto rinnovando e allargando in questi ultimi anni. Poiché questo suo volume *Ultimi saggi,* per la sua natura miscellanea e forse per lo stesso titolo sarcasticamente funebre (esso è apparso nel '35) è tra i meno noti tra i libri crociani.

Ma per un profilo di Croce storico dell' Estetica, non bisognerebbe dimenticare i numerosi studi compresi nel *Saggio sullo Hegel,* dove sono trattati scienziati e pensatori come Leonardo, Vico (per la critica omerica e per la dottrina del riso e dell' ironia), De Sanctis e Schopenhauer, De Sanctis e l' hegelismo, fino alle « Origini della tragedia » del Nietzsche. Studi cotesti che si legano a tutti i vari scritti sul De Sanctis, raccolti in *Una famiglia di patrioti.* Ma qui cessa, alla buon'ora dirà il lettore, la mia *oratio* sul Croce critico ed estetico, per lasciarla continuare ad altri che hanno fatto la storia delle influenze o delle reazioni al Croce in questi ultimi quarant'anni [1].

---

[1] C' è una storia degli studi estetici in Italia, quella che a noi non interessa raccontare, e che è stata utilmente fatta da CARMELO SGROI, *Gli studi estetici in Italia nel primo trentennio del '900* (Firenze, La Nuova Italia, 1932), e poi da A. TILGHER nella sua *Estetica* (Roma, 1931), da SANTINO CARAMELLA, in *Storia del pensiero estetico e del gusto letterario in Italia* (Perrella), e da FRANCESCO BRUNO, in *Il problema estetico contemporaneo* (Lanciano, Carabba), e recentemente, fino agli ultimi esistenzialisti, da GALVANO DELLA VOLPE, in *Crisi dell'estetica romantica* (D'Anna, Messina, 1942).

ANNOTAZIONI E DOCUMENTI

1. Il primo passo del Croce. — Al cap. V, *La critica letteraria del Croce e il nostro storicismo,* a p. 134 si legge: « Bisogna convenire che nell' infanzia della nostra mente, è descritto, a linee misteriose prima e a lettere sempre più chiare dopo, tutto quello che sarà il successivo destino, la logica storica della nostra vita mentale ». A titolo di curiosità stralcio alcuni paragrafi di alcuni articoli del Croce sedicenne, raccolti in un volumetto rarissimo, B. Croce, *Il primo passo,* IV scritti critici, Napoli MCMX (nozze Lombardo Radice-Harasim). Tali articoli furono inviati tra l'estate e l'autunno del 1882, a un settimanale giovanile, *L'Opinione letteraria,* diretto dal marchesino d'Arcais: il foglio letterario era un supplemento dell'*Opinione*. Ecco il commento di un foglio contemporaneo: « Il giornale, conservatore in politica, era doventato democratico in letteratura; e se quotidianamente non credeva degni dell'alta direzione dello Stato che un Minghetti o uno Spaventa, ogni giovedì era fortunatissimo di additare all'attenzione del popolo italiano un nuovo poeta, un nuovo novelliere, un nuovo critico. E che varietà di nomi ignoti per la massima parte! Sacchi interi di novelle e di saggi critici giungevano giorno per giorno al marchesino; il quale, vivesse cent'anni ancora, non potrebbe espiare degnamente la sua felicissima idea, diretta a ' ridestare e ad incoraggiare l'amor dell'arte nel nostro paese ' ». Tra i saggi critici ne furono pubblicati quattro di Benedetto Croce: l' improntitudine giovanile del marchesino d'Arcais è ben vendicata dunque, dalle ironie che fecero i contemporanei sul suo ebdomadario per gli infanti.

Il Croce allora era studente di liceo, scolaro di Ferdinando Flores (l'amico del De Sanctis), il quale, come libero docente di letteratura greca, insegnava all' Università di Napoli, e come professore di liceo « lasciava volentieri che i suoi alunni si sbizzarrissero in temi di libera elezione, suggeriti dalle personali letture e impressioni ». Così si spiega come il Croce, « che *passava* per l'erudito della classe », prendesse a trattare del Bettinelli e di Alessandro Guidi.

Ecco come il Croce introduce a parlare delle *Lettere virgiliane* del Bettinelli: « Ormai la celebrità del Bettinelli è una celebrità puramente negativa. Non si cita il suo nome se non per ispregiarlo e malmenarlo, non si citano le *Lettere virgiliane* se non per maledirle. Io comprendo e mi spiego quest'odio come conseguenza dell'ammirazione ognor crescente del nostro secolo per Dante, e come conseguenza dell'antipatia che doveva ispirare un suo detrattore, che per giunta era gesuita. Tuttavia, mi sembra ingiusta la dimenticanza in cui sono tenute tutte le sue opere, e ancora più ingiusto mi sembra il giudizio che si suol dare sulle *Lettere virgiliane*. Non già che non ne ricosca i torti e le bizzarrie; ma vi scorgo anche tali belle e ardite verità, che mettono ' il frate segretario di Virgilio ' accanto al Baretti ». Lascio al lettore riflettere sui moduli di questa prosa dell'adolescente critico, e sull' impostazione del problema atta a correggere un luogo comune della critica, che sarà la caratteristica maniera di tanti saggi posteriori del Croce.

« Si crede comunemente che le *Lettere virgiliane* siano un cumulo d' improperi e di pedanterie, presso a poco come il *Bue pedagogo* del padre Buonafede; o che siano una ' scrittura inorpellata e insipida ', come la chiama nella sua *Storia* l' Emiliani-Giudici. Niente di più falso. Il libro è scritto argutamente; e con molta destrezza vi si toccano le piaghe della letteratura italiana. » Fin d'allora il Croce aveva la buona abitudine di leggere i libri di cui parlava! Che cosa combatteva il Bettinelli? La pianta del petrarchismo e della imitazione letteraria. « Petrarcheggiò il Bembo, e questo fu sufficiente perché fosse tolta l'individualità a tutto un secolo di scrittori; delirò il Marino, e vi fu un altro secolo uniformemente delirante; le canzonette del Lemene fecero belare all'unisono l'Arcadia. E il Bettinelli vedeva questo male che rendeva noiosa l'arte italiana, e faceva esclamare al suo Virgilio: ' Convien ben convincersi, o miei italiani, che non è poeta chi fa dei versi soltanto, e che la sola imitazione non fece mai un poeta... Il Petrarca fu originale, notò da sé, senza esempio e senza guida. Come pretendono adunque imitarlo tutti, s'egli non ha imitato veruno? Perché farne commenti, precetti, poetiche petrarchesche, quasi fosse una macchina, di cui basti sciogliere i pezzi, minorarne le parti e farne altre tali, per comporne una pari in bellezza?... ' Le verità ed i principii propugnati dal Bettinelli erano molto giusti e salutari. Era egli che biasimava quell'uso dei suoi contemporanei di voler essere tutti poeti... Egli notava che in Italia ' mancava l'occupazione e sovrabbondavano i talenti '; osservazione nella quale sta riposta la ragione della vanità della letteratura italiana del Settecento. ' Mancava l'uomo ', dice il De Sanctis; ' manca l'occupazione ', aveva detto un secolo fa il Bettinelli. Ed egli stesso consigliava di chiudere per un certo tempo le tante accademie che mantenevano vivo il difetto dell' imitazione e dell'uniformità; e giudicava equamente il Petrarca, proponendo di scegliere dei tanti petrarchisti non più di venti sonetti e tre canzoni ».

E questo primo articolo sul Bettinelli così concludeva:

« Un gran buon senso è sparso per tutto il libro; e, se non fosse altro, questa qualità, che in Italia è venuta meno molto spesso, doveva farlo giudicare più equamente e con minore astio. Certo, il Bettinelli ebbe torto nel trattare a quel modo Dante; ed io stesso, che riconosco i suoi meriti, non posso guardarmi da un senso di antipatia per il detrattore del nostro grande e magnanimo poeta. Ma bisogna convenire che non è codesta una buona ragione per essere ingiusti verso di lui, e delle molte sue opere nominare solo quelle otto o nove pagine che criticano Dante... » (8 settembre 1882).

E l'adolescente critico in un secondo articolo passava ad analizzare le ragioni per cui nel Settecento illuministico e arcadico si amò poco Dante, accomunando insieme Voltaire, Baretti che chiamò Dante « seccantissimo », e il suo Bettinelli: « Non è strano che nel secolo XVIII fosse maltrattato Dante: quel secolo in cui regnava sovrana l'Arcadia, in cui vi era tanto amore per le miniature di capretti e di pastorelli e di pastorelle, il secolo di Metastasio, non poteva amare i forti e rudi versi danteschi ». « Il Voltaire, mente colta, lucida, non amò Dante, come non amò Shakespeare, come non manifestò grande ammirazione per Omero, che per lui ' c'est un caos encore, mais la lumière y buille déjà de tous côtés '. In quell'armonia della sua mente, ogni immagine sbagliata era una dissonanza immensa, ogni concetto di cattivo gusto era un difetto indelebile; e quelle immagini e quei concetti s' ingrandivano tanto da rendergli spiacevole l'opera intera. — Il Baretti, ingegno invasato da quello spirito critico che il De Sanctis direbbe ' negativo ', perdé il rispetto al divino poeta per la sola ragione che vi erano alcuni che lo idolatravano. Dico così perché non potrei spiegarmi altrimenti un uomo che ama Shakespeare ed odia Dante; e mi è conferma in questo giudizio l'essersi di poi contradetto, chiamandosi grande ammiratore della *Divina Commedia*. — Il Bettinelli poi, educato in un ambiente arcadico, era in parte impotente a gustare quella grande poesia; e, se aggiungete a questo l'amicizia di Voltaire e la grande influenza che nella seconda metà del sec. XVIII la letteratura francese esercitò sull' italiana; se aggiungete quel resto di pedanteria appresa nelle scuole dei gesuiti, i quali non potevano persuadersi che Dante avesse composto un poema fuori delle regole aristoteliche; se aggiungete lo spirito di contradizione; vi spiegherete come sia sorta quella critica strana, nella quale appariscono ora le grettezze dell'arcade e del pedante, ora il brio dell'ammiratore di Voltaire, ed ora il livore del frate; insomma, le strettezze antiche e le libertà moderne... ».

Insieme con questo precoce atteggiamento storicistico del Croce, nello spiegare la genesi degli indirizzi e dei dirizzoni mentali degli uomini e delle civiltà, sorprende anche la maniera scientifica (e sia pure elementare) con cui è trattato questo tema « Bettinelli e Dante », senza bisogno di ricorrere agli argomenti confutatori di altri. « Mia intenzione non è di mettermi a confutare le censure del padre Bettinelli: questo sarebbe ai nostri tempi cosa puerile ed inutile, dopo che tanto argutamente ne scrisse il Gozzi... Rifare il già fatto mi ripugna; ma mi ripugnerebbe vieppiù se dovessi rimpastare colle mie parole quelle pagine tanto belle. » — La maniera stilistica del Bettinelli poi è colpita con quell'acribia etica che c' è in tanti giudizi letterari del Croce. « Tutta la critica del Bettinelli è scritta con una certa unzione gesuitica, con una mescolanza di lode e di biasimo; sicché, subito dopo aver detto un' insolenza, esce in una lode smoderata. » Vi è colpita poi la mancanza di un criterio unitario direttivo e della coerenza interna degli atteggiamenti: « Il giudizio su Dante è malfermo, incerto, senza un criterio unico; ora debbo aggiungere che sta in contradizione con altre opere del Bettinelli. Veramente, questi si contradiceva spesso ». E qui segue la dimostrazione delle contraddizioni, non verbali, ma sostanziali di tutto il pensiero critico del Bettinelli, e per un componimento liceale, bisogna dire che davvero non c' è male.

Quanto poi allo spirito della sua difesa del Bettinelli (chi sa che qualche lettore non pensi: *nomina numina*! Anche il Croce è stato chiamato il Bettinelli della letteratura contemporanea, ai tempi della polemica del Pascoli e perfino per il saggio su Mario Rapisardi!), si deve mettere in rilievo la ragione dell' inclinazione del ragazzo Croce per Bettinelli: questi rinnovava l'aria chiusa e metteva in circolazione nuove idee: « Se in lui si è voluto odiare l'uomo che mirava a togliere alle infiacchite lettere italiane, l'unico forte sostegno, non si è avuto torto; ma se n' è avuto molto quando si è creduto che le *Lettere virgiliane* fossero un ammasso di mattezze. Credo di avere altra volta provato a sufficienza che molti giudizi vi sono dati con buon gusto e con acume, e che vi sono dette ardite verità; ed io amo molto quelli che propugnano nuove idee, giacché sono i veri promotori della scienza. Lo spirito di contradizione, a detta di uno che se ne intende, eccita tutta l'attività del pensiero, e perciò avvisa nuove idee e nuovi rapporti, dove la cieca imitazione lascia il mondo stazionario. Per la qual cosa non dobbiamo essere severi cogli uomini che affrontano il loro secolo; e dobbiamo perdonare al Baretti le ingiustizie contro il Goldoni, e dobbiamo perdonare al Bettinelli il peccataccio su Dante » (26 novembre 1882).

Gli altri due articoli del Croce riguardano *La canzone*

« *Alla Fortuna* » *del Guidi*, e *Didone*. Ecco la significativa e arguta protasi dell'articolo sul Guidi: « La canzone, che io prendo ad esaminare, è celebre, perché ha il suffragio di lode di due secoli; perché è creduta la più bella di quel poeta che osò scrivere: « Non è caro agli dèi Pindaro solo », quasi volesse dire: — Vedete, ci sono io — e perché porta seco un ricordo storico. Il ricordo storico è il seguente: che l'Alfieri, ancor giovane e ancora scapestrato, si sentì risvegliare il latente fuoco poetico nell'ascoltare dall'abate Caluso la lettura di questa canzone. Nondimeno, io mi accingo a dimostrarvi che essa ha un valore rettorico e scolastico, ma nessun valore poetico; né mi spaventa dall'esporre questa opinione alcuno dei titoli di celebrità ora enunciati. La lode dei due secoli conta ben poco in un paese come il nostro in cui è tanto sviluppato quel fatto che Ruggiero Bonghi, con arguta frase, chiamò *ammirare per commissione*; in cui si è tenuto per modello l'eloquenza del padre Bartoli per la savia ragione che era *pastoso, fiorito e galante*. La lode dell'Alfieri io non la disprezzo, ma la spiego; giacché un giovane, che non ha il gusto esercitato a distinguere l'oro dall'orpello, il sublime dallo sforzato e dal pomposo, facilmente si conduce ad ammirare i numerosi versi e le fiorite immagini del Guidi. Sicché io dopo aver fatto un inchino all'Alfieri e una scappellata, entro nell'argomento e vengo a provarvi che la canzone alla fortuna del Guidi è buona solo per trarne gli esempi da locare nella *Rettorica* del Cappellina ».

L'articolo sulla Didone virgiliana può interessare per quella « poesia dell'amore », che nel Croce ha avuto sempre un sensibile interprete: « la storia di Didone si distingue per una fedele e delicata pittura dell'eterno romanzo dell'amore, che si viene svolgendo in tutte le sue fasi, dai 'dubbiosi desiri' fino all'ebbrezza del godimento, dalla gioia al dolore e alla morte. Chi è Didone? È una donna che ha soffocato tutti gli affetti donneschi sotto la maschera di ferro di regina; è una donna che, nata per l'amore, ha giurato eterna castità ad un morto. Ebbene, in questi caratteri forti e severi, quando la passione prorompe, si afferma in tal modo e con tanta costanza, che può essere infranta dalla morte, ma non piegata da alcun ostacolo. Didone si innamora di Enea, come Desdemona si innamorò d'Otello a sentirlo narrare le sue avventure; e, quando poi resta sola, nei silenzi della notte le si presentano alla fantasia l'aspetto, le parole, i modi del duce troiano. La mattina, sente il bisogno di parlare e di manifestare in qualche modo quello che le si agita nell'anima; chiama la sorella Anna e le tiene un discorso mirabilmente inconcludente, in cui la passione si mostra in tutta la sua ingenuità, coi ritegni, coi dubbi, lottante col pudore; un discorso che rappresenta al vivo l'animo dell'innamorata donna. Comincia col lodare la bellezza di Enea, le sue avventure; poi, ad un tratto, fa capolino l'idea dell'amore, ma in modo negativo: 'Oh! Se dovessi amare alcuno, questi sarebbe Enea; con lui solo *agnosco veteris vestigia flammae*; ma Giove mi fulmini prima che io osi rompere fede a Sichéo!'. E questo giuramento mostra che essa sente crescere e giganteggiare nel cuore la passione amorosa.

Sic effata sinum lacrimis implevit obortis.

E questo pianto mostra che il cuore contradice alle sue labbra, che quel giuramento non lo può mantenere; quando si ha una grande passione, non ci vuol molto a persuaderci che essa sia lecita e giusta, e la sorella Anna usa tali argomenti alla regina dal torle completamente quel ritegno e quel pudore; le adduce la necessità di difendere il regno contro Iarba e le dice che i morti hanno poco bisogno della sua castità *(Id cinerem aut manes credis curare sepultos?)*: due grandi ragioni per iscusarsi davanti agli occhi del popolo e assicurarsi con la propria coscienza.

È la dipintura della passione di Didone seguita meravigliosamente in tutte le sue sfumature, in tutte le sue puerilità. Invano la regina offre sacrifici agli dèi, invano ordina orazioni; non può riacquistare la pace perduta. Cerca di avere sempre Enea al fianco e lo conduce seco a vedere i lavori intrapresi; ma, quando vuol parlargli, la voce le muore sul labbro:

Incipit effari mediaque in fauce resistit. »

L'analisi procede per altri particolari, fin che si passa a Enea; ed è tipica l'antipatia estetico-sentimentale dell'esordiente critico, tutto impregnato ancora di un sentire e di un gusto romantico e con la tendenza a tipeggiare il «personaggio» secondo i modi cari al De Sanctis, per questo eroe che ancora non vuole e non sa essere il Rinaldo tassesco: «Esponendo questo episodio, credo di aver fatto rilevare il carattere di Didone, che è la donna che ama tenacemente, che sottomette ogni cosa alla sua passione e che muore prima di piegarsi. Ma della figura di Enea non ho ancora fatto parola, e qualcuno potrebbe ancora domandarmi: — Quest'uomo ama o non ama? È un magnanimo o un vigliacco? Quale passione lo agita? — Virgilio ci ha voluto dare in Enea il carattere di un duce saggio, quale era necessario a fondare una nazione; ma, come avviene delle figure fatte a disegno, Enea, per troppa bontà, è riuscito un personaggio senza carattere. Non ha un sentimento proprio, non ha una propria passione, ma sono gli dèi che a volta a volta lo determinano nel tale e tal altro modo; è un carattere passivo, è un fantoccio, che è mosso dalla volontà degli dèi. — Parti da Cartagine, gli dice Mercurio, ed egli se ne va senza provare alcuna grande commozione per l'amore che s' infrange; la sua pietà la vince sopra le passioni umane. Alessandro Dumas ha detto che sventuratamente uno dei pregi della bontà è di annoiare mortalmente; ed io dirò che questa pietà di Enea è sommamente antipatica.
Anche il Rinaldo del Tasso abbandona Armida, ma lasciando stare che il caso era un po' diverso, Rinaldo ha delle esitazioni, dei rimpianti, non è tutto di un pezzo come Enea. Invece, dal labbro dell' Enea virgiliano esce raramente una parola affettuosa, e quasi quasi io sarei tentato per questa parte per l' Enea del Metastasio; cantarellante quanto volete, ma che sente qualche cosa, che ama e freme nell'allontanarsi. »

2. La fama letteraria del Croce esordiente. — Sempre per questo periodo dell' infanzia critica del Croce, ha una qualche curiosità un articolo di un poeta, di Salvatore Di Giacomo, scritto nel 1889 (il poeta era ventinovenne, e il suo critico ne aveva ventitré: il Croce è nato il 25 febbraio del 1866), e il lettore può leggerlo per disteso in un fascicolo

miscellaneo intitolato *Benedetto Croce*, Napoli, 1920, e in cui ricorrono altri articoli, del Croce stesso, del Gentile, dell'Anile, del Russo, del Lombardo-Radice, del De Ruggiero, di Harukici Scimoi, oltre che della raccoglitrice e curatrice Fiorina Centi. Scriveva il Di Giacomo nell'89 (ma è da spostare la data dell'articolo al 1891, perché vi si parla di un Croce venticinquenne, e dei lavori compiuti fino al 1890): « Profitto della sua lontananza e gli dedico un articolo. Il mio buon amico Croce è di questi giorni tutto occupato a perlustrare Londra. Dalle nebbie del Nord egli non tornerà che fra un mese, ed io, come vedete, ho il tempo di prepararmi alle proteste della sua modestia. Modesto, dunque, il mio amico Croce anche in questo, che cioè avendo la coscienza di quello che è, del bene che può fare, dell'amor che vi mette, nulla chiede, solitario vive e lavora, e del vedersi, per avventura, nominato su per qualche giornale arrossisce davvero, più perché lo meraviglia l'insospettato apprezzamento di una serietà di studii e di un ideale che è di pochi, che per naturale emozione di persona la quale si trovi, da un momento all'altro, nelle braccia della celebrità.

Il Croce è giovanissimo; io credo che egli abbia soltanto superato di qualche anno i soliti cinque lustri, classico spazio di tempo in cui si aggirano, tradizionalmente, gli ingegni produttori, col più vivo delle loro forze. Chi lo vede non sospetta il letterato in quell'ometto semplice, sorridente, tranquillo, non ancora insignito del sospirato onore del mento. Egli ha un naso puntuto, sul quale stanno a cavallo le lenti; queste lo aiutano a non scambiare un cavallo con un elefante, quello si caccia, in tutta la santa giornata, tra le carte grattate dalla penna d'oca, tra i fasci di documenti che sono negli archivi e i libri rari che costituiscono il patrimonio più sacro delle nostre biblioteche. Il fatto non è meraviglioso in questo scorcio di secolo nel quale parecchi giovani vanno accordando la scienza alla letteratura, l'erudizione alle forme più sensazionali e più nuove dell'arte. Ma ben singolare è il caso di un giovane, che, ricco abbastanza per poter avere una grande casa sontuosa, delle belle donne, dei cavalli, e il capriccio di una partita a baccarat, tutti infine i piaceri fisici e psichici, di cui l'oro è sorgente, consacra invece il suo tempo e la sua attività, il suo danaro e le sue aspirazioni al conseguimento di un ideale più nobile e più onesto...

Benedetto Croce ha fin qua dato alle stampe e pubblicato parecchi suoi studi storici, alcuni dei quali, specialmente, rischiarano, con un corredo di documenti nuovi, quella parte della storia napoletana che tratta dei moti del '99... Questo è Benedetto Croce. Infaticabile lavoratore egli consacra ai suoi studi tutta la giornata passando dalla Biblioteca Nazionale all'Archivio di Stato, e da questo alla Società di storia patria. Raccoglie, annota, fruga dappertutto, e, rincasato, nel silenzio della sua camera da studio, dispone i suoi appunti per una novella monografia di cento pagine o per un libro che ne conta ben settecento...

Che farà il Croce, che darà in luce dopo queste opere? Nella sua attività e nella sua cultura è da sperare immensamente; egli sarà uno di quelli studiosi sinceri e costanti la cui produzione, intesa, col più nobile senso di amor patrio, a risollevare la storia della patria, arricchirà di preziose illustrazioni quanto riguardi la nostra Napoli, e ai posteri andrà dicendo molte verità che fino a quest'ora erano state o taciute o sconosciute. Io gli auguro e glielo auguro cordialmente che la cerchia dei suoi lettori si allarghi e così, sperando per lui, spero anche assai per il risollevamento della cultura del pubblico».

INDICE

VII. *Lo svolgimento dell'estetica crociana:*

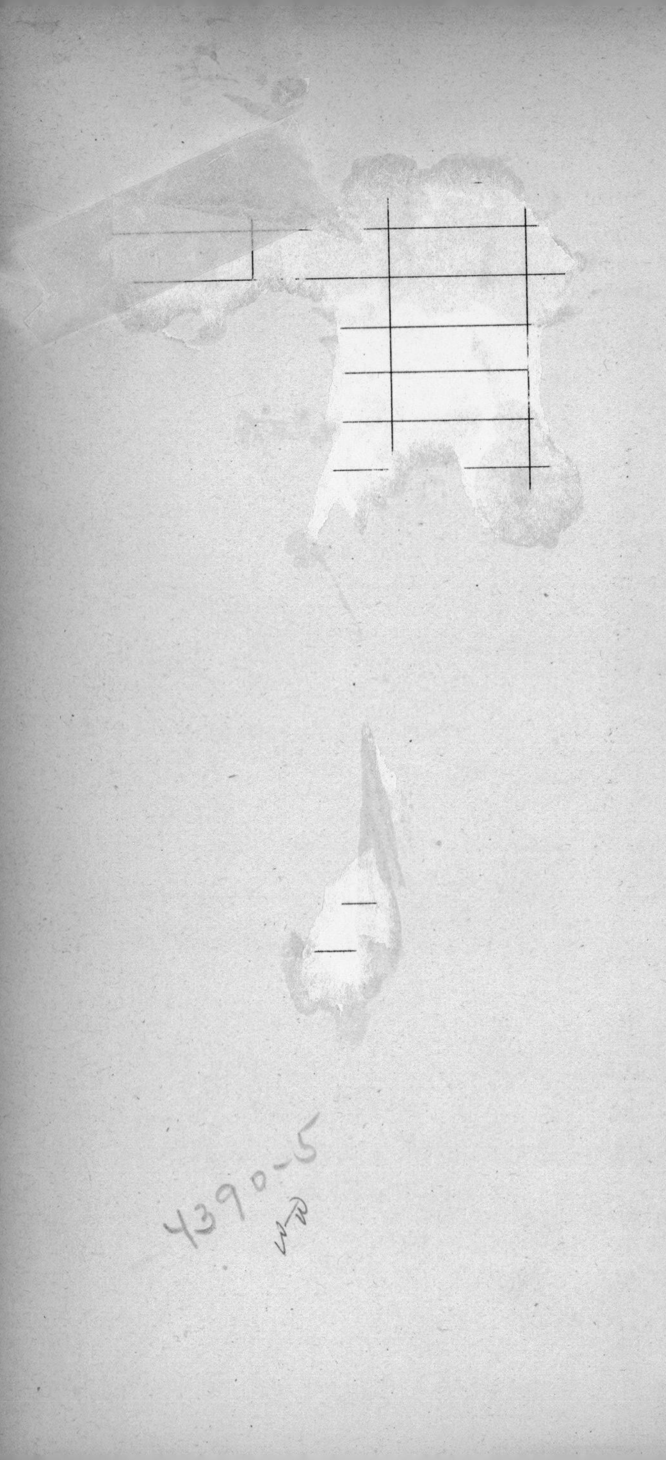